国家出版基金项目
NATIONAL PUBLICATION FOUNDATION

《三联经典文库》

第二辑

2012年国家出版基金项目

三联经典文库

133

最近一年间的国际动态

（1946.7–1947.6）

《东北日报》社　编

生活·讀書·新知 三联书店

图书在版编目(CIP)数据

最近一年间的国际动态（1946.7-1947.6）/《东北日报》社编. -- 北京：生活·读书·新知三联书店,2014.1
（三联经典文库第二辑）
ISBN 978-7-108-04656-7

Ⅰ.①最… Ⅱ.①东… Ⅲ.①新闻报道－作品集－中国－现代 Ⅳ.①I253

中国版本图书馆CIP数据核字(2013)第252887号

133 最近一年间的国际动态（1946.7-1947.6）

责任编辑	龚黔兰
封扉设计	蔡立国
责任印制	李思佳
出版发行	生活·讀書·新知 三联书店 (北京市东城区美术馆东街22号)
邮　　编	100010
经　　销	新华书店
印　　刷	北京市松源印刷有限公司
版　　次	2014年1月北京第1版　2014年1月北京第1次印刷
开　　本	787毫米×1092毫米　1/32　印张　20.25
字　　数	288千字
定　　价	79.00元

《三联经典文库》出版缘起

适逢生活·读书·新知三联书店八十华诞，为弘扬传统，接续文脉，回报读者，服务社会，我们决定策划出版《三联经典文库》。

1932年7月，生活书店在上海创办，此后，读书出版社和新知书店相继成立。本文库第一辑、第二辑所选图书，来自于这三家出版单位及其分支机构，以及1948年生活·读书·新知三联书店成立后的出版物，始于1932年，截至1951年，两辑各一百种。此为第二辑，涉及政治、经济、社会、军事、思想文化诸领域，涵盖专著、文集、散文、小说、诗歌、传记、报道等体裁，既有直面现实、追求真理、讴歌真善美、抨击假恶丑的原创作品，又有引介世界各国先进文化、传播新知、开启民智的迻译之作，真实记录了那一代知识分子的思考与探索、理想与愿景和对中华民族文化传承与创新所做出的努力与贡献。

本文库所辑入各书，多为名家名作，在版本方面，以初版一印本或经著译编者审定、修订、增订过的版本为首选，因此本文库又具有较为珍贵的版本价值和收藏价值。

本文库还将编选续辑，使之成为恢弘文化工程。诚挚希望读者给予批评和指正，帮助我们完善编选工作，再现三联经典作品之风采。殊为遗憾的是，由于年代久远，一些原著译编者及其后人未能取得联系并奉付稿酬，诚盼版权所有者与我们联系。祈愿三联前辈所创造的精神财富能薪火相传，为中华文化的伟大复兴增光添彩。

《三联经典文库》编辑委员会

2013 年 8 月

凡　例

一、本文库为重排本，由繁体字竖排版改为简体字横排版。

一、以忠实于原作、整旧如旧为编辑原则，对当时使用的专有名词、外文译名，以及民国时期的语言和特色予以保留。

一、原书注释如旧，编者所出的注释，均以“编者注”标明，以示与原书注释的区别。

一、对原书残缺或字迹漫漶之处，以□示代。

一、对繁简文本转换时的“如右”、“见左”一类，对应改为“如上（前）”、“见下（后）”。

一、对原书中各种错讹脱衍之处，直接订正，不再以其他符号标示。

一、对数字、标点符号的用法，在不损害原文语义的情况下，做必要的规范。

一、本文库各书均前插原书书影、原书版权页和文库版“本书出版说明”。

一、本书出版说明的撰写，以客观中立为原则，扼要介绍本书的内容、版本流转、著译编者的情况。

本书出版说明

本书内容均选自《解放日报》及《东北日报》，涵盖1946年7月至1947年6月间的国际动态，介绍了五个方面的具体内容，以便于各位中国民主阵营人士结合实际情况，认清形势：

有关世界政治的样子、斯大林答英《星期泰晤士报》记者问、斯大林答美合众社社长问、斯大林答小罗斯福问、斯大林与史塔生会谈记录等一些国际形势中的基本问题；有关第四届外长巴黎会议、巴黎和会、联合国首届二次大会与第五届外长纽约会议、第六届外长莫斯科会议等重要的国际会议；有关美国等西方国家的政治、经济及对外关系；有关欧洲民主力量的生长及英法两国的诸多情况；有关殖民地问题与被压迫民族的解放运动，以及日本问题与朝鲜问题。

从中可以看出这一年间世界民主反民主斗争发展的形势。本书在当年出版，对于人们正确认识和把握国际形势的动态，起到了重要的作用。

本书由东北书店印行。

《东北日报》是中国共产党在东北解放区创办的第一张地区报纸。从 1945 年 11 月 1 日创刊，到 1954 年 8 月 31 日止，它几乎经历了整个解放战争，迎来了中华人民共和国的诞生，也为新中国初期的建设做出了贡献。

生活·读书·新知三联书店

2013 年 8 月

东北书店原版书影

最近一年間的

國際動態

1946.7.—1947.6.

東北日報社編

東北書店印行

件，10000，　　定價：　　元

原书版权页

目 次

第三部分　美国

第四部分　欧洲

说　明

一　本书材料，均选自《解放日报》及《东北日报》。

二　本书材料，选自去年七月至今年六月，恰是一整年，从中可以看出过去一年间世界民主反民主斗争发展形势。

三　国际局势变化急遽，有些具体事件的评论分析，现在看来已经过时，但为了参考，故仍收录在内。

编者

一九四七年七月一日

第一部分　国际形势中的基本问题

关于战后国际形势中几个基本问题的解释

陆定一

现在是一九四七年的新年，我们想对整个国际形势作一次全面检讨，借以祛除在这方面的若干误解。

一年多以来，由于时局的变化复杂与中外反动派有意广泛散布的武断宣传，截至现时为止，中国民主阵营中还有一些人，对于战后国际政治形势中几个基本问题的了解与实际情形不符合，或不完全符合。他们之中，包括一部分共产党员，一部分左翼批评家，一部分中间派批评家。本文的目的就是对于这几个基本问题，作一个概括的解释。

一、毛泽东的预测

反法西斯战争胜利已经十六个月了。这十六个月是国际政治形势极其变化复杂的时期，事变的经过是很曲折的，在前年九月伦敦外长会议时是一种情况，在前年十二月莫斯科外长会议时一变，去年二三月起又一变，去年九月以来又有一变，经过十六个月以来多次变化之后，我们已有充分的把握来说：国际形势的发展，完全符合于毛泽东同志的预言。

毛泽东同志在一九四五年四月中共第七次全国代表大会的政治报告《论联合政府》中，对于第二次世界大战后的世界新形势，作了下列的预测：

> 这一新形势与第一次世界大战及在其后的所谓“和平”时代，是大不相同的。在那时，还没有现在的苏联，也没有现在这样的英、美、中、法及其他反法西斯同盟各国人民的觉悟程度，自然也就不能有三大国或五大国为首的现在这样的世界团结。我们现在是处在完全新的

局面之下，现在有的是：觉悟了与团结了并且正在更加觉悟与更加团结的世界人民以及人民的有组织的力量，这就规定了世界历史车轮所要走向的目标和达此目标所要选取的道路。

法西斯侵略国被打败，总的和平局面出现了以后，并不是说就没有了斗争。广泛的散布着的法西斯残余势力，一定还要捣乱。反法西斯侵略战争的阵营中，存在着反民主势力，他们仍然要压迫人民。所以国际和平实现以后，反法西斯的人民大众与法西斯残余势力之争，民主与反民主之争，仍将充满世界的大部分地方。只有经过长期的努力，克服了法西斯残余势力及反民主势力，才能有最广泛的人民的胜利。到达这一天，绝不是很快与很容易的，但是必然要到达这一天。反法西斯战争——正义的第二次世界大战的胜利，给这个战后人民斗争的胜利开辟了道路。也只有这一种斗争胜利了，巩固与持久的和平才得了保障，这就是世界人民的光明前途。

我希望读者把毛泽东同志的这段话，精读几遍，对于了解现在的国际形势的基本问题会有帮助的。

二、两个基本点

毛泽东同志的这段话，指出了两个基本点：

第一个基本点。反法西斯战争的胜利，给各国民主势力的向前发展开辟了道路。这个民主势力向前发展的规模，比起第一次世界大战以后民主势力向前发展的规模来，大得不可比拟。反民主势力向世界各国人民的进攻，是必然的。但是民主势力必然能够战胜反民主势力，取得自己的胜利，取得巩固与持久的国际和平。这里有两个必然性，一是反民主势力必然要进攻，二是民主势力必然要胜利。

这样，就把一切错误的悲观论点扫除干净。这些悲观论点，就是：所谓第二次世界大战以后民主势力向前发展的规模还不如第一次大战后的规模那样大；所谓美帝国主义与蒋介石的反动力量将如何了不起，将如何压得全世界全中国喘不过气来；所谓第三次世界大战将无法避免，或快要来临，巩固与持久的世界和平不能取得等等，所有这些观点显然是错误的。所以犯这种错误的原因，在于被国际国内反动势力暂时表面的强大所迷惑或受反动派的宣传所蒙蔽，因而过高估计了反动派的力量，过低估计了人民的力量。

第二个基本点。民主势力与反民主势力之间的斗争，将充满于世界大部分地方。这就是说：世界上有一个社会主义的苏联，那里已没有了反民主势力，因而没有内部的民主与反民主的斗争。世界除了苏联以外的其他地方，即整个资本主义世界，则充满了民主与反民主的斗争。这就是说：第二次世界大战以后，世界的实际政治中的主要矛盾，是在资本主义世界内的民主势力与反民主势力之间，而不是在资本主义世界与社会主义苏联之间，也不是在苏美之间。更具体地说：现在世界的主要矛盾是美国人民与美国反动派的矛盾，是英美矛盾和中美矛盾。

这样，就把中外反动派的武断宣传驳斥干净，使一切好心的人不被这种武断宣传所迷惑。这些武断宣传，就是：当前世界实际政治中的主要矛盾是在资本主义与社会主义国家之间；美苏矛盾是主要的，英美矛盾和中美矛盾是次要的；社会主义国家与资本主义国家不能和平合作，美苏间战争不可避免等等。

以下我们就来说明：第一、反民主势力是谁？其现在怎样，将来会怎样？第二、民主势力是谁？其现在怎样，将来会怎样？

三、世界反动派的阴谋及其实际行动

第二次世界大战以后，美国的帝国主义者代替了德、意、日法西斯的地位，而成为世界反动势力的堡垒。世界的反动势力，就是美国的帝国主义者加上各国的反动派（中国的蒋介石、英国的丘吉尔、法国的戴高乐等等），再加上法西斯残余（西班牙的佛朗哥政府、日本的吉田内阁、德国的巴本、沙赫特等等），各国的反动派和法西斯残余，现在都由美国的帝国主义者直接间接的支持着和包庇着，成为出卖各国人民的卖国贼。

美国战时的工业生产，比战前增加一倍以上。在战争中美国的垄断资本得到了极大的发展。同时，在美国又形成了一批军阀。战争结束后，这批垄断资本家与军国主义者，这批极少数的狂热侵略者集团，主张以帝国主义的侵略政策来扩大市场，夺取别的资本主义国家的市场与殖民地半殖民地，而主要是向英、法两大殖民帝国及中国压迫，同时独占日本及拉丁美洲。美国的帝国主义者，是在所谓“门户开放，机会均等”等口号之下进行这种侵略的，因为美国的生产技术很高，垄断资本很大，所以不论到什么地方，只要有“门户开放，机会均等”的条件，就比别人占压倒的优势，就可以排挤别人而独占市场。不仅如此，美国帝国主义者并且对于一切资本主义国家与殖民地半殖民地国家，在各种借口之下，实行大规模的军事布置，其军事根据地遍于苏联以外的许多国家。美国帝国主义者用“和平”方式占领了各国的许多“珍珠港”，却反过来说，这是为了“防止另一个珍珠港事件”！

一九四六年二三月间。世界的反动派曾经一度企图煽起进攻苏联的战争，这以丘吉尔的反动演说为其标志。这件事引起大家的警惕，是应该的。但是，丘吉尔的煽动，在全世界人民中受到反对和冷淡，反动派的企图遭到悲惨的失败。

可是，由丘吉尔开始的“反苏战争”的宣传，却被美国的帝国主义者视为至宝，继承下去。美国的帝国主义者所以爱好这种宣传，其目的并不是在现时要发动反苏战争，而是用作烟幕，进行其世界大侵略与国内大压迫。

反苏，这是什么意思？希特勒的反苏，曾经就是奴役德国人民与蹂躏全欧洲的代名词。日本法西斯的反苏，曾经是奴役日本人民与侵略太平洋两岸各国的代名词。美国反动派的反苏，不能不是奴役美国人民与侵略全世界的代名词。

但是，现在美国反动派的反苏口号，与以前德、日法西斯的反苏口号，其含意有不相同处。德国离苏联很近，加上其他条件，因而德国法西斯还能进攻苏联。日本与苏联接壤，但日本法西斯因为国力不如希特勒，只能攻击中国及太平洋，来不及侵苏就被打败了。美国离苏联很远，中间隔着极其辽阔的地带，这个中间地带就是欧、亚、非三洲一切资本主义国家与殖民地半殖民地国家，加上其他条件，因此，美国很难进攻苏联，美国反苏战争的口号在战后时期的实际意义，就是压迫美国人民和以“和平”方式侵略苏联以外的一切国家。

当然，美国的垄断资本家、军阀与社会主义苏联之间是有矛盾的，这在性质上说是新世界与旧世界的矛盾，是世界的基本矛盾之一。苏联的社会制度与国家制度比美国资本主义坚强得多，苏联是世界和平的保护者，有了苏联，美国和世界反动派的贪欲与野心就根本上难以实现。因此美国与世界的反动派的确是痛恨苏联，而且要进行反苏斗争的。但是，反苏是一回事，反苏战争又是一回事。我们决不能说，美国的帝国主义者不想进攻苏联，可是美国的帝国主义者在压服美国人民和压服各资本主义国家及殖民地半殖民地国家之前，无法去进攻苏联，而要压服这些却是不可能的。因此，苏美之间的矛盾，虽然是世界的基本矛盾之一，却不是紧迫的矛盾，即不是当前政治形势中的主要矛盾。十六个月事变的发展，已经证明了这一点。

美国的帝国主义者，其实际政策，是用“和平”方式进攻美国人民压迫一切资本主义国家与殖民地半殖民地国家，然而，美国帝国主义者把它实际所做的这一套隐瞒着不说。美国帝国主义者无法去进攻苏联，然而，美国帝国主义者却大谈其所谓“反苏战争”。所以这显然是在放烟幕。

美国的帝国主义者为什么要放这烟幕呢？如果不揭破这个烟幕，又有什么害处呢？

美国帝国主义者施放烟幕，其目的在于使美国人民和一切资本主义国家与殖民地半殖民地国家的广大人民，对美国帝国主义者的实际政策失去警觉性，因而失去或减少对美国帝国主义进攻与侵略的抵抗力，这样，美国帝国主义者就可以趁着美国人民和各国人民没有准备，比较容易的把美国法西斯化，和把各国变成美国的殖民地或附属国。如果不揭破美国帝国主义的烟幕，或者不把这个揭露工作当作重要的事情来做，我们就多多少少上了美国帝国主义者的圈套，甚至多多少少替公敌美国帝国主义分子做了传声筒。

因此，不应该被反动派的烟幕所迷惑，以致失掉自己的判断力，惑于所谓“世界的主要矛盾是苏美矛盾”、“第三次世界大战不可避免”等武断宣传。只有坚决的揭穿烟幕，在美国人民中，在一切资本主义国家中，一切殖民地半殖民地国家中，号召大家起来认清敌人，救亡图存，反对美国帝国主义者的进攻，反对美国帝国主义者的侵略，才是我们民主阵营中每个人的正确道路和应尽的职责。

四、世界的民主力量

与世界反动派——美国的帝国主义及其在各国的走狗——对立着的是世界的民主力量。

世界的民主力量，除苏联是主要的柱石外，分为三部分，即美国的广大人民、美国以外的一切资本主义国家的广大人民、殖民地半殖民地各国的广大人民。就阶级的成分说，则包括工人、农民一直到资产阶级中的爱国分子和主张和平的分子。

美国人民在反法西斯战争中作了英雄式的贡献。美国人民牺牲奋斗，其目的是为了争取世界的和平民主，争取自己的幸福生活。战争结束了，美国人民却面临着这样的情况：打败了国外反动派之后，来了个国内反动派，他们就是在战争中投机取巧大发横财的垄断资本家。这批垄断资本家及其在政府中的反动的代言人，在国内政策上，抬高物价来减低人民的生活，压迫罢工来取消人民的自由，鼓动反苏以转移美国人民的注意力，使美国人民对于垄断资本家的进攻不加防备，在对外政策上美国的反动分子不叫自己是“孤立主义者”了，他们叫自己“国际主义者”，不过这个“国际主义者”，乃是国际侵略主义者，而不是国际民主合作主义者。这些反动分子在美国共和、民主两党中均有其人。这些反动派对全世界的侵略，大大地败坏了美国的名誉，破坏了国际的友谊，酝酿着战争危险。

这就是为什么美国人民，包括美国资产阶级以华莱士为代表的一部分开明人士在内，一定会起来对反动派坚决斗争的理由。

美国以外的资本主义国家，主要的是英国和法国受了战争的极大创伤，对于美国说来，它是二等国，三等国。它们是美国帝国主义侵略的对象。资本主义发展不平衡的规律，迫使他们要向美国的压迫作坚决的抵抗。

这些资本主义国家，现在正力求在经济上从战争的创伤中恢复过来，同时，它们又处在这样的情况之下：

一方面是本国人民的民主运动与殖民地半殖民地要求独立自治，另一方面是美国帝国主义的野蛮侵略。这些资本主义国家里的反动派如丘吉尔、戴高乐之流所走的路线，就是依靠美国帝国主义者来反对本国人民民主运动与殖民地人民的独立运动。这一条反动路线的代价，就是不可避免地要引导到这些国家降为美国帝国主义的附属国。这些资本主义国家里的人民，则有另外一条路线，即是争取本国的民主改革与社会改革，允许殖民地人民独立自治，并和苏联合作以对抗美帝国主义的侵略，保持国家的独立。人民的路线毫无疑义是要胜利的，因为这条路线会得到各阶层人民（包括资产阶级中开明人士在内）的赞成，而反动派的路线则是必然失败的，因为那条路线将受到全民族的反对。

拿这些资本主义国家中最重要的一个——英国来说。英国在战后努力恢复经济，其输出现正在逐月增加中，这是美国帝国主义者所不高兴的。美国帝国主义利用英国需要借款，企图打破金镑集团，并在所谓“防御苏联进攻”的名义下，要英国与他订立军事同盟，这都是走向吞并英国的严重的准备步骤。英国的附属国与殖民地遍于世界，在美国帝国主义的独霸世界的政策之下，在加拿大、南美洲、澳洲、大西洋岛屿，在中东巴勒斯坦与阿拉伯，在埃及、在地中海，最后在印度与缅甸及其他地方，都有美国帝国主义向英国的进攻。若干地方的这种冲突已发展成为或酝酿着武装的斗争。在将来，美国帝国主义向其他资本主义国家（首先是英国）挑起侵略战争的可能，是存在着的。

英国继承保守党外交政策的阿特里——贝文内阁，一年多以来做了许多和美国帝国主义分子一鼻孔出气的坏事，在许多问题上表示他们的互相谅解，或共同行动。但美国帝国主义者的政策不能不迫使英国人民逐步觉悟起来。英国下院中反对贝文外交政策的票数迅速增多就是证明。依据英国人民日益觉悟的情况，英国的现行外交政策势难继续下去，英国改变外交政策的时机已不远了。

英国如此，法国更将如此。依据法国人民日益觉悟的事实，法国是决不会跟美国帝国主义分子跑的。

美国帝国主义侵略资本主义国家的政策，必然引起这些国家的反对。因而，在第二次世界大战后，所谓"对苏联的资本主义包围”是没有根据的。相反的，一方面因为苏联的国际和平民主政策，与一切国家和平竞赛，友好通商的政策，另一方面英、法等国要抵抗美国的压迫，要逃脱经济危机的打击及恢复经济必须与苏联合作与通商。因而所谓“资本主义包围”就不存在了。

美国对于殖民地半殖民地各民族的政策，就是要把它变为美国的殖民地与附属国。美国帝国主义对中国的政策，就是一个标本。美国帝国主义对中国的政策，与日本法西斯对中国的政策在性质上没有区别，虽然在形式上是不同的。其手段之阴险毒辣，则超过日本帝国主义。日本帝国主义被打倒以后，美国在中国扶助蒋介石等反动派压迫中国人民，在日本则扶助吉田等反动派压迫日本人民并助其恢复对中国的侵略，现在中日两国反动派处在同一充当美国走狗的地位，而中日两国人民则处在同一受美国帝国主义压迫的地位。中国人民现在对美蒋所进行的自卫斗争，其性质是祖国战争，是全民族性的战争，得到全民族的拥护。这样的祖国战争，在许多殖民地半殖民地国家中都发生了，例如菲律宾、越南、印尼、伊朗、希腊等。这些战争都是反对美国帝国主义及其在各国的走狗的，是直接或间接反对美国帝国主义的，是争取世界的和平民主的。

美国帝国主义与资本主义世界民主力量间的矛盾，不是在和缓下去，而是在发展起来。到了美国发生经济危机，而美国帝国主义者更加紧其进攻之时，这个矛盾将要更加紧张。这个时间的到来是不远的，因为美国的经济危机，今年或明年就要到来。

五、世界规模的统一战线

世界的反民主势力，是美国帝国主义者与各国反动派。世界的反民主势力既然联成一气，进攻美国人民、各资本主义国家的人民与殖民地半殖民地国家的人民，那么，美国人民、各资本主义国家的人民与殖民地半殖民地国家的人民，势必也联成一气，结成世界规模的统一战线，来反对美帝国主义和各国的反动派。这个世界规模的统一战线，这包括十几万万人的极其巨大的队伍，就是世界的民主势力。

这个世界规模的统一战线，不可能是其他性质的统一战线，只可能是这样一种性质的统一战线，即反对美国帝国主义及其走狗的，为世界和平与民主，为各民族的独立而奋斗的统一战线。这个统一战线，无疑的会有社会主义苏联的同情与声援。

这个世界规模的统一战线将标志着世界历史的新的一页，即第二次世界大战后到世界的巩固与持久的和平得到保障的日子为止的世界历史，中国的独立和平民主运动，是这一段世界历史中的重要一部分。

各资本主义国家及各殖民地半殖民地国家中内部，也会如中国内部一样有极其广泛的统一战线，反对美国的帝国主义者和本国的反动派。

为实现这个世界规模的统一战线而奋斗，和为实现各国内部的统一战线而奋斗，乃是各国人民、各国民主势力的当前的中心任务。

六、力量的对比

反法西斯战争胜利一年多以来的事实，证明世界进步的速度是很快的，有些事变比较我们所意料的还要发展得快些。世界各国民主力量发展的规模是远远超过第一次世界大战以后的情形。

一年多以来资本主义世界中人民的进步，表现在：（一）东欧、东南欧各国新民主主义政权的巩固建立；（二）英、法全国人民的飞跃进步；（三）以中国为首的殖民地半殖民地人民要求独立自由的斗争的蓬勃发展；（四）德、意、日三国人民的迅速左倾；（五）美国罢工运动的高涨，与华莱士事件的发生（华莱士事件表示美国资产阶级的分裂，在英国的工党反对派事件也是如此）；（六）南美洲各国民主力量的广大发展。

资本主义世界人民的进步，资本主义世界中民主力量的发展，其规模与速度是惊人的。

世界上最进步的国家——社会主义苏联，在反法西斯战争胜利以后，其国际地位大大提高了，现在正以全力实行新的五年计划的和平建设工作，其第一年的工业生产计划已提早一个月完成，说明苏联的新的建设计划，是完全可能完成和超过的。苏联在外交上为国际和平与保卫小国的利益而奋斗，在最近的联合国大会及外长会议上得到很大的胜利，去年三月丘吉尔发表反动演说后英美反动派企图使苏联孤立的阴谋是被粉碎了。苏联在经济建设上的胜利与在外交上的胜利，是会重大地影响世界发展的历史，而有利于世界各国人民的。

世界的反动势力，则是外强中干，而且日益走向孤立。美国帝国主义，这是资本主义发展的最高峰。但正因为如此，所以它是比以前任何时候的资本主义都来得更脆弱。爬得愈高，跌得愈重，今年或明年美国将要到来的经济危机，不能不是有着很剧烈的性质的。美国帝国主义者的反动的对外政策与对内政策，势必引起与已经引起国内与国外最广大人群的反对，这样就将迫使它自己日益走向孤立，走向众叛亲离。美国帝国主义者在各国的走狗，例如中国的蒋介石，都不能不成为卖国贼，而被那里的全民族所反对，因而也不能不迅速地把自己孤立起来，走到众叛亲离。中国的蒋介石如此，各国的反动派也是如此。反动势力归根到底是要倒台的。它们在一时候确实显得很猖獗，以致可以把意志薄弱的人们吓得魂不附体，表现悲观失望，失去自信力，甚至变节屈服，投降反动派。

但是，对于广大人民，对于一切意志坚强的人们，是不会被吓倒的。人们将在自己的实践中不但认识反动派的反动性，而且认识他们的脆弱性，认识反动派向人民的进攻是可以被粉碎的。

总起来说，世界的进步，苏联的成功，美国的危机，这是对于世界今后历史发展有决定意义的三个因素。

七、胜利的途径

现在还是世界反动势力神气活现张牙舞爪的时候，这主要是由于各国人民的斗争，现在尚未达到更高的阶段，同时也因为美国的经济危机还没有到来。但就在这样的时候，反动势力尚且已经显出腐败无能与外强中干了。等到各国人民的斗争力量有了更大的发展，美国的经济危机又已爆发时，就是反动派威风下降的时候了。这个时候的到来，已经不远。在这个时候到来以前，各国人民会遇到困难，在个别国家，个别地区甚至是很重大的困难。但是，这样的困难是可以战胜与必须战胜的。现在的任务，是大家努力，渡过这个困难。

随着世界进步、苏联成功与美国危机三个因素的发展，民主的力量会更加壮大起来，民主力量与反民主力量的对比，将对于人民更为有利。但是，不能想象反动势力会自愿的让位与民主势力，因而，在达到毛泽东同志所说的“最广泛的人民胜利和巩固与持久的和平得到保障以前，还有长期的曲折的斗争。中国共产党与中国人民将不怕任何困难，坚持奋斗，一直到达民主事业的完全胜利，并取得国家的和平与独立”。对于这个光明前途，我们是有坚强信心的。但是全世界资产阶级对于他们自己的前途都丧失信心。战后各国反民主力量对于人民势力兴起的恐怖，对于苏联强大的恐怖，他们疯狂的压迫人民，他们对于真理的恐怖，他们全靠说谎吃饭，这些都是他们丧失信心的表现。中国全部资产阶级报纸对于他们自己的前途表现空前未有的悲观失望，这绝不是偶然的。

总而言之，第二次世界大战后，一切都变了，并正在继续变。在人民方面，是变得如此坚强，如此有觉悟，有组织，有决心，有信心。在反动派方面则已变得如此蛮横猖獗，但又如此外强中干，众叛亲离，对于前途完全失去信心。可以预断，三年至五年后的中国与世界，其面目将比现时不大相同。全党同志与全中国人民，都应当为这一个新中国与新世界而坚决奋斗。

（载一月四日、五日《解放日报》）

世界政治的样子

瓦尔加著　柯柏年译

这篇文章的目的不是分析第二次大战的因素，我仅要说明一项事实：这次大战不同于第一次大战者，是它不发生于同类的国家之间。一方面是法西斯侵略者，另一方面是民主国家，而在民主国家的阵容内，包括高度发展的资本主义国和苏联。显然的，这种形势对于资本主义各国的整个内政和外交，必定有巨大的影响。

苏联与高度发展的资本主义国家在一道来对抗法西斯侵略者，这一事实就意味着民主阵容内两种制度的斗争得到了暂时的和缓、中止，当然，而并不是斗争的结束。同时，当法西斯侵略者进攻苏联的时候，这两种制度间的斗争，则达到最尖锐的阶段。同盟各国曾援助过苏联，但那不能说他们这样做是已经忘记了两种制度间的分歧。原子弹保守秘密的态度就是一个实例。在内政方面，民主阵容内英、美等国的共产党，认清了这次战争的正义性质，帮助他们的政府来反抗法西斯，并竭力督促他们开辟第二战场，而这种主张，为各同盟国内部的保守分子所反对的。各国共产党保卫他们的人民使其不受德国法西斯主义的危险所侵害。

用不着说，当民主国与法西斯侵略者的矛盾日益显明的时候，英美间的矛盾——帝国主义间最大矛盾——也就退隐到幕后去了。英美间的矛盾并未因此消除，甚至在战争期内，英美之间尚继续斗争。战时，美国非常留意使从英国输出的货物尚不及英国从租借法案中所获得的物资项目的百分之十。战时，美国曾企图——而且已有成果——将英国的资本从其在南美各国中所已拥有的地位逐出，并取得了印度与英国各自治领的市场。列入美国人黑名单以内的不仅是阿根廷的商号，且包括英国资本起部分作用的各公司。如中东，两国间石油霸权的斗争，在战时也并未中止。

战后，正如第一次大战结束时的情形一样，为保存资本主义的斗争，又成为资本主义各国对内政策的主要问题。战争爆发以来，资产阶级被全世界的工人阶级的战后的普遍左倾骇坏了。这种倾向，在各别的国家中采取各种不同的形式，和不一致的发展程度。譬如在执资本主义世界牛耳的英美两国，我们看到这种左倾倾向所采取的形式，基本地是改良主义劳工运动力量的加强。英国的工党，在国会选举中获得大胜。在美国，大规模的罢工时有所闻，职工会运动亦已日益强大。虽然这些国家的共产党已成长，但他们在民主政治运动中尚不是重要因素。这些国家的资本主义制度尚没有因战争之故而动摇。理由是很明白的。这些国家的资产阶级从战争中出来时，是胜利者，其声誉没有受损，国家的机构仍然未变，而军队力量比起战前来更有增无减。战后政治最触目的特征之一是盎格鲁撒克逊人种的国家——尤其是美国——其军国主义增长，因此成为世界武力最强大的国家。

欧洲大陆各国家的情形就完全不同。这些国家的资产阶级已声名扫地。在一代的生活以内，大陆各国的人民已尝到两次战争的苦味。现在人民正在饥饿线上挣扎，自然，主要挨饿的是产业工人、知识分子、小市民，而不是资产阶级和富农。在此种情形下，工人阶级与做工的人的激剧左倾就成为不可避免的趋势。另一必须加上的因素是在资本主义社会中的战时的明显的两极化。成千累万的中等阶级、匠人、店主、小资产阶级，在战时丧失了他们独立而变成了工人。战时及战后的通货膨胀使中等阶级的积蓄价值低降。这种两极化的趋势，这两阵营的形成，一方面是大资产阶级及其附庸等，另一方面却是工人、事务员、知识分子——没有财产的人，是现代社会最强有力的一面。这种趋向，反映在乡村或城市里中等阶级政党的失败，例如法国的急进社会党和英国自由党。

被德国占领各国的资产阶级的声誉已经丧失得比他国的资产阶级更甚，像法国、比利时、荷兰、捷克、匈牙利等国的大资产阶级，大都曾经和法西斯占领者合作过。自然也有个别例外，在各国也有资本家参加了抗敌运动。总之，除了军事失利以外，资产阶级与占领当局合作是他们在人民面前丧失信誉的主要因素。

丢开这一点不说，还有许多重要的新的政治因素，使现状不同于第一次大战以后。其中之一就是欧洲共产党所扮演的角色有了变化。

欧洲各国的共产党，因为他们在组织抗敌运动时，起了领导作用，故大得人心。今年三月十六日斯大林对《真理报》记者的谈话中关于丘吉尔演说的一段说："共产党势力的成长，不能目为偶然的。这完全是正常的现象。在法西斯统治欧洲之艰苦数年中，共产党已显示彼等为反抗法西斯政权以及为人民之自由而斗争之可靠的、勇敢的、自我牺牲的战士。"

只要观察欧洲大陆各国战后选举所表现的情形，就足够使我们相信共产党在欧洲势力之惊人成长。法国的共产党差不多是全国最强大的党，在一九四五年十月二十一日及一九四六年七月二日的选举中，得票均在五百万以上。在意大利共产党拥有二百余万党员，为领头的政党之一。荷兰、比利时、挪威、卢森堡，共产党势力也增长得颇多。在捷克，共产党获得二百七十多万选票，成为全国最强有力的政党。在匈牙利，有八十万人投共产党的票。几乎在所有的欧洲大陆各国，共产党都参加了政府，而对他们国家经济的复兴起了领导作用。具有最显著的成就的是波兰、南斯拉夫、捷克和保加利亚的共产党，在那些国家中，他们是人民阵线和祖国阵线的主力。

在那些蒙受希特勒占领之苦的国家，大资产阶级与占领者合作，抗敌运动的任务就不可避免的变成双重的了，一方面他们要反抗法西斯占领者，同时又反对国内的大资产阶级。各国共产党之所以成功，是归因于他们在各国所采行的政策，而他们的政策是考虑了第一次世界大战的经验。共产党现为保护所有以工作谋生者的利益而斗争，这里面包括产业工人、事务员、农人和知识分子。这种政策使得过去那种将共产党从人民大众中孤立开来的反动的伎俩不能再施。

使现在的情形与第一次世界大战后的情形不同之第二种的政治因素，是苏联地位以及它在世界政治所起的作用有了激剧的变化。苏联为世界强国，其影响与声望之增长，就是苏联的敌人也不得不承认。

第二次大战结束以后，正和第一次大战后的情形相像，资本主义各国内政外交主要路线是保卫资本主义制度。

在这儿必须预先一提的是：战事还在进行时，英国就已采用这条路线，反动的各国资产阶级流亡政府，已觅到英国作他们的庇护所。他们进行了预备返国的工作，一旦国家解放，使他们能够回到国内作为合法的布尔乔亚统治者。

西欧一部分国家解放以后，发生了将游击队解除武装、将抗敌运动的领袖们一足踢出新成立的政府以外的这类问题。若以第一次大战到二次大战前所用的方式，公开的来防卫资本主义制度，现在自然要困难多多了。诚然，在美国有几个有势力的团体或个人像约翰斯坦、范登堡以及附和他们的人，他们宣传恢复战前的资本主义。不过这是例外。全世界普遍的认为资本主义制度的彻底的改革是必不可少了。全世界都有一个思潮，趋向于在资本主义下从事于计划经济、采行社会保险，以及增加国家资本等等。

在英国，我们知道某些重要工业部门的国家化已经开始。就是资产阶级自己，也被迫着开始生产手段的国家化工作，从这一事实，就足以表示私有制度已经是过时的了。自然，英国的国家化和东欧各新型民主国的国有化之间，有很大的不同。在这些国家中大土地地主是封建残余的存在方式，它已经废除了，一大部分的生产手段均已变成国家的财产，而国家本身亦已不是有钱的人压迫劳动人民之工具，而是为后者谋利益的机构。像英国这样的旧式民主国家，所谓国家化并未使全国财富与全国收益的分配有何更动，因为财产所有人所得到的报偿与他以前的收益一样多。相反地，在新型的民主国家，则国家化的意思是彻底变更全国收益的分配，牺牲了国家化的生产工具的前所有人的利益。

为保存资本主义制度而斗争。首先是在欧洲，现在其所用的是什么方法呢?

第一、努力在工人阶级运动中加强改良主义，使德国、匈牙利、意大利和法兰西的社会民主党和工人运动，又成为资产阶级的主要的社会的支持物。

在欧洲诸国中进步的力量和反动的力量之争夺控制社会民主运动之剧烈的斗争，正在发展着。这是诸资本主义国度的国内政策的主要内容。同时，这自然也包含着每一社会民主党内左派与右派之间的斗争，社会民主党工人群众（他们是很倾向与共产党合作）与社会民主党改良主义的领袖（他们是企图使社会民主党保有其战前的旧形态）之间的斗争。

这一斗争，在德国看得最清楚。社会民主党的很大的一部分人反对从前的党的政策，而主张赞成与共产党团结一致。在一九四六年四月二十一日和二十二日，德国的社会民主党和共产党开了统一大会，成立了工人阶级唯一的政党——德国社会主义统一党。在苏联占领区中的社会民主党的庞大的大多数人都赞成这两个工人阶级政党的联合。虽然英国和美国占领政府采取反动的步骤，苏联占领区的社会民主党与共产党之联合，在德国西部得到了热烈的响应。

在德国成立一个统一的工人阶级政党，这对于改良主义的运动是一个严重的打击，所以一切的反动分子之攻击这个新的政党是很自然的。英国和美国的统治集团立即就出来反对社会民主党和共产党之联合，而出力支持以舒马查为首的反动的社会民主党领袖们，他们企图在德国的西部恢复旧的改良主义的社会民主党，以保卫资本主义社会制度。旧的妥协的社会民主党领袖，如塞末林、诺斯克、吕白，及其他经过了考验的资产阶级拥护者，大多数与这一群人有联系，这是值得注意的。英国报纸对这一派的社会民主党加以眷顾。一九四六年四月二十六日的伦敦《经济学家周刊》说："社会民主党，其目标及其方法，比任何其他的人更接近于英国人对民主主义的见解。我们认为第一项急迫需要下个决定的，就是，公开支持英国占领区中的社会民主党。"

没有疑问的，资本主义诸国度中的国内政策的未来的发展，在很大的程度上，是取决于这一争夺控制社会民主党之斗争的结果及诸社会民主党内的斗争的结果。

资本主义第二道防线是增强宗教及教会的影响。以教皇为首的天主教会，是在建立一个带着"天主教国际"性质的组织。梵蒂冈最近把红衣主教的头衔赐予各国的三十二位著名的天主教徒，以增加其在这些国度中的势力。新教会也作同类的努力。而且也的确努力想利用回教为政治斗争的手段。这在印度看得最清楚。

在极右翼反动政党的活动被停止的那些欧洲国度中，资产阶级所采用的策略是颇特殊的。在这些国度中，资产阶级企图影响左派政党中的最右倾的分子，企图夺取那些政党的领导权，并使那些政党在该国中争得多数。反动派在匈牙利最近的一次选举中所采用的策略，就是一个标准的例子。在匈牙利，最偏右的一个左派政党是小地主党。选举之后，在没有一寸土地适于耕种的布达佩斯特，这个政党获得了大多数的选票，整个资产阶级及其拥护者，都投了小地主党的票。

资本主义的第三道防线，就是鼓励法西斯运动。这直至今天，早以隐蔽的形式来进行的。如果法西斯主义确实是资本主义的深刻化的危机的表现，那么，法西斯主义是将复活的。列宁指出独占资本主义的统治，一定免不了产生反动。在《马克思主义的滑稽画》一文中，列宁写道："新的经济——独占资本主义（帝国主义就是独占资本主义）之政治的上层建筑，是从民主主义转向反动。民主主义随着自由竞争，政治反动随着独占资本主义。"

在今天的资本主义国度中，无疑地，政治的反动和法西斯主义有些复活了。有了法西斯的国家，如西班牙和葡萄牙。除此之外，在过去由法西斯统治着的国家中，如德、意、匈等国中，现有非法的法西斯运动。

在民主国度中也有法西斯运动的复活的无疑的兆征。这见之于英国法西斯党的活动，美国的三K党及其他法西斯集团。希腊，其政策在实际上是由英国人所控制的，政府经过了十几次的更迭之后，君主主义的反动者的统治已建立起来，这些反动者，不论在主观上或客观上，都很难与法西斯蒂区别的。

在新型民主主义国家中，法西斯主义的复活自然是困难的，因为土地改革已消灭了地主阶级，而主要的生产手段的国有化已摧毁了资产阶级的权力。再加上这些国度中的国家权力是握于进步的力量之手，法西斯主义要在这些国度中复活是有很大的困难。

资本主义国度在此一阶段的国内政策，总是与外交政策相互联系得很密切的。

对苏联作斗争所用的手段，自然是与在第一次世界大战之后所用的手段不同。照该旧意义说的“干涉”是不可能的了。可是，在各国中的反动势力，进行着强烈的反苏运动，企图孤立苏联，并努力建立一个反苏集团。斯大林在一九四六年劳动节命令中说道：“当我们在从事和平的社会主义的建设时，我们绝不可一分钟忘记国际反动派的阴谋，那些阴谋里包含着新的战争计划。我们必须记住伟大的列宁的教训。他教训我们说，当我们从事和平劳动时，必须永远戒备着，并保存我们的武装力量及国防潜在能力，如像我们的心爱之物。”

莫洛托夫在一九四六年五月二十七日的声明中，指出英国和美国的战后政策的一些特有的趋势，这些趋势在讨论和约时表露了出来。他说：“很明显地，英国某些集团所宣布的所谓‘和平攻势’，有些时候表示成为只是英美政府想要强第三国政府听从他们的意志而已。”

反动派每次企图削小苏联的重要性并低估苏联在战后世界中的作用，莫洛托夫都拒斥之。他说：“外国某些集团有一愿望，想要把苏联赶出它在世界政治中有权利占有的荣誉的地位并破坏苏联在世界上的声望。只是眼光短小的集团才有这种行动，而这种行动必然失败的。他们不能理解在把人类从法西斯主义的暴政挽救出来的斗争中担负了主要重任的苏联，是有权利占其今天在世界政治中所占的地位，而苏联之占有这样的一个地位，是有利于一切争求和平及安全的大小国家之平等地位之故。”

英国反动派之利用欧洲社会民主党右派以进行反苏战争是资产阶级的政策之典型。工党和工党政府自然是英国资产阶级的最合适的工具，经由工党和工党政府来利用社会民主党的右派以达到英国资产阶级的对外的政治目的。在这一方面，工党政府对英国资产阶级的用处，是比保守党政府来得更大。此外，我们还必须指出，工党虽有时出来反对保守党政府的政策，这样，就形成了一个潜在的反对派，但保守党对于贝文的外交政策是没有反对之处。当然，英国的工人并不赞成贝文和工党政府的这种反动的政策。这种反对，表现成为在工党国会党团中有贝文政策之反对派。

两种制度之间的斗争，并不是今天资本主义国的外交政策的唯一特点。诸大资本主义国之间的帝国主义的矛盾，尤其是英美之间的帝国主义的矛盾，是在复活着，虽然英美在许多国际问题上是构成一个外交集团，采取共同的行动。英美矛盾，是第二次世界大战以前的——或者不如说，在德国法西斯侵略危及英美以前的——资本主义世界的基本的矛盾。自德国败北之后，英美矛盾成为资本主义世界之内部的最主要的矛盾。美国的政策今天第一个目的是要打坍英国的殖民地帝国，为美国资本争得在全世界各地以与英国平等的条件来进行竞争。这就是他的主要目的。

美国想要把英国的、法国的和荷兰的帝国搅完蛋，而这一愿望是采取了许多不同的方式。在战争的时候，美国提出英美联盟之计划，建议一切殖民地由两国联合托治等等，就是这一愿望的表现方式之一。这一趋势有时甚至采取了最可笑的形式。美国有某一政论家最近写了一部书，尖锐地批评了英国的、法国的和荷兰的殖民地政策。这样批评了英、法、荷的殖民地政策之后，人们是企望他会建议给殖民地人民独立的，但是，该书的作者并不是建议给殖民地人民独立，而是说殖民地人民独立还没有成熟，主张由殖民地人民自己选择其托治者，但他们没有权利选择现在治理着他们的那一个帝国主义强国为其托治者。这即是说，例如英国殖民地不能选择英国为托治者。该书著者认为一切殖民地都全选择美国，因为美国对于殖民地是这么好心肠，并能保证其繁荣。

反殖民地制度的运动已强大起来了。英、法、荷人在殖民地中的声望之丧失，是起了重大的作用，殖民地人民已不再像从前那样地怕他们了。殖民地人民参加了武装斗争与某些帝国主义国度的军队并肩作战；他们亲眼看到了美国、英国和荷兰的军士之战败和被俘。

经济的因素也起了刺激反帝运动之作用，有一些殖民地，他们于战时在经济上强大起来了，有一些在金融上已脱离英国而独立，有一些已成为英国的债权国。用不着说，苏联是赞成答应殖民地人民的合乎正义的要求的。

西欧集团的计划，也与殖民地问题有联系：西欧集团的主张：是要把英、法、比、荷、葡，或者再加上斯堪的那维亚的某些国度，联合起来，主要的是反对苏联，企图重又建成恶名昭彰的“隔离地带”——这一次，不是建立于苏联的疆界上，因为现在那些地方已有许多对苏友好的国家，故在政治上已不可能了，所以，只好建立于西欧。

我们必须记住，西欧集团还有另一方面。由英、法、比、荷、葡组成的西欧集团，包括了全世界的殖民地百分之九十五。这个集团之建立，是企图保卫其殖民地，对抗美国之想要摧毁旧的殖民地帝国并在经济上侵入殖民地之努力，同时，又是企图把对付殖民地民族解放运动之方法加强起来。

在这篇文章中，自然是只能把在资本主义的总危机的时期中的内政和外交政策的主要特征讲个轮廓，要详尽地讨论这个题目，尤其是详尽地讨论第二次世界大战的政治的结果，是需要写成几篇专门论文的。

（载三月二、三日《东北日报》）

斯大林答英《星期泰晤士报》记者问

莫斯科广播英国《星期泰晤士报》驻莫斯科记者约尔特先生于九月十七日以书面向斯大林提出几个问题，斯大林答复如下：

问：现在全世界上到处都在不负责任地漫谈所谓“新战争”的问题，但是你是否相信“新战争”的实际危险呢？

答：我不相信“新战争”的实际危险，现时喧嚷“新战争”来临的，主要是军事与政治间谍及其少数拥护者，他们想以这种喧嚷达到以下的目的：（一）以战争的幻想恐吓其敌对营垒中某些天真的政治家，并且以这种方法帮助政府，从其政府营垒那里尽可能取得更多的让步。（二）于某些时期内，在自己国家内妨碍缩减军队。（三）阻挡军队减员，并以这种方法预防失业人数之迅速增加，必须把现时所进行的“新战争”喧嚷与目前的“新战争”实际危险严格分别清楚。

问：你是否认为英国与美国有意对苏联造成资本主义的包围？

答：我想不会有这样的事情，使得英国与美国当权分子有可能对苏联造成资本主义包围，假使，甚至于他们想达到这一地步，我认为这也是做不到的。

问：如像华莱士最近演说中所说的，英、法与美国是否可以相信苏联在德国的政策，不会变成苏联力谋反对西欧与美国的工具？

答：我认为苏联利用德国反对西欧和美国是不会有的事情，我认为这是不会有的事情，不仅是因为苏联与英、法缔结有反对德国侵略的互助条约，及对于美国负有三强波茨顿决议的义务，而且是因为利用德国反对西欧和美国，将使苏联脱离其根本利益，简单地说，苏联在德国问题上的政策，在于使德国非军国主义化与民主化，我想德国非军国主义化与民主化是建立长期巩固和平最主要保证之一。

问：有人说所谓西欧共产党的政策是由莫斯科指使

的，你对这种谴责有什么意见？

答：我认为这种谴责是荒谬无稽之谈，是从破产了的希特勒与戈培尔武库中借来的。

问：在华莱士演说中说到两种制度友谊竞赛的可能，虽然这两种制度存在有思想上的分歧，你是否相信苏联与西欧能够建立长期友好合作的可能？

答：我无条件地相信这点。

问：据我了解当英国工党代表团在这里时，你曾表示坚信苏联与英国之间有可能建立友好关系，什么东西能够帮助建立英国人民广大群众所如此愿望的友好关系呢？

答：我的确相信苏英能够建立友好关系，加强两国之间政治商业与文化的联系，将大大帮助建立这种关系。

问：你是否认为最迅速地从中国撤退美国所有军队，是对和平迫切需要的呢？

答：是，我认为是这样的。

问：你是否认为美国在事实上垄断原子弹是对和平主要威胁之一？

答：我不认为原子弹像某些政治家所看成的是一种严重的力量，原子弹是企图威吓神经衰弱的人，可是它不能解决战争的命运，因为要解决战争的命运，原子弹是完全不够的。的确，垄断原子弹的秘密曾造成威胁，可是对付这点至少有两种补救办法：（一）对于原子弹的垄断不能继续很久。（二）采用原子弹将被禁止。

问：就苏联而论。你是否认为苏联继续向共产主义前进，不会减少与外间世界和平合作的可能性。共产主义在一个国家内是否可能？

答：我不怀疑和平合作的可能，不仅不是减少，而且能够增加。共产主义在一个国家内特别是在苏联这样国家是完全可能的。

（新华社延安二十五日电，载九月二十七日《东北日报》）

斯大林答美合众社社长问

莫斯科三十日广播斯大林答复合众社社长白理先生于十月二十三日所提出的问题，问题与答复如下：

（一）问：你是否同意美国国务卿贝纳斯在上星期五（按系十月十八日）无线电广播中，所发表的意见，说苏美关系已日益紧张？

答：不同意。

（二）问：假使苏美关系日益紧张确实存在，那么你是否可以指出一个或两个原因，并且用哪些主要方法将它消除？

答：因为已答复上一问题，这一问题即不用答复了。

（三）问：你是否认为现时谈判将获致和约之签订，而使前反法西斯战争中的联盟各国、各民族人民之间建立诚恳之关系，因而能消灭前轴心国家挑拨战争的威胁？

答：我希望能这样。

（四）问：不然的话，那么对于前伟大的联盟各国各民族人民之间建立诚恳的关系，有哪些基本障碍？

答：因为答复了上一问题，这一问题即不用答复了。

（五）问：苏联对于南斯拉夫不签署对意和约之决定，反响如何？

答：南斯拉夫之不满意是有其根据的。

（六）问：你认为目前对于全世界和平的严重威胁是什么？

答：新战争挑拨者，首先是丘吉尔，及在英美两国内有同类思想的人。

（七）问：假使这一威胁一旦发生，那么世界各民族应当采取哪些步骤，以便避免新战争？

答：新战争挑拨者应被揭露并使之缄口。

（八）问：联合国组织是否为使各国获得领土完整的保证？

答：现在还很难说。

（九）问：你是否认为在德国四个占领区，最近将来应当在经济方面实行统一管理，以便使德国恢复为国际经济的单位，并以此种方法减轻四强占领的负担？

答：不仅需要恢复经济统一，而且应重建政治之统一。

（十）问：你是否认为现时有可能成立一中央行政机关，交德国人民自己管理，而由盟国予以监督，使外长委员会有可能制订对德国的和约？

答：对的，我认为有可能。

（十一）问：你是否认为根据本年夏秋在德国各占领区进行的选举看来，德国已在按照民主道路发展，使德国将来有成为和平保障的良好希望？

答：现时我不相信这点。

（十二）问：你是否认为如像某些人士所提议，应当把前经准许的德国的工业水平加以提高，使德国能够自给自足？

答：对的，我认为是应当的。

（十三）问：为了预防德国使其再不能成为在军事上威胁世界的国家，除了四强纲领之外，还应当做些什么？

答：应当在实际上铲除德国的法西斯主义残余，并使德国彻底民主化。

（十四）问：你是否认为应当使德国人民恢复自己的工业与商业，使他们有可能改进自己的需要？

答：对的，这是应当的。

（十五）问：据你的意见是否已执行波茨顿会议决议，假使没有执行，那么还需要什么东西，使波茨顿宣言变成有效的工具？

答：没有经常执行，特别是在德国民主化方面。

（十六）问：你是否认为在四强外长会议与联合国安理会上滥用了否决权？

答：我认为没有滥用。

（十七）问：据克里姆林宫方面意见，对德国次要战犯之搜索及审判应达何种程度？又克里姆林宫方面是否感觉努连堡审判德国主要战犯的决定，已为此种行动造成坚强基础？

答：越严厉越好。

（十八）问：苏联是否认为波兰西部边界已是固定了？

答：对的，认为是固定的。

（十九）问：苏联对于英军驻在希腊的态度怎样？是否英国应当供给目前希腊政府以更多的武器？

答：我认为没有必要。

（二十）问：在波兰、奥地利、保加利亚、南斯拉夫、匈牙利，驻有多少苏军，据你的意见，为了保证和平这些军队应当保存到什么时候？

答；在西方苏联驻军地为德国、奥地利、匈牙利、保加利亚、罗马尼亚及波兰，共驻有苏军六十个步兵与装甲坦克的师团，这些军队大部分是人数不全的，在南斯拉夫没有苏联军队，再经过两个月，即是苏联最高苏维埃本年十月二十二日所批准的：关于最后一期复员命令实行后，苏军将在上述国家留下四十个师。

（二十一）问：苏联政府对于美国军舰在地中海航行态度怎样？

答：这是对于苏联没有关系的。

（二十二）问：苏联与挪威的商业协定之现在的前途怎样？

答：现时还很难说。

（二十三）问：芬兰在支付赔款后，能否仍为自给自足的国家，是否存在某种意见，主张重新审查赔款纲领，以便加速芬兰的复兴？

答：问题提的不对，芬兰在过去与现在，都是自给自足的国家。

（二十四）问：苏联与瑞典及其他国家之贸易协定，对于苏联之重建工作有什么意义，为完成这一伟大任务，你愿意从外面得到何种帮助？

答：瑞典与苏联签订的贸易协定，对于各国经济合作是一贡献。

（二十五）问：苏联是否还希望取得美国借款？

答：希望取得。

（二十六）问：苏联至今是否有其自己的原子炸弹或类似的战争武器？

答：没有。

（二十七）问：你对于原子弹或类似的战争武器意见怎样？

答：我在人皆共知的答复英国《星期泰晤士报》记者威斯先生的问题中，已对原子弹作了自己的估计。

（二十八）问：据你的意见原子能如何始能予以最好的管制，此种管制是否应当在国际基础上建立起来？为了建立有效的管制，各列强应当在哪种情况下，牺牲自己的主权？

答：需要严格的国际管制。

（二十九）问：恢复苏联西部被战争毁坏之区域需要多少时间？

答：六七年或更多的时间。

（三十）问：苏联是否准许在苏联领土上建立贸易航空线，是否希望在平等基础上将自己的航空线扩展到其他大陆？

答：在某种条件下这是可能的。

（三十一）问：苏联对于美国占领日本的意见怎样？你是否认为在现有情况下，占领日本是有成绩的？

答：成绩是有的，但是有达到更好成绩之可能。

（载十一月二日《东北日报》）

斯大林答小罗斯福问

塔斯社纽约二十二日电:《瞻望》杂志刊登伊里奥特·罗斯福叙述他在一九四六年十二月二十一日会见斯大林的一篇论文，其中包括斯大林对罗斯福所问的十二个问题的答复。问题及斯大林的答复原文如下：

（一）问：你是否认为如像美国这样的民主国有可能与像苏联这样的共产主义方式的政府在这一世界上共同生存，而且谁也不企图干涉对方的内政呢？

斯大林答：当然是可能的。这不仅是可能的，这是聪明的，而且完全是在能够实现的范围之内。在战时最艰苦的时候，政府的不同并没有阻止我们两国联合一起并战胜我们的敌人。在和平时期继续这样关系是有更大的可能。

（二）问：你是否认为联合国的成功依赖于苏、英、美之间在基本政策与目标上意见一致呢？

斯大林答：是的，我想是这样的。在许多方面，联合国组织的命运依赖于三强之间所达到的和谐的状态。

（三）问：大元帅，你是否认为我两国间为互相交换制造品与原料而达成更广大规模的经济协定，乃是走向世界和平的重要步骤呢？

斯大林答：是，我认为这是重要的。我当然同意世界贸易的扩大，会在许多方面有益于我两国之间的良好关系的发展。

（四）问：苏联是否赞成联合国安理会即刻建立由一切联合国所组成的国际警察力量，可以即刻开至任何有武装战争威胁和平的地方去？

斯大林答：当然。

（五）问：如果你认为原子炸弹应该由联合国加以管制，那么他们是否应当通过警察制度来管制任何性质的军备之一切研究与制造的工具，以及原子能的平时使用与发展呢？（在这里伊里奥特·罗斯福在括弧中写道："斯大林迅速反问我'一般的吗？'我答道：'是，但特别是关于苏联对于这种计划之原则的同意。'"）

斯大林答：当然。根据平等的原则，在苏联方面不能有任何例外。苏联该服从任何其他国家所必须服从的同一的视察与管制的规则。（在这里罗斯福在括弧中写道："在他的回答中没有丝毫犹豫，甚至一点也没有提到保留否决权问题。"）

（六）问：你是否认为如果召集另一次三强会议讨论一切在目前威胁世界和平的国际问题，是有用处的？

斯大林答：我认为应当不是召开一次，而是召开几次会议，如果召开几次会议，那么它们将是非常有用处的。（在这里罗斯福在括弧中写道："在这时，我妻问道，他是否认为这种会议帮助在各有关政府的官员中较下级官员间达到更亲密的关系呢？她并且问战时历次会议是否达到过这种结果。他面向她微笑着答道：'这一点没有问题。战时的会议及所达到的结果，大大地帮助了下级人员间的合作。'"）

（七）问：我们知道你是研究其他国家内所存在的其他许多政治与社会问题的学者，因此我愿意问一问你是否认为去年十一月美国的选举表示人民已不相信罗斯福的政策，而转去相信他的政敌孤立主义者政策呢？

斯大林答：我不甚熟悉美国人民的国内生活，但是我认为选举已表示现在的政府是在浪费了故总统所建立的道义上的与政治上的资本，因此它便利了共和党人获得胜利。（在这里罗斯福在括弧中写道：“大元帅在回答我下一个问题时，表示特别着重的语气。”）

（八）问：你认为在罗斯福逝世之后，我们两国之间友谊关系与相互谅解减弱的原因是什么呢？

斯大林答：我认为如果这一问题所讲的是关于美国与苏联两国人民之间的关系与谅解的话，那么，并没有发生任何恶化，相反的，关系是改善了。至于两国政府之间的关系，曾经有一些误解，曾经发生过某些恶化的现象，在这以后，发起大吹大擂的喧嚷，高喊什么今后关系将更加恶化。但是在这里，我们并没有任何可怕的东西，足以破坏和平或引起军事冲突。任何一个强国，即令其政府力图其这样做，在目前也不可能招集大量军队去对另一个盟国、另一个强国打仗，因为现时，没有人民，无论谁都不可能进行战争，而人民是不愿意进行战争的。他们已厌倦战争了。此外，也没有任何明确而且可以理解的目标来作新的战争的借口。人们将不知道他们为什么要打仗，所以我认为美国政府的某些代表谈论我两国之间关系恶化，这并不是什么可怕的东西。鉴于这一切，我认为新战争的危险是不现实的。

（九）问：你是否赞成在我两国之间交换文化与科学的情报，你是否赞成彼此交换学生、艺术家、学者与教授？

斯大林答：当然。

（十）问：美国与苏联是否应当形成长期的共同政策以帮助远东各国的人民？

斯大林答：我认为如果可能的话，这是有益处的。无论如何我国政府是准备在远东问题上与美国遵行共同的政策的。

（十一）问：如果美苏之间商定了贷款与信用借款制度的话，那么这种协定对于美国的经济会有持久的裨益吗？

斯大林答：当然，这种使用借款制度对于美苏双方都会互相有利。（在这里罗斯福在括弧中写道：“然后我问了在欧洲许多国家中产生的明显的关怀的问题。”）

（十二）问：德国美英占领区未能实行废除纳粹化，

这是否造成苏联惊慌不安的原因?

斯大林答:不,这并不是造成严重不安的原因,但当然我们共同纲领的这一部分没有实行,对于苏联当然是不愉快的。

(新华社延安二十五日电,载一月二十六日《解放日报》)

斯大林与史塔生会谈记录

按哈罗得·史塔生为美共和党政治活动家，此次会谈系于一九四七年四月九日在莫斯科举行者。

塔斯社八日发表斯大林与史塔生会谈记录全文如次：

史塔生说，他感谢斯大林的接待，他请求接见是为向苏联国家元首斯大林致敬。他已完成其在欧洲各国有兴趣之旅行，对各国之战后经济情况尤感兴趣。照他的意见，国民生活水平对各国之繁荣有重大意义。苏美之间的关系，战时曾经有过重大意义，将来也是这样。他说明苏美两国经济制度各异，苏联经济建筑于有计划的社会主义经济基础——它的发展是由共产党领导的。美国则是私有资本的自由经济。他很愿意知道斯大林是否考虑过这两种经济制度能否在同一世界内共存并于战后彼此实行合作。

斯大林回答说，两种制度当然可以合作。若谈合作，则彼此间之差别并无实际意义。美德两国经济制度算是相同的了，然而两国间却发生了战争。苏美经济制度固然迥异，但彼此并未作战，而且能在战时合作。两种不同之制度既能在战时合作，又为何不能在平时合作呢？不难了解，如果愿意合作，则两种不同经济制度之合作是完全可能的。但如无合作愿望，那么即令同一经济制度之国家与人民亦会大动干戈。

史塔生说，合作之愿望当然有巨大意义，但战前两国均曾声明不能合作。且斯大林本人也这样说过。史塔生说，他想知道，斯大林是否认为由于战争与德日法西斯轴心之失败，目前情况已有所改变，如有合作愿望，则苏美即可望合作？

斯大林回答说，他未曾以任何方式表示过不同制度间不能合作。关于两种制度合作之论点，曾为列宁首先提出。斯大林说列宁乃是我们的导师，而我们苏联人民乃是列宁的学生。我们从未违背过即将来亦不至违背列宁的指示。他继称，可能某一方如资本主义制度国家不愿合作，但此仅属于愿望之范围，而非不可能合作。至于合作可能与否，斯大林说，他仍持列宁关于两种经济制度间可能与愿意合作之观点。苏联人民与联共党亦具同样愿望。无疑，此种合作将对两国均有裨益。

史塔生说，斯大林确曾作过两种制度不能合作之声明，此乃斯大林在联共党第十八次代表大会及一九三七年党中央委员会全体会议上所作者。在此等声明中谈及“资本主义的包围”及“独占资本与帝国主义之发展”。但自今日斯大林的谈话看来，则其结论为：在战败德、日两国之后，苏联情况业已改变。

斯大林说，在任何党代表大会或党中央委员会上，他没有谈也不能谈两种制度不可能合作。斯大林继称，资本主义的包围与进攻苏联之危险仍存在。如一方不愿合作，即意味着进攻威胁仍存在。事实上，德国就不愿意同苏联合作，所以就向苏联进攻。苏联可否与德国合作？当然，苏联可以与德国合作，但德国不愿合作。否则，苏联即将如与其他各国合作一样，也与德国合作。由此可知，合作系于愿望而非不可能。应当加以区别的，乃合作之可能性经常存在，而愿望则不然。如一方不愿合作，则其结果是冲突、战争。

史塔生说，愿望应该是相互的。

斯大林回答说，他应当证明一个事实，即苏联人有合作的愿望。

史塔生说，他很高兴听到这一点。而且说他愿意仔细讨论一下斯大林有关美国与德国经济制度相同性的说明。他必须说当德国挑起战争的时候，美国与德国的经济制度是彼此相异的。

斯大林不同意这一观点，他说美国与德国在政体上是有区别的，但是在经济制度上却是没有区别的。政体是暂时的政治因素。

史塔生说，曾有很多文章写到资本主义制度产生独占、帝国主义以及榨取工人的弊端问题，按照他的意见，在美国他们胜利地防止了资本主义中独占性与帝国主义性倾向的发展，而美国的工人比马克思和恩格斯当时所能想象的还享受更大限度的特权。这便是美国与当时希特勒德国所存在着的经济制度的区别。

斯大林说，不应迷恋于批评彼此的制度。每种民族维持它所愿望与所能维持的制度。哪一种制度更好——

历史会证明。应该尊重那由人民所选择与赞许的制度。美国的制度究系好坏——这是美国人民的事。合作并不需要人们有一个相同制度。应该尊重由人民所赞许的制度。只有在这种情形上，合作才是可能的。至于马克思和恩格斯，他们当然不能预见逝世四十年以后会发生什么事情。苏联的制度被形容为极权的或独裁的，而苏联人民称呼美国制度为独占资本主义。如果双方开始以独占主义与极权主义彼此谩骂，那么便不能得到合作。应该从人民所赞许的两个制度存在的历史事实出发，只有在这种基础上合作才是可能的。至于沉醉在反独占与反极权主义的批评中，这是宣传，而他——斯大林——不是一个宣传家却是一个行动家，斯大林说，我们不应该做宗派主义者。当人民愿望更改制度的时候，他们便会这样做。当他——斯大林——与罗斯福会面并讨论各种军事问题的时候，他和罗斯福并未以独占主义者与极权主义者彼此谩骂。这个大大的帮助他和罗斯福建立了相互的合作并赢得对敌的胜利。

史塔生说，在战争结束后，双方面的此类批评便是制造误解的若干原因之一。他愿意知道，如果苏联与美国之间建立了合作，斯大林是否希望将来更广泛的交换思想、学生、教师、艺术家与旅行家。

斯大林说，如果建立了合作，这便是不可避免的。货物的交换便会引起人的交换。

史塔生说，过去苏联与美国之间曾产生了很多误解，因为苏联方面不愿意交换思想，而这便可以从对外国记者自莫斯科发出的报导引用检查制度一事看出来。例如拒绝允许《纽约先锋论坛报》派遣记者至莫斯科，便是苏联与美国人民之间缺乏相互了解的若干理由之一。

斯大林回答说，拒绝发给《纽约先锋论坛报》记者护照事确实发生过。但是这误解是偶然的，它并不受苏联政府的政策所束缚。他——斯大林——知道《纽约先锋论坛报》是一个健全的报纸。但一部分美国记者对苏联态度是恶劣的这一事实也是重要的。

史塔生回答说，确实有这样的记者。《纽约先锋论坛报》记者已得到允许可以停留在莫斯科，但只在外长会议开会期间。现在这个报纸提出派遣记者长驻莫斯科的问题。《纽约先锋论坛报》是共和党的首要机关报；

在共和党在国会中占据了多数议席之后，它现在具有了更其重大的意义。

斯大林说："这都是一样的。因为我们看不出共和党与民主党有什么大区别。"至于记者问题，他——斯大林——记起了一件事情。三强在德黑兰举行会议时，在会上，他们在友谊的气氛中获得了很好的成就。一个美国记者——这人的姓名他现在记不起了——发出一个报导说是铁木辛科元帅出席了德黑兰会议，虽然实际上他并没有在那里，而且说他——斯大林——在宴会上打了铁木辛科元帅。这是无礼与诽谤性的造谣。怎么样？这样的记者应该称赞吗？这次宴会是德黑兰会议的出席者庆祝丘吉尔的六十九岁诞辰，出席者有丘吉尔、布鲁克、李海以及其他人，达三十人左右，他们都可以见证绝没有此类事情发生。虽然如此，这位记者将他臆造的报导发给了报纸，而美国报纸便发表了它。这种记者能够被信任吗？我们——斯大林说——并不认为这件事应归罪于美国或他们的政策。然而确实有此类事件。这在苏联人民之中制造了恶劣的感情。

史塔生说，当然有些记者曾有过不负责任的行为，他们发出了错误的报导。但是另外一些记者矫正了前者的错误。而时间逐渐过去之后，人们慢慢知道哪些记者靠得住，哪些记者靠不住。而结果我们看到人们获得了谅解并为伟大的斗争力量团结起来。

斯大林回答说，这是正确的。

史塔生说，每当一个记者清楚地，有意地报导完全不正确的声明时，他的报馆便会把他撤回去，如此我们的报纸便替他们自己培养了能干的忠实的新闻干部。

斯大林说，起初这些记者写一些耸人听闻的报告，于是报纸便发表它们，赚了钱之后便把这些记者辞退。

史塔生说，两个制度应该在出版、商业与文化交换的范畴中，寻找调整彼此关系的方法。

斯大林说，这是正确的。

史塔生表示他认为，如果对记者的报导没有检查制度，那么这便是在我们人民之间建立合作与相互谅解的更好的基础，比任何其他基础都强。

斯大林说，没有检查制度对于苏联是困难的。莫洛托夫曾屡次尝试过，但是什么结果都没有。每当苏联政府废止检查制度，它都得后悔因而重新引用它。一九四五年秋天苏联废止了检查制度。他——斯大林——当时正在假期期间，于是记者们开始报导莫洛托夫强迫斯大林去度假日，以后他们报导他——斯大林会回来赶走莫洛托夫。就这样，这些记者把苏联政府刻画得就像一个动物园似的。当然，苏联人民感到愤怒，因此只好重新引用检查制度。

史塔生说，按照他现在所了解的，斯大林相信如果有合作的愿望，那么合作便是可能的。

斯大林回答说，这是完全正确的。

史塔生说，机械化与电器化对提高生活水准是非常重要的，而原子能在工业上的应用对所有人民包括苏联与美国人民在内，也是非常重要的。他——史塔生——认为建立原子能检查与管制制度并禁止原子能为军事目的利用对于全世界所有国家都是重要的。斯大林是否认为将来有获得有关管制与规定原子能生产以及有关和平应用的协定的前途？

斯大林回答说，他这样希望。关于这问题，美国与苏联之间存在着很大的区别，但是如他——斯大林——所希望的，双方归根结底是会彼此了解的。他相信国际管制与检查将会建立起来，而这将有重大的意义。原子能为和平目的的应用，在生产过程中将引起重大的变革。至于原子能为军事目的的应用，这十之八九将被禁止。这是各民族的愿望与良心所要求的。

史塔生说，这是许多最重要的问题之一。如果解决的话，原子能将成为全世界各民族的最大的福利。如果不能解决，那么它将成为最大的祸害。

斯大林说，他认为规定国际检查与管制是可能的。形势正朝着这个方向推进。

史塔生为这次谈话感谢斯大林。

斯大林回答说，不必客气，并说苏联人都尊重他们的客人。

史塔生说，他曾非正式的与莫洛托夫在旧金山会议时谈过。这次谈话得到了邀请他访问苏联的结果。

斯大林说，他认为欧洲的情况现在很坏。史塔生先生以为如何？

史塔生回答，一般来说这是对的，但是有一些国家未遭到战争灾难，因此他们的情形并不太坏。例如，瑞士与捷克斯拉夫。

斯大林说，瑞士与捷克斯拉夫都是小国。

史塔生说，各大国处境很坏。在她们面前摆着的是经济问题，这就是财政、原料与粮食问题。

斯大林说，欧洲是各种工厂林立的大陆，但是缺乏原料与粮食。悲剧就在这里。

史塔生说，鲁尔煤炭产量水平之低落使欧洲陷于煤炭缺乏。

斯大林说，在英国也闹煤炭缺乏，而这是很奇怪的。

史塔生说，幸运的是：美国的煤炭产量水平是高的。在美国，每二十四小时出产烟煤二百万吨。因此美国能够把大量煤炭运往欧洲。

斯大林说，美国的情形并不坏。美国被两个大洋保护着。他的北邻是弱国加拿大，其南邻则为弱国墨西哥。美国用不着怕她们。美国在独立战争以后，六十年来享受和平没有打过仗。所有这些都有助于美国的迅速发展。此外，美国的人口中包括这样的人民：他们从君主、地主、贵族压迫下解放出来已经很久了。这种情况也是便于美国的蓬勃发展的。

史塔生说，他的祖先是由捷克的帝国主义下逃脱出来的。无疑问，美国的地理环境对美国是一种巨大帮助。史塔生说，我们是幸运的。在离我们海岸很远的地方就把敌人打败了。美国能够完成复原（编者按：意指产业复员），并在战争结束后重行大规模生产。现在的任务是避免萧条与经济危机。

斯大林问，你是否预料到美国的经济危机？

史塔生回答说，他并没有预料到经济危机。他相信管制美国的资本主义，在高度水平上稳定就业，避免任何严重危机是可能的。而主要的任务是避免美国经济制度中的危机。但如果政府实行聪明的政策，以及如果接受一九二九——一九三〇年的教训，在美国占优势的不是垄断的而是管制的资本主义，这就会避免危机。

斯大林说，为了这个目的必须有一个充满伟大决心的极强有力的政府。

史塔生说，这是真的，此外人民应该了解旨在稳定与支持经济制度的措施。这乃是在以前的世界经济制度中从未见过的新任务。

斯大林说，有一个对美国有利的条件，即世界市场上美国的两个竞争者——日本与德国——已经被消灭。

因此对美货的要求将增长，而这将对美国的发展造成有利的条件。像欧洲、中国与日本这样的市场是对美国开放着的。这将帮助美国，此种条件以前从未有过。

史塔生说，在另一方面，这些市场缺少支付的资金，因此它们对美国不是有利的买卖而是一种负担。但德日——帝国主义威胁的两个代理人的消灭，从和平观点来说，对于美国与其他国家自然是巨大的利益。世界商业在过去对于美国自然不是什么重大的因素。美国的市场过去限于美国国境内或西半球的境界内。

斯大林说，在战前美国生产品差不多有百分之十被输出到其他各国。关于购买力，他相信商人们将找到资金，将以这种资金购买美货并把它们再卖与各该国的农民们。中国、日本、欧洲与南美的商人们已经积累了金钱。现在美国的出口可能增加到百分之二十。这是真的吗?

史塔生说，他并不以为如此。

斯大林问:“真的么?”

史塔生肯定的回答说，如果美国的出口增加到百分之十五，他都将认为美国是幸运的。多数商人都积累了地方通货，这种通货在多数场合是被封锁而且不适于流通。这样他估计美国的出口不会超过百分之十五。

斯大林说，然而如果人们注意一下美国的生产量，百分之十五并不是个小数目。

史塔生同意这点。

斯大林说，据说美国工业现在有许多订货。这是不是真的呢？据说美国的工厂没有能力完成这些订货，并说所有工厂都被委托做百分之百的工作。这是真的吗？

史塔生回答说，这是真的，但是这些订货都是国内性质。

斯大林说，这是很重要的。

史塔生说，它们能够满足对粮食、妇女衣服与鞋袜的要求，但是机器、汽车与车头的生产是落后了。

斯大林说，美国的报纸登载着这样的消息，说经济恐慌很快就要到来。

史塔生说，报纸上的统计称，美国失业人数去年十一月已达八百万人。然而这些统计被证明是错误的。任务在于降低高度的生产与获得稳定以避免经济危机。

斯大林指出，史塔生显然是意味着对生产的管制。

史塔生说，这是正确的，并说在美国有些人断言将有不景气；但他更为乐观，并谓美国人能够避免不景气，因为他认为人民对管制的了解比以前更深刻。

斯大林问："商人们怎样呢？他们是否愿意被管制与受限制呢？"

史塔生回答说，商人们通常是反对这个的。

斯大林说，他们当然要反对。

史塔生说，然而他们了解一九二九年的萧条不应重演，并谓他们现在很懂得管制的必要性。政府的高度管制、许多决定及随之而来的各种合理的行动显然是必要的。

斯大林说，这是对的。

史塔生说，现在任何政府制度与任何政府形式下都是必需的。如果在任何的政府形式下犯了错误都是对人民不好的。

斯大林同意这点。

史塔生说，日本和德国已经证明了这个。

斯大林说，这些国家中的经济是由对经济一无所知的军人管理的。例如在日本，经济是受只知道如何打仗的东条领导的。

史塔生说，这是真的。他对斯大林给他谈话的机会与时间表示感谢。

斯大林问史塔生计划访苏多久？

史塔生说，明天他要到基辅去，以后他想对斯大林格勒的英勇保卫者们致敬，此后经由列宁格勒离开苏联。在斯大林格勒保卫战的期间，他正随美国海军在太平洋，他们在那里以深切的注意注视着斯大林格勒史诗。

斯大林说，尼米兹海军上将显然是出色的海军领袖。斯大林问史塔生以前是否到过列宁格勒？

史塔生说，他未曾到过列宁格勒，并说他打算经由列宁格勒离开苏联。

史塔生说，他与斯大林的谈话对他研究经济问题的工作也得益不少。

斯大林说，他与史塔生谈话得益匪浅。

斯大林说，在战前他也用过很多时间来研究经济问题，并谓他之成为军人是由于必需。

史塔生问，他是否可以得到巴夫洛夫的会谈记录，以及是否会允许他遇到记者们时同他们谈论这次会谈。

斯大林说，史塔生可以得到会谈记录，并谓史塔生当然可以向记者们谈论这次会谈，因为没有什么要隐瞒的。

原注：现在发表的斯大林与史塔生会谈记录的原文，曾在莫斯科递交史塔生，而史塔生所说的话由史塔生认可，斯大林所说的话由斯大林认可。然而在美国报上发表的会谈原文中却出现了许多有意的更改与不确之点。

（施滨、周砚、坚博合译，载五月十三、十四、十五《东北日报》

附：评斯、史会谈记录的发表

里昂蒂叶夫

过去一星期中最重要的事情，便是斯大林于一九四七年四月九日接见哈罗德·史塔生会谈记录的发表。在这次会谈中所接触到的两个不同的社会经济制度——社会主义与资本主义——的合作问题，从原则与实际的观点出发都是具有极大兴趣的。哈罗德·史塔生的某些谈话说明：即便是消息灵通的美国政治领袖，对苏联关于这一最重要问题的态度也还是缺乏明晰的概念。然而苏联的态度是十分明确的。列宁在一九二二年党的第十一次大会——他最后一次直接参加的大会——上谈到苏联与其他资本主义世界有发展“正确的商业关系”的不可避免性与相互需要性。苏联在其外交政策方面从来没离开过列宁的指示，它一直不变地努力发展它与其他国家的商业关系。苏联绝没有阻碍此种关系的加强，倒是某些国家的近视政策未曾努力于合作而且拒绝承认这一简简单单的事实。斯大林在党的第十七次大会上说：“任何人只要他需要和平，而且努力要与我们维持商业关系，一定会得到我们的支持。”他在一九三九年党的第十八次大会上声明：“我们主张和平，并主张加强与所有国家的商业关系……”现在全世界再一次听到斯大林对于苏联外交政策基本原则的简洁的声明：“合作并不需要人们有一个同样的制度。应该尊重由人民赞许的制度。只有在这种情形上合作才是可能的。……我们应该从人民所赞许的，两个制度存在的历史事实出发。只有在这个基础上合作才是可能的。”

斯大林力求承认两个制度所存在着的历史事实的权威的谈话发表得十分切时。最近在某些资本主义方面出现了一种忽略此种明显事实的倾向。这对于某些资本主义国家毫无根据要求将他们自己的政治理想强加诸于其他国家身上，而毫不照顾到这些国家的愿望与利益的表现，便是唯一的解释。例如，尽人皆知，美国一些政客催促美国只与这样的国家——他们的人民同意有“美国式的思想方法”而且有美国型的政府——维持商业、经济与文化关系。此种观点证实了现实感的充分丧失，它不能领导国际合作的加强。

紧接着斯大林与史塔生的会谈发表之后，某些英国与美国的报纸曾企图歪曲它的内容。他们对于苏联与西方强国之间的合作所给予的唯一解释便是纠缠到苏联拒绝阐述它对于解决最重要的国际问题的态度。不用说“这种解释”与两种制度在承认双方面的充分平等的基础上，在履行合作时所必需的相互尊重的基础上的合作概念毫无相同之点。渗透着——且为欧洲与美洲全体进步群众所承认的——“和平的热爱与合作的愿望”的斯大林的会谈，在揭露那些现在努力将反动政权加诸在其他国家身上而且同时又虚伪地、完完全全无根据地责难苏联有意强迫将它自己的制度注入其他国家的人时，将起着巨大的作用。

（新华社东北总分社特译稿，载五月十五日《东北日报》）

在十月革命二十九周年纪念会上的报告

日丹诺夫

苏联经济繁荣美国生产缩减

莫斯科八日广播：十一月六日，莫斯科苏维埃与联共党中央政治局共同举行庄严的盛会。联共中央书记日丹诺夫、布维尔尼克、库兹涅佐夫、波波夫等同志出现主席台。联共中央书记日丹诺夫作了十月革命第廿九周年纪念报告。日丹诺夫在其报告的第一部分指出最近一年苏联国家所走过的道路，苏联人民在反法西斯主义战争获得胜利之后，开始和平的劳动。日丹诺夫指出：苏联已更加巩固与强大了，我国与资本主义国家的区别，是我国没有任何危机，全部工业已转入和平劳动。大家知道在第二次世界大战结束之后，苏联受到无可比拟的损失，而许多资本主义国家未受到敌人侵占，因此不需要战后经济恢复的工作。可是这些国家在由战争转到和平时，却引起了生产缩小，生产水平低落及失业的增长。在美国一九四六年工业生产总数量较一九四三年缩小三分之一。失业工人的数量，据官方统计已达三百万人。而我国却不知道失业为何物，在苏联由战时转变到和平，生产不仅未缩小，而且大为扩展，因此大批军人返回到生产部门中去，苏联没有关闭一个工厂。现时苏联按照新五年计划恢复与发展国民经济，向着苏联的复兴前进，成为繁荣的社会主义国家。

日丹诺夫指出一九四六年头三个月的生产品总量已较去年同一时期增长百分之十九。铁路运输量增长百分之十二。在曾遭德寇侵占的区域，大规模展开恢复城市与乡村及文化机关的工作。

一切爱好自由民族渴望巩固、长期、民主的和平，苏联是争取和平的先锋

日丹诺夫继论国际形势，题为《苏联为争取和平而

斗争》。略谓：同志们！爱好自由的各国战胜法西斯侵略者，打开了和平发展的道路，使各国人民有可能转到自己战后和平建设的任务。在过去与现在，世界上一切爱好自由的民族是期待着什么呢？各个民族是渴望着巩固的长期的民主和平。在这一和平条件下，能够医好世界大战所给的创伤。保证每一民族，保证大小各国有自由发展的可能。保证每一个人有安定的生活。一般人们在反对希特勒德国的斗争中，以自己宝贵的鲜血，保卫了自己的自由独立，以及和平生活的权利。人民所渴望的即是这点。

在战争时期，苏联是反法西斯主义的战斗先锋，在现在，苏联同样是各族人民争取和平的先锋。在国际事业中，苏联的政策是很明显的与确定不移的，为各族人民巩固的长期的和平而斗争的政策。用一切力量巩固爱好和平各族人民的友好合作。战争结束后的一年，是爱好和平民族根据对法西斯主义的民主胜利，开始解决战后建设任务的一年。从战争到和平的转变不是容易的，在争取民主和平斗争中有许多障碍。建立民主和平的斗争中所发生的困难是从什么地方来的呢？各国对于战后建设的意见分歧，原因何在呢？

第二次世界大战，对于那些与法西斯主义德国及其同盟斗争的各民族，具有反法西斯主义解放战争的性质。自然人民期待正义的反法西斯战争的结果，会得到正义的民主和平，这是各国人民切身关心的，也是他们力图达到的。民主和平就是保证长期稳固和平，保证这样的事情，即是不应当让侵略再起，不能忘记在为共同胜利事业遭受巨大创伤的国家，铲除法西斯残余，巩固前敌国的民主基础。这些国家的主权不应当受到破坏。正义的和平应当是符合联盟国解放的目的。应当符合各国人民从法西斯主义压迫下，走上解放的民主道路之各国人民的利益。

美英反动派表现了反民主和平的倾向

大家知道苏联不惜一切力量进行斗争，正是为了这一和平，在这方面，我国对外政策的代表在历次外长会议上，及不久前在巴黎和会上，已做了很多，很复杂的工作与努力。因此认为这种建立普遍和平与各国安全的事业的纲领，是没有特别困难与意见分歧，就可以实现的，可是实际则不然，相反的，这一切和平纲领遇到某些国家的反对，首先是英美反动势力有系统的反抗。他们利用某些小国，那些不顾一切替英美政策当吹鼓手的小国作幌子，企图阻碍与妨碍在制订战胜国对前希特勒德国之同盟国和约事业中的合作。

在巴黎和会上特别明显地表现出这一反民主倾向，在讨论的里雅斯特法制时，关于多瑙河国际化问题，都特别明显地表现出来。因为准备和约，创立了新的不合乎正义的原则。在和会上，极端非正义的原则如像机会均等的原则，这一原则事实上是强国在经济上奴役在战争时期遭受巨大损失而迫不得已花费一长时期医治自己创伤的小国。

在巴黎和会过程中，毋庸争辩的民主和平的原则，如像根绝法西斯残余，巩固那些前敌国国内民主秩序的原则，也引起了不少的反抗。由于这一原则，在准备对前德国同盟国和约的许多问题上，没有达到圆满的解决。在和会上，当英美代表团及其同盟，企图强迫那些力谋解决战后问题，争取自己主权的国家，接受他们的意志，而且破坏各列强的平权原则。

巴黎和会上进步与反动两种倾向

在和会的工作中，表明在战后政策上，存在着两个倾向。这两个倾向在关于现时国际合作应当往什么方向发展的问题上特别暴露出来。

第一个倾向是苏联的进步政策。这一政策完全是实现这样的原则，即是建立有全权的联合国组织。它具有一切必需的力量，来卫护和平与阻止侵略。这一原则是根据这样经验出发的，认为这一国际组织应避免国际联盟的重复，应当成为有充分力量，充分威信，卫护和平，阻止侵略的机关。斯大林同志曾指出：“这一国际组织的行动，只有在这种条件下，即是在曾肩负反希特勒德国战争主要担负的各大列强，在战后仍然本着以协作的精神而行动的条件下，才能成为充分有效力的。”用不着证明和再次指出苏联为保卫这些原则而采取了哪些努力。苏联经常的，逐步的为争取坚固的、长期的、正义的民主和平事业，为巩固国际合作的事业而奋斗。最近，全世界人民从斯大林同志对合众社社长白里所提问题的答复中，可以看出苏联认为国际合作的事业是有如何的意义，并且苏联对外政策的每一步骤都是如何迫切地为达到这一目的。国际政策的这一进步倾向就是如此。

另一倾向是那些反动势力、反动集团的倾向，他们准备放弃他们昨天所发表的宣言，企图动摇联合国的基础。为那些扩张势力，从事侵略的力量扫清道路。这一倾向的鼓舞者，现时特别攻击在安理会上解决问题取得一致协议的原则，现在更进行大规模的进攻，反对这一原则。非常明显的，这一运动是在于破坏国际合作，破坏联合国组织的基础。大家知道国际合作常态的基础是完全不适合于那些为争取世界统治，扩张势力，从事侵略，想自由行动的帝国主义的集团的计划。可是我们人民并不是为了替世界统治的新要求者扫清道路，牺牲自己宝贵的鲜血，反对这一想取得世界统治的企图是联合国组织的主要任务。

反苏喧嚷与战争叫嚣反映了反动派害怕民主及苏联威信的大大提高

民主和平揭露了隐藏的敌人。他们进行破坏国际合作运动，带有疯狂的反苏喧嚷。这是新战争挑拨者，如像丘吉尔及其同情者才需要的军事政治侦探及其同帮的疯狂反苏的原子弹宣传，及新战争恐吓的威胁，那些以战争为发财事业，不愿意坚固民主和平的反动帝国主义集团在领导这一反苏运动。因此他们拼命诽谤苏联，反对这一民主和平的健将。新战争宣传的动机即是反动分子害怕各国民主的意想，苏联是民主力量的先锋，苏联便成为主要攻击的对象，苏联是争取民主，反对侵略，反对扩展势力的彻底战士。

不能不指出最近以来，反苏诽谤运动发展到特别巨大的规模，大规模进行这一运动的目的是要破坏苏联在民主国人民中间大大提高了的信仰与威望。

日丹诺夫同志继续说：当我们在战场上流血牺牲的时候，都赞成我们英勇牺牲的精神，高尚的道德品质，与无限爱国主义精神，现在，当我们主张所有解放的其他各国人民，应参加国际事业享受平等权利的时候，就大骂特骂，诽谤我们种种不好听的话，似乎我们带有不良的，值得怀疑的性质。

最近对于我们所表示的这种态度，不能引起人们奇怪。这种自己以为文明的人们，究竟堕落到何等不体面不文明的地步。大家知道，进步与自由的力量完全战胜了万恶的反动的暴力所掀起的战争，并没有使某些人得到教训，他们正企图使各国人民再走上危险痛苦与灾难的道路，重复各国人民相互仇视与彼此不信任的道路。

几天前华莱士在自己演说中指出:《真理报》登载了一篇批评美国的材料，那么美国报纸上至少载了一千次反苏批评。华莱士这一声明是无可驳斥的。在这一复杂的国际环境中，和平敌人正在大肆喧嚷惊慌不安的世界上，发出了斯大林同志坚信的英明的呼声。凡渴望和平与安全，知道斯大林每一句话的价值的人们，在心灵中发生兴奋、热情与希望。（大鼓掌）在斯大林同志对于这样新战争的鼓舞者给以迎头打击，揭穿此种运动的欺骗性质，并且表明不存在新战争的实际威胁。因此，斯大林的话也表示出如新战争恐吓等一切手段，不能把苏联恐吓住。

当我们在这里纪念我们伟大十月革命节二十九周年的同时，我们的同志在纽约联合国组织全体大会上代表苏联国家坚决地保卫国际合作的原则与和平事业，莫洛托夫同志代表苏联代表团所提议的普遍裁军与关于禁止为军事目的生产与利用原子能的提议，是苏联对于保证和平事业的新的重大贡献，引起全世界进步人士的同情与拥护。在全世界面前，一再表示出苏联是真正争取坚固长期民主和平，真正争取国际合作而奋斗的主动者。

巩固长期民主的和平最后必定会胜利实现

我们相信不管有哪一些力量反抗建立巩固的长期的普遍和平与安全的事业，这一事业归根到底是会胜利实现。我们的坚信是由以下事实出发，即是为和平努力的力量正在日益增长，并且依靠坚固的基础，此种力量正在变成更有组织更强大的力量。在争取巩固的长期的民主和平与各国人民安全的斗争中，苏联并不是孤立无援的，苏联爱好和平的政策已得到国外千百万人民的拥护。斯大林同志指出世界各国人民不愿去受战争的灾害，他们坚决为了巩固和平与安全而奋斗。

击溃希特勒德国与帝国主义日本所获得的胜利，在全世界上造成新的政治局势，唤醒了广大的民众，提高了他们的政治觉悟，在这一强大推动力下，许多国家发展了民主运动，民主力量发展了与增多了，而反动的力量减弱了。不管他们怎样使劲把持自己的阵地，阻碍各国人民的民主发展。只要指出各斯拉夫弟兄国家，南斯拉夫、捷克与波兰各国民主势力，就足以证明这点。在这些国家正在发展新的民主制，这一民主制是人民的鲜血换来的，是在反对希特勒德国法西斯主义压迫，伟大神圣斗争的进程中所锻炼成的，这些国家的人民都把本国的命运拿到自己手中，建立了民主秩序，并在继续积极斗争，反对反动力量，反对新战争的挑拨者。

在昨天还是德国的附庸国家意、保、罗、匈、芬等国家内，也表示了民主运动空前高涨。广大民众积极活动，刚刚几天前，我们看到保加利亚祖国阵线获得重大胜利。这是再次表示战后的欧洲民主力量的巩固。

其次，不应当忘记在英国，保守党人失败了，工党得到了胜利，在法国反动力量失败了，左派政党联盟获得了胜利，这都表示这些国家在向左进展的重大步骤。

最后，大家知道：自由与民主发展的意想同样普及殖民地与附庸国人民，他们都在为争取自由民主而奋斗。成百万的劳动者都组织起来，以便在所有一切国家中保护和平事业。我所说的是具有工人国际合作的支柱——全世界职工同盟、国际妇女民主同盟、全世界民主青年同盟的努力，各民主国之间文化联系正在发展与巩固，这就是和平事业胜利凯旋的保障。（大鼓掌）

（载十一月廿一日《东北日报》）

第二部分　重要的国际会议

一　第四届外长巴黎会议

韦　德

论巴黎外长会议

一、成就

负责起草意、保、罗、匈、芬五国和约草案的第二次巴黎外长会议，已经闭幕。会议历时二十八天，获得了重大成就。

在这些成就中，最重要的是对五国和约草案的基本问题已达到了协议。在取得这个协议之前，外长会议曾解决一系列的有关问题。如关于的里亚斯特问题，会议通过的不是苏联代表的最初提出的归南斯拉夫方案，也不是美国务卿所坚持的归意大利计划，而是，国际共管的自治区，关于意殖民地问题，会议绕过这个可能使草拟和约工作搁浅的暗礁，而决定今后一年内再行予以解决，关于意大利赔款问题，由于法英代表的支持，会议通过了与苏联原案无大出入的决定。关于多瑙河问题，会议通过了为法国代表所修正的英国建议。关于这些协议，草拟五国和约的道路，终于铺平了。

这次会议所以能够得重大成就，其原因何在呢？

二、背景

先从美国方面说起：美国人民大众渴望永久和平，不少美国资本家希望战后世界安全，以便有发展贸易机会，而要世界安定，非有美苏妥协不行。因此今日以杜鲁门为首的美国当局，虽然仍在对苏联进行严重的斗争（表现在历次国际会议上的争论），虽然积极扩张军备，以期压倒其他任何国家（表现在原子弹试验，其他计划等），虽然他们的政策时为最反动一派，如范登堡等所影响，可是他的基本方针仍然是和苏联取得有条件的妥协。即就上次巴黎外长会议而言，虽然本身未获协议，但是仍然起了交换意见准备此次会议之作用。同时美方在上次巴黎外长会议中及其以后固执己见的态度，即不能改变战后欧洲的局面，却反而引起美国舆论对美外交的责备。美国《新基合周刊》就这样说：“我们的外交行不通”。在这种情况下，贝纳斯在这次外长会议的态度，就不如上次那样凶了。除了上述基本原因以外，美当局所执行外交政策的过程，也不能不考虑到行将到来的国会改选（美国将于今年十一月改选全部众议员和三分之一参议员）。在竞选运动中，外交政策是重要的题目。继续对苏关系恶化，继续僵局政策对民主党竞选是很不利的，而共和党方面最近亦极力指责政府对外政策，以获人民的好感。一九四四年，共和党总统竞选人杜威的外交顾问杜勒斯，即曾于六月三日撰文称：“美国外交应尽量减少对苏联的冲突。”“仇恨，对抗，好战不是外交，不是外交所努力的方向。”不仅如此，即在民主党内部，在外交政策上也发生分裂。斯退丁纽斯的引退即为一例。

其次英国代表虽然不少问题上与美国一致，但和上次会议比较，也有某些改变。在会议前，贝文在下院演说时，对和约草拟工作的僵局曾表示焦虑，因为这个问题的连累，分散了英国处理其他问题之力量。他曾说：

“外长会议不会有真正不可克服的分裂。”在会议过程中，贝文曾支持苏联的对意赔款的要求。而其关于多瑙河问题的修正案，也被莫洛托夫认为有考虑的价值。贝文这种态度与英美近来矛盾的增长，美国在巴勒斯坦问题上一步紧一步的压迫英国等等，自然不是没有关系的。

法国在这次会议上，更明显的处于调解人的地位。已在会议上曾提了半打以上的折衷方案，这可以从法国最近时期的内外情况得到解释。不久以前美国对法国贷款数量既微少，条件又苛刻，而苏联对法国的粮食援助，则极慷慨而迅速。同时，法国国内民主力量在大选中，再次表现其坚强，这点对法国的外交政策有极大影响，还有比道尔的外交政策，是使法国能登强国舞台，五国和约问题对法国无直接的重大利害关系，因此他采取介乎两大强国之间的态度，是很自然的。

最后苏联对于会议之成就，有决定意义的作用。苏联代表在会议上一方面坚决反对那些独断专横，违反三强战时协定，以致破坏三强一致协议原则等危险偏向，坚持正当合理要求，另一方面又作了必要的妥协，以使会议达到协议。苏联代表团曾表示：“此次前来巴黎，决定使会议获得成就，为达此目的，甚至不惜以妥协为代价。”事实上不仅在的里亚斯特问题上，而且在其他问题上，苏联都作了不少的让步。

所有这些，就是此次外长会议对五国和约草案获得协议的原因。

三、争执与协议

虽如众所周知，差不多所有重要协议，都是在激烈的争辩中折衷后才达到的。美国代表在许多问题上，都是竭力固执其意见，一直坚持到最后才接受妥协。最明显的例子，就是对苏联对意要求赔款“一万万美元”美方曾竭力反对（按：美英驻军曾在意国取得十万万美元的供应），这一事实显露，即使在不大重要的细小问题上美方仍然坚持使其成为争执。战争时期德黑兰、雅尔塔、波茨顿会议中解决重大问题的那种和谐顺利以及迅速达到协议，已成为上一个时代的产物了。

然而三强之间的关系，终究是与那些惟恐天下不乱的国际反动派的想象相违反的。尽管怎样艰难曲折而荆棘丛生，但是到底是三强协议的原则在战后维系着。外长会议关于五国和约的协议，打击了那些力图使三强破裂，使苏联陷孤立，挑拨第三次世界大战的阴谋家。

四、欧洲和远东

经过了这次外长会议之后，缔造战后和平事业，已向前迈进了一步了，虽然四强外长对重大的德奥问题，仅仅广泛的交换了意见，而对五国和约草案的协议，并未完全达到协议，在行将召开的二十一国巴黎和会中，还会发生严重的争执。但是大势所趋，五国和约是要签订的。这对于欧洲的和平的安定，对联合国事业，将是一个重大的贡献。

战后欧洲的善后问题，除德、奥问题外，大体上已告一段落了。此后世界的目光将会移转集中至东方来。中国法西斯好战派天天盼望三外长会议失败，美苏关系破裂，以便从国际反动势力获得更多的支持，但是这次三外长会议又证明事实的发展恰恰和他们的愿望相反。

（载七月十七日《解放日报》）

莫洛托夫驳贝纳斯德国草约方案的演说

七月九日，外长会议讨论解除德国武装与使德国非军国主义化的美国条约草案时，莫洛托夫发表声明如下：

苏联政府以应有的注意，研究了贝纳斯所提出的四强对德国解除武装与使德国非军国主义化的条约草案。苏联政府重新确认解除德国武装与使德国非军国主义化是非常必要的。苏联政府认为德国应处于解除武装与非军国主义化情况中，不是像该条约草案所拟定的二十五年的期限，而是四十年的期限。

经验证明：第一次世界大战之后，限制德国军备的短促时间，对于保证全世界的安全与消除德国军国主义是非常不充分的。从第一次世界大战告终之日起，总共过了二十年，而德国就又挑起了第二次世界大战。十分明显的，爱好和平的各国人民，是非常关心使德国尽可能长期的处于解除武装的情况中。而该条约草案所持的理由，是为了全世界的和平与安全的利益。可是，研究了该草案之后，该草案对于保证安全与预防德国侵略所拟定的办法是非常不充分的。该草案只限于军事与军事经济的设施，同时，该草案所提出的设施，也没有像三强柏林会议决议所规定的那样完全。在柏林会议决议中，除了这些设施外，还规定了保证安全与坚固和平的其他同样重要的办法。

苏联政府根据这种研究作出结论：如果三强对解除德国武装的决议不能实行，那么，这种条约是不能成为欧洲与全世界安全之保证的。反之，这一条约草案所提出的许多设施，也许会促成德国重新成为侵略的中心。

我们要问：四强订什么条约才能预防德国新的侵略，以保证各个人民的坚固和平与安全呢？回答这一个问题，必须注意到这一时期内联盟列强所共同通过的决议。

大家知道，在克里米亚会议上所通过以后又在柏林会议所补充，并且最后由法国赞同的英、美、苏三强共同的决议，曾指出基本的任务，以便保证欧洲与全世界避免德国侵略的危险。我们没有根据拒绝这些建议，这些建议应当成为我们保证和平事业、采取新步骤的基本精神。首先应当指出，在这些决议中，讲到必须进行完全解除德国武装与使德国非军国主义化，以及消灭凡是能够被利用来生产军需品的各种工业。而且，对德国工业实行监督。实现各盟国的决议，被认为是保证各国人民和平与安全的首要任务。

在美国所提出的条约草案中，这些任务是被缩小了，并且是非常不充分的。可以明显地看出，这些条约草案是不能令人满意的。

苏联政府曾提出建议，在德国占领区进行检查。但是，怎样进行解除德国武装力量，消灭其军事与半军事组织的办法，直到现在尚未拟出。虽然如此，我们还是继续要求进行检查，以便消灭在这方面各种各样的误会。

至于讲到消灭德国军事潜势力，我们曾看到很不好的情形。在这里没有任何建议的必要，因为直到现在，消灭德国军事潜势力的任何计划，在这方面除总计划的个别设施外，没有实行任何计划。因此，苏联政府认为再也不能迟缓在这一计划中所规定的次序，以便进行种种设施，消灭凡是能够成为德国侵略的军事基础、替德国生产军事武器的德国工业各部门，解除德国武装包括解除德国的武装力量、各种军事与半军事的组织，以及消灭为德国生产武器替德国侵略服务的工业。只有这样，解除德国武装与使德国非军国主义化，才能适合全世界与各国人民安全的利益。而具有保证和平与安全的四强条约，首先应当实现这些任务。

同时，我们应当记得，保证安全与预防德国方面的新侵略，不仅依赖这些军事与军事经济的各种设施，而且，克里米亚会议、柏林会议关于对待德国的政治任务，也作了同样重要的决议。联盟列强经常认为实行这些决议，对于保证各国人民将来的和平与安全是绝对必须的。

还在克里米亚会议的决议中，就规定必须斩草除根的消灭纳粹党、纳粹的法律、施政与计划，从德国社会机关中，德国人民文化与经济生活中，铲除纳粹党与军国主义的种种影响。

柏林会议决议，更详细说明了这些，特别指出必须在民主基础上最终地改造德国的政治生活。美国所提出的条约草案中，关于消灭德国法西斯主义的残余，以及关于在民主化基础上改进德国的政治生活，完全没有讲到，这是不能令人同意的。

还在昨天，我们大家都承认我们的首要任务不仅是要根绝纳粹党，而且要在德国新的生活的各方面，消灭希特勒主义长期统治的恶果。我们认为实现这些任务，就是以民主基础政治改造德国的必要条件，使德国再不能成为侵略力量而存在，并且，使其成为民主与爱好和平的国家。

我们大家都了解实现这种改造并不是容易的任务，它要求相当的时间，要求我们方面积极援助德国人民中能够担负起此种事业的那些民主力量。

应当承认，在德国已出现了重大的民主力量，他们已相当顺利地去进行德国民主复兴的工作。但是，这种民主改造刚刚在开始。德国法西斯力量残余还没有被彻底铲除。

大家知道，土地改革是消灭希特勒主义的可靠支柱，消灭大地主只有在苏联占领区才进行了，而在西方占领区甚至尚未开始，为德国法西斯主义准备侵略进行战争的德国工业家、垄断联合、卡迪尔、托拉斯、辛迪卡，还在继续保存自己的影响，特别是在西方占领区中。所以，我们要得到真正可靠的安全保障，那么对于完全消灭德国纳粹主义，实行德国民主化，绝对不能减弱我们的注意力。

美国提出的条约草案，一句话也未讲到保证各国人民和平与安全的这些任务。对于这一事实应当怎样了解呢？应当明了，一切主张稳固和平的人，都切身关心克里米亚会议与柏林会议决议，无条件的实行，我们必须提到，我们的共同决议，是德国军国主义与纳粹主义的消灭，因此，各盟国列强在现时与将来，应彼此协商其他必需的办法，使德国在任何时候再也不会威胁自己的邻国，威胁全世界的和平。

可是，美国提出的条约草案，是不符合于这些目的的。这一草案越过于忽视保证各国人民永久和平与安全极需要的先决条件。因此，从保证安全利益的观点看来，这一条约草案是不符合于这些目的，这一条约草案正与盟国所共同通过的决议相矛盾的，除开在条约草案中的提议阻止德国新侵略的设施外，却反而在其中规定停止盟国对德国领土的占领，因此，这一条约草案不是盟国占领德国所抱的目的。

不要忘记盟军与苏军占领德国有三个目的：

（一）保证彻底实现在军事与经济方面解除德国武装；

（二）保证德国制度的民主化；

（三）保证偿付赔款。

在这些任务还未执行以前，我们认为占领军驻在德国，保存占领区是绝对必要的。

上面已经说明，从军事经济上完全解除德国武装的观点看来，美国的条约草案是如何的不能令人满意。而且说明这一条约草案完全不能保证德国制度的民主化。

此外，贝纳斯所提出的条约草案，完全忽视必须保证偿付赔款。对于此点苏联政府无论如何不能同意。

必须讲到德国赔款问题。这一问题牵涉到受过德国侵略的各国人民的利益。美国所提出的这一条约草案，忘记了赔款问题，自然，苏联是不能忘记这一问题的。

关于德国应赔偿苏联赔款的总数，苏联与美国政府还在克里米亚会议上就承认了一百万万美元。当时，按照美国提议，决定苏联从苏军占领的德国区域和部分的西方占领区内，能够保证自己取得赔款。这是柏林会议决议所确定的。不用说，在这些提案中，不仅应该包括从一切机械设备，而且包括从德国一切商业工业中取得赔偿。可是，在西方占领区没有实行关于赔偿的决议。不久前，美国克莱将军曾作了非法的声明。（按：克莱的声明，是停止搬运作为赔款之用的德国工业装备赴苏联。）

关于赔款问题，我们当然不能同意贝纳斯的提议，按照贝纳斯提议，偿付赔款是否实行是令人怀疑的。苏联政府坚持要求德国无条件地偿付苏联一百万万美元的赔款，因为这一数目与苏联所遭受德国侵略与占领的巨大损失相比较，是一个很小的数目。未受过德国灾害的美国，可以这样忽视德国赔款问题，可是，苏联及其他受过德国巨大灾害的国家，就不能这样对待他们的要求。

从上面所说的一切，明显地看出苏联对于贝纳斯条约草案的态度。这一条约草案，不适合于保护和平与安全的利益，这一条约草案，需要加以根本改造，据我的意见，这一条约草案必须根据我所解释的和提出的方针方法加以重新改造。

（莫斯科十一日广播，载七月十二日《解放日报》）

莫洛托夫关于处理德国的根本方针的声明

莫斯科广播：七月十日，外长会议讨论德国问题时，苏外长第二次发表声明，摘要如下：

我们应该讨论德国的命运，及讨论对德国签定和约问题已是时候了。

不能不指出，德国的工业力量，已成了世界经济体系中重要的环节，同时，这种工业力量曾不只一次地成为德国武器侵略的基础，作结论所依据的条件就是如此。

我的出发点是从世界经济利益与欧洲安全的观点来看的，如果要消灭德国或把德国变成农业国而消灭其重要工业，这种立场都是不正确的。这种立场会破坏欧洲经济以致使世界经济解体，会使德国陷于慢性的政治危机，其影响所及，对于和平与安全将变成威胁。

我认为我们的任务不在于消灭德国，而在于把它改造为民主的爱好和平的国家，除了农业之外，有其工业与对外贸易，可是必须不使侵略势力有重新抬头及经济军事化的可能性。德国在世界经济体系中，早已占着重要的地位。把德国变成为统一的国家，是符合于其他各国人民利益的。德国在以后将是世界贸易的重要中心。

最近时期流行着一种谈论，即是把德国划分为许多自治国家，或变德国为联邦国家，把鲁尔与德国分开。这一切提议都是从消灭德国或把德国变成农业国的立场出发。因为，很明显的，没有鲁尔区，德国就不能成为独立的有生存力的国家。但是我已说过，如果我们珍视和平与安全的利益，我们的任务并不包括消灭德国。如果全德国举行全民投票的结果，德国人民表示赞成把德国变成联邦制国家，或者前德国各邦举行全民投票，赞成与德国分离，那么，不用说：我们在这方面不能有任何反对。

现在，西方占领区，盟国当局往往拥护德国联邦制的思想。可是，盟国的立场是一回事，而德国人民的真正愿望，至少德国此部分或彼部分区域人民的愿望却是另一回事。我们认为强迫德国人民接受这一问题上的某些决定是非常不正确的。强迫的办法是危险的，不巩固的。

如果要保障世界不受德国的侵略，那么，必须实行在军事上和经济上完全解除武装，并且应建立四强盟国对鲁尔的共同监督，其任务就是阻止德国军事工业复活。在军事上经济上完全解除德国武装的纲领，并不是什么新的东西，在柏林会议决议中已详细讲到了。自然，鲁尔区是德国军事工业重要的根据地，必须放在盟国有力的监督之下。苏联政府虽然每次要求执行柏林会议的有关决议，可是，直到现在鲁尔区还未受盟国的共管，苏联政府在一年以前，坚持主张建立盟国对鲁尔的共同管制，我认为这些任务的执行，再也不能延缓了。苏联政府对于德国军事工业及军事潜势力的意见就是如此。但这些意见并不是说要妨碍德国和平工业的发展。

为着有利于需要德国钢铁、石煤与制造品的各国人民起见，必须保证德国有输出与输入的权利。并且在实行这种对外贸易权时，我们应当不阻挡德国生产钢铁、煤炭与和平性质制造品的增长。当然，这种增长要在相当的限度之内，必须以盟国监督德国工业，特别是在监督鲁尔工业的条件下进行。

德国管制委员会最近曾确定德国工业在最近将来应当达到怎样的发展水平。现时，德国尚未达到这一水平。

然而，现在应该承认，对于德国和平工业给以更广泛的发展机会，使得这种和平工业真正的适应德国人民的和平需要，这一切都要求对于德国工业，特别是对于鲁尔工业的监督。这种监督绝不能只由一个联盟国来负责担任。通过德国和平工业发展的纲领，发展德国对外贸易，并且由联盟各国对德国全部工业实行监督，是符合具体执行柏林会议的决议，并把德国看成一个统一经济整体的。

下面我要说的，是关于对德签订和约问题。当然，在原则上我们赞成与德国缔结和约，但是，在与德国签订和约之前，必须建立统一的德国政府，使这一政府有充分的民主，以便能够消灭德国法西斯主义的一切残余，并且使这一政府担负充分的责任，以便能够对盟国执行其自己的任务，特别是对盟国偿付赔款的任务。

从上面所说的一切得到结论：在与德国签订和约之前，必须解决关于建立一全德国政府的问题。可是直到现在，没有设立任何德国的中央行政机构。虽然苏联政府还在一年以前柏林会议上即提出了这一问题，如果说，当时是把这一问题搁置下来，而现时它就成为极端迫切的问题了。

虽然，创立德国新政府需要几年的工夫，但是现在可以研究将要建立的德国新政府是什么样的政府。德国政府应当是一民主的政府，能够铲除法西斯主义在德国的一切残余，能够履行德国对联盟国的义务，其中，首先是对盟国赔款的义务，只有一个诚实而可靠的德国新政府，才能完成这些任务。只有在这样的时候，才能认真的讲到与德国缔结和约的问题。不然的话，德国不能要求缔结和约，而联盟各国也不能说他们对坚固和平与安全已完成了自己的任务。

（新华社延安十二日电，载七月十四日《解放日报》）

附：贝纳斯在斯图加特的演说及其反应

在巴黎和会准备加速工作之际，美国务卿曾于六日往德国斯图加特走了一趟，在那里发表了一篇演说。巴黎和会的主题，是讨论与意、罗、保、匈、芬等国签订和约，贝纳斯却在演说中提出了处理德国的问题。这篇演说预示在上述和约解决以后，德国问题将成为一个剧烈争论的中心。这篇演说又透露了美国当局企图违反去年八月英、美、苏三国在波茨顿协定的用意。贝纳斯演说的中心是把德国目前四个占领区合并成一个单位，把美方保护德垄断资本家和希特勒残余势力的一套办法移植到德国其他地区，即移植到苏联和法国所占领的地区。贝纳斯这演说引起各方的反对。美国国内舆论对贝纳斯演说剧烈的抨击，甚至讥笑贝纳斯配当“德国总统的候选人”。波兰政府和人民的示威反对，法国政府也表不满。贝纳斯等秉承美反动派意旨，今天订了协定，明天又想赖掉，他们在国内外，声誉扫地，自然是意中事。

贝纳斯于六日在斯图加特的演说，明确地提出了在德国成立临时中央政府的问题。贝氏并提出下述四项原则作为临时政府的蓝本：（一）所有盟国确立一个“德国自己管理自己”的原则，盟国占领军应加以限制，其数量只要足够能监督这些原则的遵行。（二）保安队将可能长期留驻德国。（三）临时政府不应由其他政府派定，而应为“民主选举的部长、主席”以及由四占领区中所选出的若干州或省的首长所组成。（四）在盟国管委会的权力下，德国国务会议应负责主持中央机关，以便作为一个经济整体来管理德国，国务会议并应拟制德国联邦的宪法。贝纳斯演说的另一重要部分，是关于德国领土问题的新意见。贝氏宣称：除萨尔划归法国，哥尼斯堡及其邻近地区划归苏联以外，美国将反对任何肢解德国之举，特别反对割让德国之鲁尔及莱茵区。贝氏又暗示：美国将不同意根据波茨顿协定现由波兰占领之西里亚区永远划归波兰。

美外交界意见分歧

美国外交官员对于贝纳斯在斯图加特的演讲意见分歧，争辩激烈。双方阵线一般地说和争辩盟国对德究应拟定强硬和平抑是温和和平时相差无几。辩论中主张对苏妥协的人们，反对那些主张对苏强硬的人们。曾经主张强硬和平的人们尖锐抱抨击贝纳斯的演说，那些主张对苏采取妥协态度的人也是如此。他们说，贝纳斯在斯图加特演说中实际上放弃了波茨顿三强公约，并将他们的批评集中三点——一、当四强对于把德国作为经济单位看待还没有获致协议，而贝纳斯就说美国占领区将在经济上和愿意合作的其他占领区统一起来的时候，他可能已结束了四强共同解决德国问题的庄严努力。二、他们觉得贝氏演说中某些部分主要是为了得到德国的欢心反对苏联。三、演说之影响可能迫使苏联在经济上和政治上益发和西方民主国家隔绝开来。贝纳斯之支持者（无疑问地包括杜鲁门及国务院大多数高级官员）承认，就意义上来讲，在斯图加特的演说确是背离了波茨顿协议。

（美联社华盛顿十日电，载九月十二日《解放日报》）

二　巴黎和会

评述巴黎和会的成就

反法西斯反侵略战争胜利之后的首次和平会议，历时两月半，已于昨日闭幕。盟国在战时奋力以求的目标——消灭法西斯主义，惩罚侵略行为，已作为和平条约载入新世界的史册中。这是以苏美英为首的盟国团结的胜利，这是爱好和平的世界人民的胜利。

尽人皆知，第一次世界大战以后的巴黎和会，是一次战胜国抢掠战败国的强盗分赃会议，基于这种原因，它不但没有消弭战争，而且成了第二次战争的引火物。第二次巴黎和会具有完全不同的性质。这是反法西斯反侵略战争胜利者的和会，这是有苏联参加并作为领导强国之一的和会，这是世界人民（包括战败国的人民在内）

觉悟程度空前提高的新时代的和会。

此次巴黎和会的任务，是负责处理前敌国意罗保匈芬的和约草案，这一和约草案，是在苏美英法四强外长会议四度集议之后并在苏联坚持之下草拟成功的。巴黎和会的成就，在于它基本上通过了为四强外长会议所草拟的和约草案，这一草案包括诸如意南边界与的里雅斯特自由区方案、意国殖民地延缓处理方案、意罗保匈芬对苏赔款方案等重要决定。当这些草案最后提交四强外长会议审核之后，五国和约就将成为正式的了。

巴黎和会在通过外长会议关于和约草案的建议时，曾经历了严重的斗争。战后世界的两条路线，是这种斗争产生的基本原因。一条路线从维护帝国主义的利益出发，企图变更，甚至推翻莫斯科雅尔塔与波茨顿等国际协定，施行扩张政策，纵容法西斯残余，这以美国政府为其代表。一条路线从保卫世界人民的利益出发，要求和平民主，要求贯彻历次国际会议协定，根绝法西斯，这以苏联政府为其代表。如众所周知，美国代表在这次和会期间，在会内会外曾使用了多次的“权术”和“策略”，企图压迫其他国家在和会中接受美国的主张。第一，在和会初期辩论程序规则时，美国代表曾竭力试图一手操纵和会，策动通过违反外长会议决议的表决规则（即有二分之一而不是三分之二的赞成票即可通过议案），假维护小国利益之名，而行玩弄多数票以垄断和会之实。贝纳斯甚至滥用当主席职权，企图制止莫洛托夫发言。第二，当和会进入委员会活动时，范登堡——贝纳斯集团在和会内外发动“联合攻势”。在会内，美国代表玩弄“修正策略”和“拖延战术”，通过其代理人提出一大堆修正案，其中仅澳洲代表就提了七十七件修正案（占全部修正案的百分之三十五），因之，在这种“无案不修正”、“为修正而修正”的阻挠下，和会进展有如蜗牛之爬行，在一个月中只讨论了长达九十二页的和约草案中的六页半，在七个星期内只讨论了二百五十件修正案中的四分之一。当“修正”“拖延”了和会时，美国代表便又唆使某些国家的代表要求和会休会。所有这些，其目的在于把和会变成争论不休的清谈机关。在会外，这一时期内美国发动了一连串的预先布置的“外交攻势”，其荦荦大者有：八月十七日宣布伊斯特利亚区美军与南军处于半交战状态，十九日发出干涉波兰内政的照会，二十一日向苏联提出关于达达尼尔海峡问题的“强硬”照会，二十二日以罗斯福号航空母舰为首的美舰队开入地中海，二十三日向南斯拉夫提出最后通牒。这一连串的“攻势”，是“针刺外交”和“武力外交”的混合物，为的是想恫吓和会中坚持反对美国“强权政治”的许多国家的代表，使他们对美国让步。第三，当的里雅斯特问题成为和会争论中心时，贝纳斯则避近就远，节外生枝，亲自跑到德国斯图加特去发表一篇讨好德国法西斯残余的演说。

总之，从和会开始到九月上旬，范登堡——贝纳斯集团在和会内外掀起了许多风波，斯图加特的演讲可以说是最高潮。这些策划显然是跟这个时期内美帝国主义积极援蒋内战，麦克阿瑟在东京的反苏反民主言行，以及美国国内反动分子关于“第三次世界战争”的喧嚷，都是有密切联系的，这个时期内美帝国主义扩张政策的表现，其露骨为战争结束以来所未有。和会中的策划，就是这个政策中的一个重要环节。

然而，贝纳斯——范登堡集团在和会内外的谋略得到什么结果呢？

最浅显的结果之一是使和会代表们在后期沉溺于甚至连续二十九个钟头的“长夜会议”，疲倦不堪，怨声载道。然而最重要的结果之一，则是美帝国主义的原形在这一时期内赤裸裸的暴露出来了。贝纳斯——范登堡集团所侈言的什么“和平”、“民主”、“门户开放”、“机会均等”，再也骗不了人，再也不能掩饰其丑恶的扩张政策的实质了。因此，贝纳斯范登堡辈在和会内外所玩的一套受到各方面的猛烈反对。南斯拉夫并没有被美国当局的最后通牒所吓倒，她严正地拒绝了美国的通牒。她的代表在和会上为意南边界及的里雅斯特自由区的合理解决而再接再厉的奋斗，一直坚持到最后，毫不动摇。苏联成了贝纳斯——范登堡政策的最坚决的反对者，她的和会代表，莫洛托夫和维辛斯基，在意罗芬对苏赔偿、意南边界等问题上胜利地坚持了外长会议的决定，并挫败了使和会拖延下去的阴谋，同时，在表决规则、的里雅斯特自由区法制、多瑙河、希保边境等问题上，又尖锐地揭发了美英代表提案的本质，并一而再，再而三地坚定不移地反对这些违反历次国际协议的原则，违反世界人民利益的方案，一直到最后仍声言将继续反对到底。这种百折不挠的精神，大大地打击了贝纳斯——范登堡集团的气焰，鼓舞世界民主势力为和平事业而奋斗，有力地促进和会的重大成就。此外，特别值得指出的是斯大林关于时局的声明，他拨开了笼罩世界政治舞台的“新战争的云雾”，给那些“原子外交家”当头一棒，并重申国际合作的信念，其中特别提到了英苏关系改进的可能。这一声明对和会的发展有重大影响。

贝纳斯范登堡集团的政策也受到美国国内民主人士的广泛反对。早在和会蹒跚不前的八月中，美国舆论已深为不满。及至贝纳斯斯图加特演说（九月六日）后即爆发为澎湃一时的反对浪潮，九月十二日的华莱士演说即为其标志。这一反对浪潮冲击着美帝国主义扩张政策的各个方面，三十五个主要城市举行“退出中国”运动周是其一，要求改变在巴黎和会的政策也是其中之一。

上述这些和会内外的一片反对声，构成了一个巨大的压力，迫使贝纳斯、范登堡辈的嚣张专横不能不稍形收敛，使和会终于在后期趋向于解决问题。美帝国主义在和会内外的计划，大部都破产了。

除了上述这些因素外，检讨和会成就时还不能忽视在此期间英国的态度。以工党右派为首的英国政府在和会上对于五国和约草案中的几个主要争论问题的意见，基本上仍和美国一致，因为这些问题牵涉到战前英帝国有重大利益的巴尔干或是被视为英国内海的地中海。英国当局对于恢复这些地区中的旧势力是不能忘怀的。它自然不会拒绝在这些问题上和美国站在一起。但是，在战争中大大削弱了的英国，急于恢复输出和维系殖民地帝国，除此以外，它不愿在国际外交战中长此纠缠不休，以致消耗精力，错过时日。况且，美国在共同反苏反民主的标榜下，正渗入英国势力范围，它开了一个舰队到地中海。这个海一向是被英国人认为是“英国的内海”的，所以伦敦《观察家》报（英国资产阶级喉舌之一）于八月廿五日曾忧虑地说：“英国于掌握地中海霸权二百五十年之后，在过去数月中已首次丧失其地位，被美国取而代之了。”同时，英国在巴勒斯坦的地位亦因美国的积极侵入而面临危机。而在另一方面，九月初成立的一万万六千万美元的英苏商业合同，却为英国开辟一个互惠有利的出口市场。这显示英苏友谊继续改善的可能性，因此，英国对五国和约的拖延不决，甚或形成国际局势过分紧张，是不大赞成的。英外相贝文成了促进和会工作的几次外长会议的倡议人，英印代表均曾一再表示不满和会进展迟缓，贝文也是赞成并参加要求联合国大会延期召开以便和会能在其召开之前结束的，这些都是和贝纳斯态度相反的。

总的来说，巴黎和会是成功的，它差不多完全通过了外长会议关于五国和约的建议草案，绝大部分的修正案都被否决了。自然，和会不是没有缺点的，例如在的里雅斯特法制、多瑙河及希保边界等问题上，所通过的方案是无益于和平的。这些方案无疑将成为下月在纽约举行的四强外长会议的争论中心，要变更这些方案，仍需全世界民主人士进一步的努力。但是，即使有这些缺陷，和会的成就仍具有重大的历史意义。和会的经验证明：世界和平民主潮流是不可抗拒的。尽管美国帝国主义分子企图修改外长会议的决定，企图推翻莫斯科、雅尔塔、波茨顿等国际会议决定的原则，企图压迫东南欧的新兴民主势力，并玩弄了各种各样的谋略，但是这一切终归失败了。世界人民赢得了和平，并为建立和巩固民主的和平而坚持奋斗。和平民主的原则，早已在莫斯科、雅尔塔、旧金山、波茨顿等会议的决定中确定了，这些原则是世界人民伟大力量生长的成果。现在这些力量不但依然存在，而且更强大了。这是这次和会获得成就的基本原因。

（载十月十八日《解放日报》）

莫洛托夫关于坚持三分之二表决制的演说

八月八日莫洛托夫在巴黎和会全体大会的演说摘要如下：苏联代表团不同意程序规则委员会的决定，按这一决定和会应以过半数票表决其协议案，尚不是按外长会议的建议应有三分之二多数通过。我们不同意和会可以以票数多就通过其议案，即十一个代表团迫使十个代表团接受重要的提案。苏联代表团认为这决定是错误的，并坚决主张该会的错误决定必须改正。表决规则在国际会议上是很重要的问题，本次会议必欲对许多严重问题表明其观点。在国际会议上求得全体与会者的团结一致是一个指导原则，当然这并不是一件简单的事。可是我们既然聚集一堂，我们就应该求得互相的谅解，求得互相合理的让步，而必须了解解决国际问题时用别的任何办法是得不到好结果的。在通过一切决议时，求得一致的原则，过去和现在都为国际组织所屡屡采用。战争期间一切强国会议上的一切决定，都是经过互相同意之后才通过的。柏林会议所设立的外长会议，其全部工作也是在完全一致的基础上实行的。未有目光十分短浅，或在处理国际事务时不用求得有关各国的意见一致，也可以得到有用的结果。外长会议提出了关于和会全体会议和委员会上表决规则的建议，该建议内容如下："和会关于程序性质问题的决定，应以过半数票通过之。关于其他一切会议的决定及建议则应以三分之二票数通过之。"为对这点求得一致意见，外长会议很费了一些时间，我应该承认苏联对这一点特别坚持，可是英国代表团却在程委会上提出了修正案，这提案曾引起了若干代表团的反对，但业由该委会通过，其原文如下："和会的建议案可分为两类：（1）经三分之二多数通过者；（2）经过半数但在三分之二以下票数赞同者。"两种建议都将交给外长会议审议。这一建议取消了外长会议关于和会表决规则的建设，我们每一个人都知道：和会的建议案对于外长会议并不能下命令，另一方面我们大家都承认让和会提出某些建设案是有好处的，有助于最后和平的。我们之坚持议案必须至少三分之二票数通过，它所关心的不仅投票数目，而是希望以此表决方法来为和会求得一致建议，重要问题须有三分之二通过的，政治意义是在于此。程委会的决定推翻这一建议，它忽略了这一建议，它忽略争取一致决定的必要性。这就会搅乱整个会议的经过，程委会为什么允许这种错误，其责任在动议这一建议的英国代表团及在程委会中积极支持这一建议的美国代表团。外长会议在长期讨论之后，通过了协议的决议，可是在和平会议上英美代表团都抛弃了这一协议的决议，回至他们原来的建议，即会议以过半数通过建议。大家知道：当必须和我们共同敌人作战的时候，苏联在盟国中并没有站在最后一排，苏联因为他曾从法西斯野兽手中拯救过欧洲文明的事实而感到骄傲，在这次斗争中苏联曾经作了前所未有的牺牲。我们曾经损失了七百万人，红军的功劳以及苏联不可估计的损失，使得我们有资格在这里提给大家，苏联以及其他民主国家的呼声，在国际问题上一致的程序，这种呼声是值得大家听取的。

（新华社延安十一日电，载八月十二日《解放日报》）

莫洛托夫关于和会任务的演说

十月九日苏联外长莫洛托夫在巴黎和会上发表讲演，摘要如下：

主席先生，各位代表先生：

目前的会议，是第二次世界大战结束之后的第一次和平会议。在这次战争中，民主国家站在一边，而法西斯国家站在另一边。战争以我们敌人的失败与前敌国国内法西斯主义的崩溃而结束。我们以浩大的牺牲代价保证了胜利。经受艰苦战争年代，痛恨战争与侵略，渴望建立持久和平与安全的千百万人民，正在注视着巴黎和会的工作，这是可以了解的。我们和会关于对意、罗、保、匈、芬的和约草案已作了不少的工作。会议完成了审议这些条约许多条文的很重要工作，现时，已接近结束自己工作的阶段了。

大家知道，民主国家已不是第一次制订和约。但是人们不能说，过去所通过的和约，譬如第一次世界大战之后所缔结的和约，是适合各国人民对坚固和平的渴望的。我们必须牢记着这一事实，并且必须力谋达到其他较积极的结果。无论是对于今天我们正在审查的对意和约，无论是对于其他和约，都应该是这样的。

一、和会的基本任务

我们的主要任务是什么呢？这就是我们所审议的和约，真正适合渴望持久与巩固和平人民的利益。这必须是民主的和平。民主的和平，不能不惩罚侵略者，不能不顾到在战胜我们共同敌人的伟大解放斗争中所受的牺牲。同时，民主的和平应当造成良好的前提条件，使力谋安全与愿意对新侵略的任何企图举行一致打击的各国人民发展友好关系。正因为这一原因，民主的和平必须是反对法西斯主义的，加速铲除法西斯主义的残余及其一切新的变种的，以及以种种可能的援助在前敌国内巩固民主的开端的和平。在这种和平的情况下，不应当有任何东西侮辱某一国家的主权，譬如说，侮辱意大利的主权，而且不应当有任何东西使其他强国在经济上束缚它。苏联代表团正是从这一观点来研究对意和约及其他和约的。

大家都知道，准备和约的工作是由四国外长委员会所进行的。苏联曾积极地参加准备这些和约，在和会上讨论对意和约草案时，表明一切苏、英、美法所协议的和约条文在和会上都获得了支持。不能说这些和约条文在这个会上没有受到批评，而且有时还受到过分严格的批评。但是现在很明显的，四国政府在外长委员会上的合作，一般说来，已获得积极的成果，并在这次和会上受到大家赞同。在这次和会上，有些国家的代表对于和约草案提出了各种补充与修改，但是，除个别情形外，没有多大改变已协议的和约条文，在对意和约草案中还有未协议的条文，人们应该承认，在这方面和会委员会没有得到重大的效果，没有促进制订一致赞同的决定。应该强调指出四强合作原则的重要意义，人们不能同意有些人轻视这点，更坏的是，他们认为这一原则束缚国际合作的发展。

巴黎和会与以前的历次和会不同，它的全部工作是在广大公开的条件下进行的。这是适合于民主原则的。苏联代表团欢迎这种情况，使全世界各国人民都有可能监视和会的工作。这应当促进正确解决各个和会问题，包括迄今尚未解决的许多问题。

二、对意和约的经济问题

在对意和约的一切经济问题中，只是关于赔偿问题才与苏联利益有直接关系。应当指出，苏联代表团在一九四五年九月在伦敦即提出关于意大利向苏联、南斯拉夫、希腊、阿尔巴尼亚与阿比西尼亚赔款的建议。因为外长委员会没有全部审查这些建议，只是讨论了关于向苏联赔款的问题，所以我想把这一问题说明一下，苏联一开始就提议规定意大利用货物向苏联支付一万万美元的赔款，其中包括随时出产的工业品。这一赔款数目是侵入苏联国土的意大利法西斯军队所引起的直接损失的很小一部分，甚至意大利政府任何时候都没有反对过苏联这一最低限度的要求。实际上，这一要求只具有象征的意义，因为苏联人民认为不惩罚侵略行动是不能允许的事情。

在和会意大利经济委员会的六次会议上，讨论了关于意大利向苏联赔款的问题。因为澳洲代表团及其他某些代表团顽强的反对这一最低限度的要求，竟不必要地花费了十六小时进行辩论。但是，关于意大利赔款问题在和会开幕之前甚至讨论的更久，在外长委员会许多次会议上，在外长助理会议上以及在专门组织的赔款问题委员会上，都进行了讨论，在和会开幕之前，关于这一问题进行了三十二次会议，在这些会议上，共花费了八十六小时。因此可见，讨论关于意大利向苏联赔款问题的会议已开了三十八次，总共花费了一〇二小时，这种讨论的结果，在二十国组成的委员会上，一致通过决议，承认苏联要求意大利货物支付一万万美元赔款的提议是正确的。在各种各样的委员会会议上花费一百多小时之后，在这一切会议之后，大家才同意了苏联政府还在去年九月即已提出的建议，而在和约草案中的变动证明是微不足道的。

我所引据的事实证明了什么呢？这些事实证明了某些国家对于苏联有直接利益关系的问题所进行的路线。因此，甚至最明显的东西，苏联也不是很容易就能够证明的，因为一个必要的决定，都要以其他国家对苏联所采取的政策而定。但是，苏联代表团没有因此而失望，并且相信真理归根到底必将胜利，人们在制定值得称为民主和平的和约条件时，应该不惜一切力量以求之。

三、的里雅斯特法制问题

大家都知道，南斯拉夫要求米利亚边区的主要城市与港口的的里雅斯特，根据条约，的里雅斯特包括在南斯拉夫国家内。同样，大家亦知道苏联已承认南斯拉夫这些民族要求的历史的正义性。在冗长讨论之后，外长委员会采取妥协办法，承认的里雅斯特领土不应属于意大利，亦不属于南斯拉夫，而必须变成一个在联合国安理会保护下的国际领土。关于的里雅斯特法制问题，组织的里雅斯特自由领土之行政管理问题，也都作出决定，这些决定有极重要的意义。

我们知道，关于这一问题曾向意大利政治委员会提出了几个建议。在英美以及法国关于的里雅斯特所提的法制草案中，表现出一种绝不能认为是民主的倾向。另一方面，在苏联与南斯拉夫代表团所提出的草案中，表现出另一种倾向，这一倾向是基于承认的里雅斯特法制的民主原则。问题在于的里雅斯特自由区真正按照民主原则组织起来呢？还是我们民主国家的代表，在这一问题上放弃民主原则？苏联代表团在意大利委员会上曾一再争论，英美关于的里雅斯特法制的建议，实际上等于在的里雅斯特建立一种类似殖民地制度的政权，在这种政权之下，居民被剥夺了一切基本的权利，而且整个权利是由上面委予总督一身。由于委员会长时间讨论的结果，接受了法国修正的建议。但是，实际上这不过是英美草案的翻版，它向的里雅斯特居民提出了同样的、缺乏人权的半殖民地制度，只是在形式上看来缓和罢了。况且，委员会所通过的关于的里雅斯特法制原则的决定，是违反四国外长委员会关于这一问题的决定的。委员会的决定，虽赞成外长委员会所提出的的里雅斯特立法与行政当局应根据民主原则建立的建议，然而事实上，委员会关于民选的立法与行政当局施以这样的限制，诸如建立社会秩序与安全的广泛权力，委诸安理会所任命的总督，而的里雅斯特行政管理中民主原则几乎已无所有了。维持社会秩序与安全，进行对外关系，任命与撤销司法官员以及施行所谓必要措施的权力都委诸总督一人，这种必要措施，事实上意味着总督的无限权力与人民的无权。此外，外国军队依然驻在的里雅斯特，当然，这只有在我们认为的里雅斯特不是如和约草案所规定的国际自由领土，而是附属于英美军队，在英美军队监督之下的半敌国领土时才适用的。这一切都是与外长会议关于的里雅斯特法制的决定相矛盾的，而且一般说来，是与我们必须奋斗的民主和平相矛盾的。这就是为什么苏联代表团再度坚持应该接受苏联代表团九月十四日的著名建议，应该通过原来的决定，即是的里雅斯特的行政权力赋予人民议会所选举的政府，而作为安理会代理人总督的职责，只在于保证维持的里雅斯特的法制。

苏联代表团认为，和会必须确切地规定一切外国军队从的里雅斯特撤退的日期。从的里雅斯特撤退外国军队，不应该如所谓法国建议中所说的延迟至无限期的将来。实质上说，我们同意一个简单的决定就够了，明确的说来，就是应该按照像但泽一样的原则组织的里雅斯特。其余一切，不难解决的。说的里雅斯特与但泽之间毫无类似之处是不正确的。无疑的，在这儿是有类似之处的，管理但泽的经验，必须用于的里雅斯特。诚然，为什么在但泽没有高级专员可能处理事情，并且把建立立法与行政当局的权利委诸人民本身，而在的里雅斯特就不可能在总督与立法及行政机关之间建立同样的关系呢？关于的里雅斯特民主组织的问题，为什么我们比在但泽还落后呢？如果他们在这里不愿更进一步的话，那么无论如何，我们决不应该从那些民主原则，以及二十五年前国际联盟在但泽所建立的民主秩序再退后一步了。

苏联代表团不能同意委员会关于这一问题的建议。苏联代表团要求和会以最大的注意研究的里雅斯特法制问题，及南斯拉夫代表团关于这一问题所表示的愿望。苏联代表团认为，类似殖民地秩序的反民主的总督制度强加诸的里雅斯特的企图是不合理的。

四、铲除法西斯主义是我们的任务

我愿讲到在意大利政治委员会上所否决的一项建议，他们否决了波兰与乌克兰所提出的建议，即责成意大利不准许法西斯及其他旨在剥夺人民民主权利或进行仇视联合国任何国家的各种组织的存在与活动（在对罗、保、匈、芬的和约中都列入了这种条文）。应该认为在意大利条约中，禁止法西斯组织是特别适当的。但是，波兰与乌克兰代表团的建议，在委员会上却被九票对八票的多数及三票弃权而否决了，人们对此无论如何是不能同意的。

五、建立和平民主事业的合作

在这里，有人已提到和会上的派别问题。例如有人说，在和会上，一方面有斯拉夫集团，而另一方面则有西方集团。当然有人还说过不应当造成集团，使大家都力谋消除西方与东方之间的分歧。苏联代表团在力求鼓励一切民主国家的合作上，是不亚于任何其他代表团的。但是人们首先应当承认在和会上的这种划分是人为的办法，按照这种人为的办法，将斯拉夫集团与西方集团对立起来，这样的对立是不应当有的事情。这是旧时采用的早已过时了的手段，当时东方政治上落后，但现在把年轻的斯拉夫民主国与西方的旧的民主制比较一下，无论如何不能这样说了。不言而喻，年轻的斯拉夫民主国需要彼此帮助，尤其是当其他国家轻视他们的合法利益时，需要这种帮助。但是年轻的斯拉夫各共和国不仅彼此之间建立了友好关系，而且还想和其他民主国家建立友好关系。不过这种关系应当在平等与相互尊重的基础上形成。

不能忘记，在苏联除有三个斯拉夫国家外，还有十三个非斯拉夫共和国。想孤立年轻的斯拉夫民主国的企图，时常戴上西方集团的形式，甚至把中国、印度、阿比西尼亚也加入西方集团，使他们来增加票数。在这种情况下，划分西方集团与斯拉夫集团两派，或者西方与东方的两派，很明显的使我们走上极无聊的地步。贴上这些商标，只会颠倒是非。

本次和会是为建立民主和平而斗争。这应当成为一切民主国家的目的。但是出席和会的各国，对于这一问题，都有不同的见解。苏联代表团号召其他国家代表团在建立民主和平事业上的合作。这要求如像我们关于和约大多数问题已达到的协议一样，至于使尚未商妥的问题达到调和是有可能的事情，因为我们大家都承认我们力谋建立民主和平。

（塔斯社莫斯科十日电，载十月十四日《解放日报》）

五国和约草案要点

外长会议关于意、保、罗、匈、芬五国的和约草案，已于三十日（格林威治时间）公布，其要点如下：

对意和约草案

意大利与的里雅斯特之疆界规定：意大利应将法国建设线以东之一切领土及萨拉地方，以及德理亚海岸的里雅斯特区域中之若干岛屿割让予南斯拉夫，的里雅斯特自由区则赓续在法国建设线的意国疆界以内。

意法疆界：法国将获得法、意边境现在意大利领土内之五小块，然而意大利将获得曾丧失之阿尔比斯区域中的水电厂之通路。

意大利须将多得喀尼斯群岛之全部主权割让与希腊，并且定此等岛屿必须永远为非军事地区，群岛之移让事宜将由英希之协定决定之，该岛英军于条约生效后之九十天内撤退。

意大利放弃全非洲属地（包括利比亚、厄立特里亚及意属索马利图）之一切权利。按此等属地应暂时维持现状，至四强联合作成最后之协定为止。意大利尊重阿尔巴尼亚及阿比西尼亚之两国主权，并放弃其在两国内之特别利益或势力。意大利放弃根据一九〇一年北京条约在中国所享之一切利益，并规定意大利废除天津意大利租界契约，并放弃上海与厦门公共租界内之权利。意大利则应在六年内以其价值一亿美元之物资交付苏联，但现在有工业生产限制分两年内可以交付。条约内附注法国、南斯拉夫、希腊、阿尔巴尼亚及阿比西尼亚之赔偿要求，待巴黎和会解决，限制意大利陆军为十八万五千人，宪兵六万五千人（按意大利在一九三九年有陆军二百二十万人，另有后备军五百十七万五千人）。意大利海军曾有船舰七十一万七千四百二十吨，而今限制意海军为六万七千五百吨，另有旧战斗舰多利亚及杜里奥号。不许拥有潜艇。空军限于战斗机及侦察机二百架，运输机及教练机一百五十架。意大利在专与各联合国缔结商约或协定以前，在和约成立以后之十八个月中应对各联合国给予以下之待遇，而各联合国亦予意大利以互惠待遇，即对进出口之关税及对进出口之国内课税，以避免妨碍意大利之经济发展与对其国家之增加外债为原则，意大利应予各联合国以无条件之最惠国待遇，其他一切方面，意大利对任何联合国，任何领土货物之进出，均不得较之其他联合国或其他外国擅作歧视之待遇，对任何联合国之国民，均应予以本国国民之待遇，及最惠国之待遇。

（新华社延安三日电，载八月十二日《东北日报》）

三　联合国首届第二次大会与第五届外长纽约会议纽约两大会议的成就

——《解放日报》社论

两月来在纽约先后召开的两大会议——联合国首届大会和四强外长会议最近都闭幕了。两大会议经历了许多斗争与波折，终于在许多重要问题上成立协议，获得了重大的成就。外长会议完成了意、罗、匈、保、芬五国和约的最后审定工作，解决了十五个月来争执不休的三大问题，即的里雅斯特问题，赔款问题和多瑙河通航问题。联合国大会通过了苏联代表团所建议的裁军原则，决议建立普遍裁减武装的国际监督制度；通过了各国召回驻佛朗哥西班牙的使节，禁止佛朗哥西班牙参加联合国机构与活动等项决议，迈开了联合国神圣工作——维持民主和平，铲除法西斯残余，制止侵略的第一步。两大会议的这些光辉成就，符合于全世界人民的愿望，并大大振奋了全世界人民为和平民主而奋斗的胜利决心。

两大会议为什么能获得这些成就呢？

首先，美国当局要独霸世界的政策遭受了严重的挫折，陷入孤立的境地。美国当局在困难重重的情况下，急于求取妥协。回溯今年年初以来，美当局以“对苏强硬”的口号，在国际会议（如巴黎会议上）横生枝节，尽力阻碍和约达成协议。美国自以为这种做法，一则可以转移世界各国对其扩张政策的注意以便放手侵略中国，甚至如英国等资本主义国家，二则可以打击苏联的国际威信，企图逼迫苏联让步。但是美帝国主义的如意算盘都落空了。第一，从巴黎会议到纽约两大会议苏联的威信和地位更加提高了，而美方则更形孤立了；第二，英美矛盾日趋明显，而英苏关系则有改进；第三，美国人民和一部分资产阶级反对美国当局现行外交政策的运动更加增长（如华莱士事件等等）。尤其重要的，美国经济恐慌不久即将到来；美苏关系如不改善，美国对苏联及东南欧新民主国家，即无法增进贸易与贷款。而今天增进对这些国家的贸易与贷款，恰恰是美国当局所迫切需要的延缓或减轻经济恐慌的重要方法。这就是美当局急于求取妥协，在纽约会议上采取和巴黎会议不同态度的基本原因。

决定会议获得成就的另一重要因素，就是苏联的强大及其坚定不移的立场和努力，作为全世界和平民主的柱石，苏联无论在会内或会外，都毫不动摇的坚持与贯彻“相信共同赢得战争的大国之间合作的愿望及其必要，相信不同社会及政治制度和平竞赛的愿望及其必要，相信承认东欧及巴尔干诞生的年青民主国之必要”的路线，来反对另一条路线即“企图以使用政治压力对待平等国家的办法，以军事上的伸入，经济上的扩张办法来建立他们对世界的统治”的路线（曼努意斯基）。苏联代表团建议了普遍裁军与法西斯西班牙绝交，建议了调查各国在非敌国驻军，托管地应走向独立，并质问美军继续驻华。这些建议提得这样理直气壮，引起全世界人民的热烈拥护，连美政府的代表都不敢正面反对，美国报纸也不能不承认，在苏联的威望前面“美国是输了”。正因为苏联代表的主张获得了会内外的广泛同情和支持，并提出了能使与会各国获得协议的建设性的方案，两大会议才能得到显著的成就。苏联对于世界和平民主的中坚作用，在两大会议中表现得再明显也没有了。

最后，全世界和平民主力量的增长，对会议的获得成就起了重要的作用。特别是英法两国人民日益左倾，对其本国当局的外交政策，逐渐地发生有力的影响。英国工党议员中有百分之四十一反对贝文的反动政策，在法国国民议会与参院选举中，民主势力的先锋队共产党荣膺第一位，这些都直接影响到英法参加会议的代表的态度，而增进了英法苏的关系。如在联合国大会上，关于调查国外驻军和世界职工联盟问题，法苏完全一致；在调查国内军队应包括调查武装，并建立国际监督制度问题上，英苏一致；在决议各国召回驻西班牙使节问题上，英法苏一致，美国完全孤立。

这样，纽约两大会议的成就，压倒了美国帝国主义分子及其伙伴的反联合国战线的叫嚣，粉碎了他们孤立苏联与分裂和平民主势力的阴谋，使今年二月以来国际反动派所掀起的反苏反共逆流受了沉重的打击，使世界和平民主事业又多一块基石。这是全世界人民的大成功。这更证实毛泽东同志所说："人民赢得战争，并赢得和平，赢得进步"的光辉真理。经过这次会议，五国和约已经最后审定，欧洲问题已经解决了一半，余下来的德奥和约问题，虽然还须经过不少争论和曲折，但是一定能和五国和约一样获得解决，这是可以预言的。

纽约两大会议的成就，再次证明世界和平民主事业必然胜利，美帝国主义的扩张政策必然失败，这对于正在反对蒋介石卖国、独裁、内战，争取独立、和平、民主的中国人民，是一个极大的鼓励。除此以外，这次联合国大会特别为中国人民上了一课。蒋介石政府的代表在大会中处处仰承美国的鼻息，污辱了我们祖国的荣誉。当别国代表指责美国非法在华驻军的时候，他却为他“爸爸”辩护说美军驻华经“中国政府同意”。当大会讨论佛朗哥西班牙危害和平，应与之绝交的时候，他竟出来否认和反对，甘当佛朗哥的伙伴。中国人民坚决不承认这批辱国的代表。只有当中国人民自己的代表出席国际会议的时候，才能担负起一个伟大国家在联合国中应负的庄严任务。

（载十二月二十日《解放日报》）

莫洛托夫建议普遍缩减军备之演说

各方报导：苏外长莫洛托夫二十九日在联合国大会的演说中，曾就普遍减缩军备问题提出建议。莫洛托夫指出：缩减军备，将予那些未从这次战争侵略者可耻崩溃中得到充分教育的集团以应有的打击；另一方面不应忘记，如果某些国家一方面宣布和平政策，另一方面不但不缩减其军备，反而在数量上与质量上扩大它，那么其他国家要有权力来怀疑其和平宣言的诚意了。苏代表团根据联合国宪章第十一条（按：联合国宪章第十一条的主要内容，是联合国大会得考虑关于维持国际和平及安全之合作之普通原则，包括军缩及军备，管制之原则，并得向会员国或安理会或兼向两者提出对于该项原则之建议），提议大会考虑下则建议：（一）为了巩固和平及安全，为了符合于联合国组织之目的与原则，大会认为需要普遍缩减军备；（二）关于缩减军备的决定，应包括禁止为军事目的生产与使用原子弹的首要任务；（三）由大会建议，要安理会保证切实执行上述一二项中所规定之任务；（四）大会号召一切国家对安理会这一负责工作，予以一切帮助，这一任务符合于建立持久和平及国际安全的利益，也符合于各国减轻由于过分军备支出而引起的经济重负之利益，这种军备是与战后和平的条件不相称的。莫洛托夫末称：普遍缩减军备及在军事上禁止使用原子能的决定之通过，将真正符合于我们人民的和平愿望，并将有助于国际合作之发展。最后让我们表示此种信心，即苏联代表团这建议将获得一切联合国之支持。

联合国大会指导委员会，于昨日一致决定苏联代表关于普遍缩减军备的提议应登记在大会议程上。该提议日前已送交政治安全委员会审查。在同一会议上，指导委员会并一致决议将佛朗哥西班牙问题临时置于联合国大会议程上，但指委会又建议该问题须先提交政治安全委员会，然后再交大会辩论。

联合国大会的一般辩论已于昨日结束，大会的第七日（三十日）为美代表奥斯丁等发言，大会的第八日（三十一日）为乌克兰代表曼努意斯基、乌拉圭代表布朗可、卢森堡外长白奇等三人的演说，大会各委员会定于今日开始讨论临时议程上的五十六个问题，和指导委员会交议的其他问题，安理会于三十日复会，已改由英代表贾德干任主席，苏外长莫洛托夫亲自出席安理会，讨论了考虑瑞士（非会员国）申请加入国际法庭事宜，并在波代表兰吉的提议与莫洛托夫的赞同下讨论了佛朗哥问题。

（新华社延安一日电，载十一月三日《东北日报》）

附一：论五国和约——《真理报》二月十六日社论

陈迺谦　译

今天公布二月十日在巴黎签字的五国和约全文。这是战后的第一个和约，它的完成及签字可以说是我们这一时代的非常事件。

第二次世界大战及其无数的灾害已成为过去很久的事情。爱好和平的人民都热烈关心着迅速清算战争结果，调整和澄清国际间的各种关系。和约的签字表明欧洲大部分地区人民间的关系开始了新的历史时期。它便利了欧洲这部分地区常态的恢复及各国间友谊关系的发展和巩固。

在分析缔结的条约中，可看出它的正义性。它在一方面惩罚了参加希特勒侵略的国家，在另一方面也满足了被害国家的合法要求，并且它没有像人类过去历史文件中常见到的战胜者对于战败者复仇的条款。条约中没有一点是威胁意、罗、匈、保、芬各国主权的，无论在政治上、领土上、经济上都保证了这些国家的独立。

一九四七年二月十日的条约，也有利于过去隶属于希特勒集团的此欧洲五国民主力量的发展。条约告诉他们如何与其他国家、人民和平合作，同时也只有如此，意、罗、匈、保、芬各国人民才能获得他们的利益。

条约照顾到对受法西斯侵略者重大损害的国家的赔偿问题，在这里更显示它的正义性，特别是在赔款问题上：规定的赔款数目对于五国经济并不是有严重损害或使之丧失独立的过重负担。某些在条约缔结前的谈判过程中要求过分赔偿的代表，也遭到了应得的反击。以盎格鲁撒克逊为背景的希腊君主主义法西斯分子对保加利亚无限制的“赔偿”要求（已经不仅是简单的“赔偿”了）

就是一个好例子。希腊最先以天文学的数字向保加利亚要求赔款，巴黎和会上希腊代表曾声明：保加利亚损害希腊达九八五四六九九九三元，他们要求保加利亚“以其可能的最高限度”付出此款。在苏联的努力下，纽约外长会议减缩了希腊的要求，使保对希赔款为四千五百万元。许多想利用条约使意、罗、匈、保、芬经济附属于纽约和伦敦的大银行及垄断资本家的利益的企图亦遭到了打击。条约使这些国家有可能以健全的第一步迈入独立经济的发展。

条约的完成是一件不容易的复杂的事情，每一个条约在同盟国间都是很难获得一致的。一九四五年下半年在伦敦开始谈判，去年又在巴黎继续，中间并经过二十一国和会讨论，终于十二月中旬在纽约完成了。在这些谈判的过程中显示了战后的两个倾向，在这里反映出民主和平的争取者和反对者的斗争。

很明显地，巴黎和会中盎格鲁撒克逊列强曾企图压倒和会之某一些代表（其中包括苏联代表团）。为此英美代表进行了对外长会议中四强代表已通过的会议进行程序的破坏，并企图利用会议所能获得的机械的多数，逼使苏联及其他许多国家接受对于他们不能容忍的决定。英美背弃巴黎会议的决定而以独裁方法活动的努力是必定失败的。没有苏联的意见而只以机械的多数通过的和会的草案是软弱无力而不能久存的。结果那些利用机械的投票而获得通过草案的人们，也由于感到不甚合理而不得不抛弃其某些决定了。

过去的谈判经验告诉我们，战后世界上这种方法是不能成功的。纽约会议中英美终于不得不追求一致的决定。在草拟五国和约工作中的这一转变，才使每一参加谈判的国家均能接受的和约获得完成。

持久与坚固的斗争结果，民主和平的拥护者方面占了上风。利用条约而垄断其他国家经济于自己单独影响下的企图并没有达到目的。的里雅斯特自由区也并没变成“总督区”，民主和平的反对者也只好放弃他们的第一步计划。

虽说这一条约还不能使一切有关方面完全满意，但也是现阶段所能达成的最好条约。签字的条约必须坚定的牢固的遵守。在国际间普遍的和平、友好的旗帜下，必须正确的忠诚的实行自己所负的责任。

在参加希特勒德国方面战争的国家中，法西斯后裔还在残存着。法西斯徒子徒孙对于和约的愤恨是很自然的，和约签字的当天在意大利就发生过法西斯的动乱，他们的阴谋最近已在意大利、匈牙利、芬兰与奥地利暴露。阴谋者的企图是使其国家实行对内反动与对外冒险政策。这就是为什么迅速实现和约有非常的重要性，因为它将帮助肃清法西斯残余及巩固民主基础。

反动与侵略力量企图阻止全面民主和平的成功是必然失败的。国际合作精神在面前的五国和约中表现了它的胜利。

苏联的对外政策是在民主基础上的积极努力解决战后世界一切问题，“苏联站在以平等与承认大小国家合法利益为原则的基础上，为各族人民、大小各国的合作而斗争。这些国际间民主合作的原则我们将坚持到底。而且我们知道这正是唯一的正确政策。”（莫洛托夫）

苏联对外政策的这个原则的伟大正义性，在五国和约签订中得到了它的证明。

（载三月五日《东北日报》）

附二：葛罗米柯在安理会上之声明

路透社纽约讯：苏联代表葛罗米柯二十三日晚在安理会发表声明，要求将下列建议列入议程，即所有联合国必须报告其军队驻在非前敌国的情形。葛氏声明说：美国在华军队支持内战两集团中的一方，是在干涉着中国的内政。他说：虽然在莫斯科外长会议上，美国务卿贝纳斯说过。一俟日军遣送完毕，美军即行撤离。但是现在却依然驻留中国（按美军遣送华北、华中、华南日俘之工作已完毕）。又说：英军的存在于伊拉克不能不认为是对伊拉克独立的威胁。至于印度的形势，理事会应称之为“对和平居民不可容许与不公正地使用军队”。葛氏问道：我们能够无视这些国家的人民吗？关于撤离外国军队而这些军队是在干涉他国内政，我们能够无视外国军队的长时驻扎所造成的复杂情况吗？葛氏转向英美代表问道：“不是有人害怕讨论，会显露出外国军驻在于某些国家的情报吗？”前次英代表贾德干曾反对把苏联这一要求列入议程，他并询问葛氏建议在宪章上的根据，而葛氏则告以根据第三十四条可能引起国际磨擦的形势。美代表詹森则辩称：美军驻在外国，已得到该处国家当局的许可。

（新华社延安二十五日电，载九月二十七日《东北日报》）

附三：在非敌国领土内之外国军队——《新时代》社论）

托勒柴诺夫上校

苏联代表受本国政府之委任，八月二十九日在安全理事会建议应由理事会责成联合国组织之会员国家，除以前敌人领土之外，凡在联合国家领土上或其他国家领土上之军队及航空与海军基地一并列表提交理事会，以便予以必要之处理。此问题系世界社会公意所希望者，因驻军外国足以能对爱好和平之民族发生威胁，苏联与英美两国对法西斯侵略者战争时，因军事上之必要关系，曾一时的进入许多国家之领土，但于必要时间过后，苏联为保障苏联的安全起见，除留驻军于前敌国之占领区外，其余军队完全撤回本国；但英美两国与苏联则不同，于非敌国区域内不但未将自己军队撤退，且于战争完了以后，反而屡次增加并扩大航空与海军基地。英美两国报界对于苏联此项建议予以曲解，某观察家并拟将问题扩大，提出将联合国所有在外国武装组织人数一并提交安理会。运用此种方法，显系辩护其非理行为。因战胜国于以前敌人领土内驻军系军事上之需要，原有相当理由，国际间亦认为合法，但其他国于同盟国内驻军既无理由，实非合法；况于和平时代的经验告诉我们，异国驻军足以用之为压迫被驻在国人民之生命经济以及对内对外政策的工具。

自日本投降后，英荷军队在印度尼西亚登陆，其目的为解除日军武装与遣送欧洲侨民，此项使命并未受民众之反对，但其后荷兰人及英军给予印度尼西亚民众的却是强硬手段的统治，他们早将前来之目的置于九霄云外。而印度尼西亚国民曾流血反抗日本军队，并于八月十七日产生印尼共和国，但是被战争所破坏之印尼迄今并无和平气象，而且英国十万军队航空队及海军正对七千万印尼民众进行战争，不知国际公法的哪一条曾经规定，使英国军队枪杀无保障之印尼人，并烧毁住房及村落。世界社会人士对此问题之答复已等候了一年。

又如英国在希腊驻军，亦无辩白之理由，据得尼捕列斯报登载，英军驻希数目已达五万，若据其他报告应再加一倍，希腊人亦曾反抗德国法西斯牺牲颇大，请问英国根据何种权限占领此独立国。英国各界惯于引用之口吻谓为应希腊之请求与许可，但是佛朗哥曾请德意军队开往西班牙，请问佛朗哥之请求是否西班牙民众之所愿意，并且此项请求能否保证对和平无危险。英军占领希腊约历二年，给予希腊者不过破坏与威胁，希腊旧政府当权人不过借助英国刺刀对待本国人民，并将国内已开始之民主自由消灭。在美国之《希腊报》社记者对希腊情形曾有以下之形容：希腊民众很忠诚为自由而战争，不料今日的政府却处于履行丘吉尔黑暗企图的帝制及叛逆人之掌握中履行黑暗统治，企图为第三次大战之导火线。而希腊冒险家正不断地向其邻国阿尔巴尼亚、南斯拉夫、保加利亚造成巴尔干及国际和平之恐惧。

本年五月七日，英国首相艾德礼曾在众议院宣布撤退驻埃及之英军，为日不久，即有英埃之谈判，因此英国执政者对此宣言即迟不履行，英国司令官为安慰民众，曾由开罗将某某极小部队撤退开往苏伊士运河，此种换防式之调动，不能欺骗世人。英国在埃及驻军第一借口理由为英埃一九三六年条约。据纽约《泰晤士报》记者由开罗报导称：目下英军驻埃及之数目已经超过条约规定之十倍。又据外国报载：目下驻埃之英军在四万以上。但据其他消息称，约有二十万。

据纽约《泰晤士报》记者报导，驻在伊拉克之英军近亦骤增。英伊条约规定只许英国在伊拉克有空军基地一处，以便保卫该地。但英国现已将伊拉克全国变为了自己的军事基地。不久以前，据外国报纸载称：英国驻伊拉克军队至少有四万至五万之间（军官在内），同时巴勒斯坦的所谓独立，也是有名无实。总之，近东已成为英国之练兵场，所有各邻国均遭受威胁之影响，近东之此种小国其国民人数只达三十万，而英军数目约十五万，在本地编成者亦有一万。据外国报称：巴勒斯坦国集中之英军即有六万至八万人之多。不久以前，黎巴嫩《且列格拉夫》报称，在我们南方国境数米之遥驻有英军两队，一队在巴勒斯坦，一队在外约旦，此两队英军实在威胁黎巴嫩，而英黎两国关于由黎巴嫩撤退外国军队之协定完全未曾履行，英国于黎巴嫩国内至目下尚留有军队。

外国报纸至叙利亚透出消息云：英国在彼处为保守航空基地而服务人数有数千名，除此之外，据《阿利——牙克札特报》载：在叙利亚驻有很多化装军人，均着普通人衣服，尚有退伍之军人均充各种商业代表。

英国在近东布置之军队，若不提及土耳其军中之英国教练官及武备之情形，似乎近东布置尚未完备。伦敦政府亦预备否认此种消息，但也只适足证明为确实无讹。在黑海门户君士坦丁堡区域内，现驻之英军为最明显地在保卫帝国主义之陆军基地，此种保卫又可称为准备攻击与实行侵略。

英军在欧洲北部数国内，在冰岛保有特别飞机场，在雷克雅维克保有海军基地，在丹麦至今仍有英军。据丹麦保卫部长列且尔山那声称：驻丹麦之英军只有二百名，此数目虽小，目下亦引起丹麦国强硬要求英军撤退。兹悉在属于丹麦之法斯得岛及斯他汪格尔海港均有英国陆海军驻扎。

在远东之英军，亦有数千侵入荷印，为解除日本人武装并遣送英国侨民而事后亦未撤退。在暹罗领土内亦有英军。英国海军利用中国海港如青岛与澳门。据远东民主政策委员会透露，所有在印度之英军数目与一九三九年比较已增加三倍。

此外美国大批军队聚集于中国，而航空基地遍设各处，例如北平、天津、青岛、南京、上海、成都、重庆、昆明及其他等处。美国陆海军在中国之基地为青岛及上海两处，驻有美国海军第七舰队司令部。据《新民晚报》载称：青岛有美国陆军三万。查中国亦系五大国及安全理事会会员国之一，对于中国驻军之理由谅其很难解释。《民主报》关于美军在战争进行中之目的早已披露。近几月以来更将中国反动派鼓励起来，帮助国民党军队武器及各种军用物资，并用美国教练官训练中国军队，并帮助输送至战区内。凡此种种，无异直接参加中国内战，反抗中国民主政策，结果助长中国内战日益扩大。据新华社消息：参加中国内战之国民党军队陆军有二〇六个师，计一百七十四万人，为全部陆军百分之八六，海军舰队为十分之九，空军全部。此项空军皆系接收美国者，美国在中国驻军实为干涉同盟国内政。据《文汇报》形容美国在中国之政策是这样：第一武装干涉中国内战，已将假面具揭去；第二美国视中国为非主权独立国，而视为与菲律宾一样；第三美国已将援助中国建设民主强国之原则放弃而打算将中国变为反苏军事基地，在此种情况下，中国之内战实威胁远东之和平。

据《纽约邮报》载称：在菲律宾有美军九万人，并招募菲律宾人二万名加入美军内，在美军手中握有最重要之飞机场及海军基地。菲律宾首都马尼拉之基地亦在内，总之凡有美军之地方均发生武力斗争，美军并帮助菲政府对抗日有功之游击队作战。

在第二次世界大战过程中，美军在世界重要地点所有大陆与海洋筑成很多海空军基地，其大部多在英国领土内，在大西洋安的瓜及特利尼达岛上之英国基地亦由美国管辖。在太平洋上英国之非尼克岛、牙马衣喀岛，以及澳洲达尔文、墨尔本恩两海港，及马奴斯岛上，美国均有基地。其在近东美国使用库歪衣切飞机场（在巴贺利聂衣斯基岛上），及伊拉克之莫苏尔与叙利亚之贝鲁特及达马士革。此外美军借用之法国航空基地为阿尔及尔、波纳、卡萨布兰卡、马拉开施卡、达卡尔在小安其利斯基岛及克恩海港，美军在其他非敌国之军队尚有印度、利比亚。又在埃及之美军及军官近一万人，其正式宣布之理由，为保护军用财产。据本年八月三十日《乌利日报》载称：驻土耳其美国某某军队随时分置各处，毫无撤退之打算。又据美国某界人士发表美国于战后对地中海沿岸尤其在东部之利益颇为增高。又如在近东某某等国内之美军及集中地中海之美国军舰其意义已极显明。

日前美国著名诗人沃洛得尔特满，在纽约《希拉利得特利平报》上声称：地中海东部区域，在土耳其国境界外及其附近，系自己的区域，由该处起，美国建成海空军之实力相信能唤醒与逼使苏联关于各国际问题之调整，俯首进行谈判云云。由此观之，若是英帝国主义之呼叫，必引用保卫帝国口吻以掩饰自己之侵略企图。而美帝国主义之宣传人，对此则毫无掩饰，公然宣布美国规定统制世界之计划，即于保卫自己毫无关系之区域内的，尤其与保卫苏联有直接关系之区域内造成海空军实力。在爱尔兰（伊斯兰吉亚）领土内，迄今尚有美军，爱尔兰官方诚恳催促美国于战后撤退，但其不履行诺言，反强求爱尔兰政府许可于和平时期驻军，以便保护自己之基地，此事已被严词拒绝。而爱尔兰人民对美军亦表示严重抗议，此外在列衣克牙维克地方仍有美军近千名亦为管辖该处基地。其最大数目之军队为驻拉丁美洲，于战争时美国曾利用该处基地，现仍保持未退，此项基地之位置系在大西太平两洋洋岸，实能威胁南美洲。美国并占有马拉开波、喀拉喀塞（委内瑞拉）、别列采、纳塔尔福塔雷萨、巴伊亚、久得北乜尔（巴西）、蒙得维的亚（乌拉圭）、布宜诺斯艾利斯（阿根廷）、圣地亚哥（智利）、格瓦得乌洛（墨西哥）、利玛（秘鲁）、喀利（哥伦比亚）、巴拿马及库巴，并置这些中小国之抗议于不顾。美国军队无论何处，均谓恢复治安与秩序，然英美军所驻之地方，必发生混乱与内战斗争，所以苏联代表向安全理事会提出建议，指出这些驻军实乃帝国主义之扩张政策威胁国际和平及全球之安全。

（译自苏联《新时报》社论，载十月三十日《东北日报》）

四　第六届外长莫斯科会议

评莫斯科外长会议——《真理报》社论

施滨　译

在过去一个半月当中，全世界人民都紧张地注意着莫斯科外长会议的进行。没有一次会议不是引起各国各界及各色政治团体深切与积极的关心的。这显然是因为提在外长会议议事日程上的，都是些重要问题。首先是对欧洲和平与安全有决定意义的有关德国的问题。准备对德和约，乃是各强国实现雅尔塔决议所加诸他们的神圣义务；而这些决议规定要“保证使德国不能再事破坏世界和平”。

现在莫斯科外长会议是结束了。对于它的工作自应有所评价。首先必须审视面临此次外长会议各任务的规模与意义。显然，像这种重要与复杂的任务，在外交谈判史上是几无先例的。由此可知，要解决这些任务，是需要时间、耐性与坚持努力的；而这些任务之不能于一次外长会议获得解决，也是无须说明的了。人们当还记得，对德附庸国和约之准备工作曾费去将近十五个月的工夫。

但评价外长会议议事日程上各问题之重要性与复杂性的标准是不一样的。外长会议是在紧张有时是在非常尖锐的斗争情况下进行的。这一斗争的中心是集中于是否执行克里米亚与波茨顿有关德国各决议的问题上。苏联代表团是始终坚决主张实现这些决议，而坚决反对某些（基本上是英美）代表团背弃波茨顿与雅尔塔决议，而代之以某些强国暗地说合好的决议，将其自己的意志强加他国的企图。非常明白，这些修改波茨顿与克里米亚决议的历次企图与将久已获致协议的问题重新提出的企图，都是增加外长会议工作困难而妨碍其顺利进行的。

如依据上述标准，外长会议的结论将是怎样的呢？首先我们从业已结束的外长会议的文件来看，便知其成就并不少。在德国问题的许多要点上业已达到协议。通过了取消普鲁士邦的决议，这就为德国民主化造成了方便的条件。其他关于德国之非军国主义化、非纳粹化、民主化也通过很多决议。对于所谓“外来移民”和德国领土调整问题也都获有协议。对德和约准备程序的拟定方面亦获巨大进展。至于对奥和约，已组织了一个委员会从事和约草案条文的审查工作，以便使提交该委会的各国政府的观点能趋于一致。而关于一九四八年十二月三十一日前遣回德俘的决议亦有重大意义。

外长会议工作的第一个极其具体的总结就是这样。但这并非唯一的。第二个总结是：在外长会议过程中，弄清了每个国家对执行波茨顿与克里米亚决议的真实立场。这个总结有着极端重要的意义。必须指出，由于外长会议对管委会报告讨论的结果，德国的真实情况便呈现于全世界面前。当苏占领区内不断进行了而且还正进行着非军国主义化、非纳粹化以及国民社会生活民主化的时候，在西方占领区内，如在鲁尔区所见到的，对于消灭德国军事工业潜在力的工作却做得非常不够，德国垄断资本的巨头，前希特勒党徒们，还依然在西方占领区经济生活中盘踞高位，扮演重要角色。在西方占领区内的民主化工作也极差。如此可悲的结局，不能不说是未执行波茨顿决议的直接后果。由此可知，为执行克里米亚与波茨顿决议的斗争在莫斯科外长会议上显得这样激烈并不是偶然的。

应当承认，英美代表团屡次修改波茨顿与克里米亚决议的企图都遭受失败了。波茨顿与克里米亚决议仍是牢不可破的。始终坚持各强国间的政治团结，坚持遵守历次决议的苏联代表团的功绩也就在这里。

可以大胆地说，莫斯科外长会议已奠立了解决德国问题的基础。但主要问题的审查工作还未完成，特别是德国经济原则的审定工作，关于德国战后经济水平，赔偿计划等问题都未完成。如众所周知，苏联代表团认为经济原则同赔偿问题是有着有机的联系的。而对赔偿问题，苏代表又赋予以头等意义。由于德国赔偿问题悬而未决，也就牵连到对奥和约的解决，因为这一和约基本条款之一是关于德国在奥资产问题。苏联代表团准备于赔偿问题获得其他方面同意的条件下，在经济原则的问题上迁就其他代表团的意见；但并未得到应有的反响。

无庸怀疑，前面还有许多困难。然而通过四强协议并不是一件轻而易举的事。但可肯定：遵循已在实践中得到考验的国际合作的方法制定协议，在符合各民族安全与和平要求的精神下解决德国问题，则是完全可能的。

莫斯科外长会议的工作成就问题在各国引起广泛的反应。除了健全与客观的评价外，也有不少对莫斯科外长会议表示“失望”的喧嚷。其中吵闹得最凶的是这些人，他们企图废除或至少是修改克里米亚与波茨顿决议；因为这样就可以否定同盟各国间的这些协议，而为某些强国正在加强着的帝国主义侵略欲之发展扫清道路。这些人的传声筒如英国《观察家》报即号召排斥“波茨顿决议的原始性与局限性”。美国著名人物和报纸中也有很多同样的喧嚣。他们是急想把破坏波茨顿以及盟邦强国先前所获得的其他决议的失败，形容为莫斯科外长会议的失败。

全世界民主舆论，是会适如其分地评价外长会议的工作及为之作结论的；因为，这次会议显示：经过各强国执行其在战时及战胜德国后所制定各决议加诸彼等之义务，已铺平着走向巩固和平与安全，走向民主世界的道路。

在争取巩固的民主世界及真正建筑在国际平等合作基础上的斯大林外交政策原则的鼓舞下，苏联代表团在莫斯科外长会议上，进行了铺平这一道路的斗争。

（载五月五日《东北日报》）

莫洛托夫关于检讨对华声明执行情况提案之发言

据塔斯社莫斯科讯：苏联外长莫洛托夫十日于莫斯科四强外长会议首次集会上发表声明称："苏联代表愿就议事程序提出一项建议：有如众所周知者，一九四五年十二月莫斯科会议上，美、英、苏三国外长曾一致认为中国有在国民政府指导下实现统一与民主化的必要性，有由民主分子广泛参加中国民主政府一切机构及停止内战的必要性。三国外长又曾重加确认遵守不干涉中国国内事务的政策，美、苏两国外长曾经达成完全的协议，愿将苏、美驻华军队在履行其义务与责任之后，尽可能早日撤退。自莫斯科三国外长会议以来，中国局势尚无改进，因此苏联政府提议外长会议听取莫斯科会议关于中国问题之协定的参加者，作关于会议协定实施情况的报告。”莫洛托夫在说明苏联代表团提案时提议道：“中国问题曾在一九四五年十二月美、英、苏三外长会议上加以讨论，并曾通过决定，因此苏联代表团提议本届外长会议听取关于莫斯科会议所通过中国问题决定的实施情形的报告。在一九四五年十二月讨论此问题时，是从参加会议之一定国家的观点出发的，大家都知道当时会议上中国代表未参加，当时各位外长相信他们当时所通过的决定无须中国代表出席，那次会议直接关系于与会各国政府的政策，而在现在会议上所需要者只是报告当时通过之决定实施的情形，在我看来无邀请中国代表参加会议之必要，因为该代表未参与一九四五年十二月所通过的协定之签订。因此，苏联政府的提议如下：听取上次莫斯科会议参加者关于该会议有关中国问题之决定的实施情形的报告。苏联代表团不反对在各方均同意之时，在外长会议的一次会议上额外的考虑并讨论此问题。”美首席代表马歇尔于发言时同意在莫斯科外长会议上讨论此问题，但要求给予时间以考虑检讨此问题的程序。会议与会者同意展期十一日的下次会议中考虑苏联代表团此项提议。

（新华社延安十一日电，载三月十三日《东北日报》）

苏美关于自华撤军问题之换文

正如以前所报导的，莫洛托夫同意了马歇尔提议于四月一日以前两国交换履行莫斯科会议关于中国问题之协议的书面情报，并将此情报之副本送交中国政府。

目前，马歇尔曾就此问题致函莫洛托夫，其中提及杜鲁门于一九四五年底及一九四六年底所发表的两个声明。马氏称：在该时以后的期间，美国武装部队曾予中国以巨大帮助，将三百万左右的日人从中国遣送回国。

马歇尔又提出他对苏军在满洲所俘虏的七十万日军未获任何情报（但根据苏联官方所宣布的材料，举世皆知在满洲俘虏的日军约有六十万，且自一九四六年底起，已按照与驻日盟军统帅麦克阿瑟将军所协议的计划，将这些俘虏陆续遣送回国）。

马氏继称：一九四七年一月二十九日美国政府宣布终止参与为停止中国之冲突而在重庆设立三人委员会工作，同时决定停止参加三人委员会为监督履行停战协定及中国军队之复员与整编而在北平设立的执行部工作。马氏函中又指出：与此同时，关于海军陆战队——他们的任务是保护执行部美方人员及执行部与海上交通的安全——撤退之声明亦曾公布。在指出在华美军的数目已大大减少，且在舰船允许的条件下继续予以撤退之后，马氏于信中声称：当逐步减少在华美军结束时（约在一九四七年六月一日），尚有六千一百八十名美军留驻中国。于此，马氏信中说明，此乃中国政府所请求者。继指出：海陆军参谋及勤务人员占二千六百八十一名，执行守卫职务之美海军计三千四百九十九人。

莫洛托夫亦致函马歇尔，申述苏联政府对于中国问题之下列立场：一九四五年十二月英美苏三国外长在莫斯科关于中国问题所达成的协议曾称：三国外长曾交换若干关于中国情况问题之意见。他们协议中国有在国民政府领导下统一与实现民主化的必要，并广泛邀请民主分子参加国民政府的一切机构，停止内战。他们重申彼等忠实于不干涉中国内政的政策。我在此证实苏联政府继续保持上述三外长协定中所确定的观点。苏联政府深信广泛邀请民主分子参加中国国民政府的一切机构以实现中国的统一与民主化，乃是中国人民自己的事情，而且深信外国干涉中国的内政，特别是外国武装部队参加中国的内战，结果必然使内战益形炽烈，且对恢复中国的团结制造额外困难。因此，苏联政府对中国的关系，一向保持着不干涉中国内政的政策。苏联政府相信莫斯科关于中国问题的协议，只有在美苏两国政府不漠视有关不干涉中国内政所达成的协议、而且切实履行该项协议时，才能真正实现。莫斯科协议还说：“莫洛托夫先生声明苏联武装部队在东北解除了日军的武装，并将他们撤出该地，但苏军的撤退因应中国政府之请，延迟到二月一日。贝纳斯先生指出美国武装部队应中国政府之请留驻华北，并提到美国对履行投降条款中，解除日军武装与遣送日军担负了主要责任这一事实。他宣称：待这些义务完成后、或中国政府不需要美国武装部队的帮助即能完成这些义务时，美国武装部队将立即撤退。两国外长充分协议愿将美苏武装部队在完成彼等之义务与责任时尽早自中国撤退。”因此，苏联与美国均有义务“将美苏两国武装部队在完成彼等之义务与责任时尽早自中国撤退”。苏联政府一向对确实履行这些义务非常重视。苏联政府已及时履行了它答应自中国撤退苏军的诺言。苏军自东北的撤退，已于一九四六年五月三日完成。从该时起，将近一年的时间过去了，但美军自中国的撤退不仅没有完成，而且谁也不知道美国究竟何时履行自中国撤退美军的义务。鉴于此种情况，苏联政府认为——正如它以前所持的观点一样——现在在莫斯科出席莫斯科会议的外长，对履行该项协议一事有交换情报的必要。此种情报的交换，将有助于澄清有关履行莫斯科关于中国问题协议的真实情况，特别是关于此事的现存情况，不能令人满意；且惹起舆论怀疑是否有意按照上述协议履行义务。

莫洛托夫与马歇尔分别以函件副本送交贝文先生与中国驻苏大使傅秉常先生。

（塔斯社莫斯科七日电，载四月十日《东北日报》）

莫洛托夫关于德国管制情况之演说

一、柏林会议决定德国完全解除武装和非军国主义化，并肃清其军事工业的潜在势力。所以对和平产业发展上不必要的生产力量，必须没收或作为赔偿之用，或者若不没收就将其消灭。无疑义的，同盟国只有执行这些关于德国非军事化的一般决定，才能保证好战的德国不再侵略，及达到使德国成为爱好和平的民主主义国家的目的，这是同盟国的基本政策。这个目的适合于一切爱好和平国家的利益。

二、德国投降将届两年，德国军队已被解除武装而不再存在。为了使德国成为爱好和平的民主主义的国家，保有服务于农村经济的自己的工业和对外贸易，而在军事经济方面没有可能再成为侵略的力量，则现在肃清德国军事工业的潜在势力，在非军国主义化问题上，有着决定的意义。

众所周知，德国军事工业潜在势力的重要基地是在德西部地区，如鲁尔工业区。由此，德西部军事工业肃清问题，对德国非军国主义具有决定的意义。然德国西部以托拉斯、加特尔及其他产业垄断为基础的大工厂，还完整地保存着。即或有一小部分被没收，但仍可在短期内恢复以前的军事生产。这些企业统一于垄断的组织，曾有助于希特勒的侵略，现在这些垄断的继续存在，必将成为将来的威胁。故必得承认，德国西部地区消除肃清军事工业潜在势力的工作，差不多还没开始，虽有部分的进行，但实际上对西部地区之军事工业并无何影响。据英占领区统帅部一九四七年一月一日公布之材料，在英占领区专门为生产武器而设立之坦克、航空、大炮及其他等军事工厂中，迄今仅有百分之七被取消。英法占领区当局报告中，关于军事工厂的“向和平工业转化”之材料，以不能说明为何以极小规模消除实际现仍具有军事意义的各种军事工厂问题。姑无论柏林会议决议对消除军事潜在势力并无任何“向和平工业转化”的办法，很容易明白，所谓“向和平工业转化”，对肃清军事工业的潜在势力不可能有任何作用。

一九四七年一月一日管委会曾审查英美法三占领区之一五五四个工厂，这些工厂皆与军事工业潜在势力有关，其资本和工业设备皆应没收而作为赔偿之用。但在这期间完全没收的仅有三个工厂，还有三十七个工厂的没收工作虽已开始，但到现在还没有完成。

于此必须注意一下，在苏联占领区的与军事工业及被禁止工业部门有关之七三三个企业中，被没收作为赔偿及被破坏的已有六七六个企业。

一九四七年一月，管委会以检查军事工厂肃清的程度为目的，组成四个盟国的委员会，访问了德境各占领区，选择了三十个军事工厂进行检查，其中有九个是在苏联占领区，美、英、法占领区则各七个。该委员会曾指出，西部占领区军事工厂肃清工作，在组织方面及进行方面都有很大的缺点，并认为在此区域部分工厂有被窃取及拆散等情形。

三、苏联代表团远在一九四六年七月巴黎外长会议上，就主张应拟制计划及树立制度以肃清曾有为德国侵略服务的军事经济基地的德国工业各部门，它们曾为德国军队生产了大量的武器。由于苏联的提议，管委会在一九四六年十月二日决定以最短一两个月的期间，制定此种计划。但由于美、英、法占领区当局没提出必要的企业统计数字，以致到现在任何计划没能作成。甚至连对于肃清如管委会都承认以其有效的活动曾确立和支持德国军事潜在势力的法尔本巨大化学康采恩这样企业的工作都无任何计划，而关于这种肃清工作，一九四五年十一月三十日管委会曾有特别的决定。

四、管委会通过的对于过去军事人员解除武装和解散的决定也没有彻底执行。管委会在一九四六年八月二十日的第三四号决议第一章中规定：“所有德国陆、海、空军组织；参谋部和专门学校，其中亦包括总参谋本部、将校预备部队、军事学校，在乡军人的组织，和其他军事和半军事组织，以及被认为支持德国军事潜在势力的团体，都在解散和肃清之列。”

尽管如此，但在英美占领军统帅部管理下，仍继续残留有军事团体及德国陆、海、空军的附属团体。这些所谓“附属团体”保有军事组织，有德国军官领导，实施军事的管理，借此保存德国军队的干部。据英美统帅部公布的报告，至一九四七年一月，尚有德国军官主持下之德国军事团体：在英统帅部管理下有八一三五八人；在美统帅部管理下约九〇〇〇人。

这样的情况与管委会的决议是相矛盾的。

五、与德国的军事团体同样，在德境英美占领区，在法令上应被解散以及遣送回国的非德国民族所组织的军事团体也还没被解散。其中有契特尼克、乌斯塔希、撒拉希、所谓“南斯拉夫皇家军”、安德斯将军的部队、班基罗夫的恐怖组织及其他等。

这样的情况是与管委会的决议相矛盾的。

六、鉴于上述种种，外长会议应使管委会采取下列诸措施：

（一）于一九四七年七月一日以前，拟就肃清德国军事工业之潜在势力之计划，规定付诸实施的期限——最晚不得超过一九四八年底；及特别注意肃清垄断与军事工业潜在势力有关诸企业的加特尔及托拉斯。

（二）从速进行毁灭德国军事资材及破坏德境所有用于陆海空军作战之军事设施的工作，而此工作务须于一九四九年完成之。

（三）于一九四七年六月一日以前完全解散并肃清所有尚存在的德国军事团体，包括各辅助性之团体在内。

（四）解散与完全废除所有尚存在的及重新建立的，曾由管委会决定解散或遣送回国的非德国民族所组织的军事部队，参谋部、保卫队及其他组织，学术组织亦在其内。

（塔斯社莫斯科十二日电，载三月十六日《东北日报》）

莫洛托夫关于德国民主统一之声明

根据迟到之塔斯社讯：四月二日外长会议上，莫洛托夫发表苏联对德国政治机构的声明称：苏联代表团同意接受英国关于建立德国政治民主之最初的主要步骤的提议，作为一般方案。关于德国中央政权和州政权的关系问题，莫氏坚持德国应作为一个统一的国家，不同意将使德国联邦化的某些提议。他建议外长会议考虑苏联代表团的提议：一、德国政治制度必须民主，而其政权机关应在民主选举的基础上产生。二、依据波茨顿决议，建立德国中央行政机构的财政部、工业部、运输部、交通部和对外贸易部，以作为组成德国临时政府的第一步。为避免任何不符合于德国民主人士意见的某些东西加诸德国人民身上，应该对于德国民主人士的意见也应予以考虑，莫氏建议在建立德国民主制度过程中，采用魏玛宪法某些民主的成分。

莫洛托夫声明的第二部分强调说："最适当的程序应先讨论德国政治机构所必须依据的上述主要原则。指出美国代表团关于德国临时政府组成程序的建议，即由各州代表组成一个临时政府，足以引起严重的疑虑，将使德国人民认为德国不再是一个整体的国家，而不对它发生信赖，因而也不可能保证德国尽其对盟国的义务。"莫氏表示苏联代表不能接受美国代表团之建议：给予德国临时政府的指令，由管委会或管委会会员国大多数通过的决议而颁发。因此一建议违反了波茨顿以及前此盟国对于管委会的决议。将破坏管委会及盟国在德国行动的一致。关于达到德国政治民主主要阶段的建议，莫洛托夫主张：第一、根据波茨顿决议建立对于各种经济部门的中央管理机构，作为开始步骤。第二、建立某种咨询机构，以协助管制委员会，制定德国临时宪法。第三、德国临时宪法应经管委会批准。第四、遵照临时宪法进行选举，并组织临时政府。咨询机构的组成，不应单独包括德国各州代表在内，必须一切民主党派及职工会和反纳粹团体都有代表参加能表达真正代表德国人民的意见。莫氏坚称：德国临时政府的组成必须依靠同盟国管制委员会；同样的也须依靠德国民主人士、职工会，其他反纳粹团体以及各州代表的努力，只有这样德国政府才是民主的政府，而且才能反映德国民主人士的愿望，莫氏在总结时着重指出：苏联代表团此项建议的程序与波茨顿会议通过之原则在精神上完全一致。

（新华社陕北六日电，载四月九日《东北日报》）

论德国的政治统一及其敌人

列夫·瓦基摩夫著　施滨译

苏联从来没有将德国人民同希特勒匪帮同等看待，远在一九四二年，斯大林在其二月二十三日的命令中就这样写道：“如果将德国人民和希特勒德国统治集团等量齐观，那是非常可笑的。历史的经验告诉我们：希特勒辈产生了，但它即将死亡；而德国人民及其国家则是长久存在的。”一九四六年七月十日，苏联外长莫洛托夫，在其“关于德国的命运及对德和约问题”的声明中，曾经反对过将德国灭亡或消灭它的一切工业生产而使它变成农业国的议论。他说：“我们的任务并不是要消灭德国，而是要使它变成民主的爱好和平的国家。它要有农业，同时也要有工业和国外贸易。但凡足以使它再起而从事侵略的军事、经济力量是应当剥夺掉的。”

当在英美盛行着瓜分德国的论调的时候，当英美两国的政治界及舆论界的突出人物们提出各种各样的德国联邦时，苏联政府并不要剥夺德国人民的民族统一的权利，而将德国在政治上、经济上视为一个整体。这就是苏联政府对于德国问题的观点。

斯大林在答复合众社社长白里的问题时指出：不仅需要在经济上，而且需要在政治上统一的德国。他肯定地说：目前建立一个由德国人自己管理但在盟国监督之下的中央行政机关是可能的。而它将使外长会议制定对德和约成为可能。

但分割德国的计划，早在第二次大战开始时，在英国反动报纸上，就已经喧嚷开了。一九四〇年《泰晤士报》就这样写道：要保证欧洲的安全，只有一个办法，那就是将德国瓜分，恢复旧的各个公爵割据的德国，并将它们置于邻邦列强的监督下。《倍克厦邮报》并且宣布："德国应当从欧洲地图上取消。"张伯伦内阁的外长哈里法克斯也说英国作战的目的，即是要分划德国而建立"欧洲各国的联盟"。按照他的意思，应当在欧洲大陆上建立一个英国的德国，把欧洲变成各个分裂的，却都从属于英国的军事政治经济联盟。这个方案与最近为丘吉尔所鼓吹的"欧洲联邦"是毫无二致。丘吉尔所提议的，只是这个联邦要建立在英美卵翼下的法德合作的基础上。

这个反对德国政治经济统一的倾向，近来尤其明显地表现在盎格鲁撒克逊列强的政策上。从贝文在巴黎外长会议上所提出的计划中，我们可以透彻地了解这一点。英国企图控制德国军事工业基地的鲁尔区，这就是贝文计划的着眼点。

由此所得的结论是：起初企图建立联邦的德国，最后又把它们拉入“西欧集团”，其实质仍是哈里法克斯的由盎格鲁撒克逊人独霸战后欧洲的计划。

为要达到它的独占目的，英国便在莱茵区以及德国英军占领各区，尽力鼓吹分离主义。美国在其占领区内实行的也是同样的政策。

为便于分割德国和将来组织联邦，盎格鲁撒克逊国家在其占领区内，极力注意建立反民主制度。巴伐利亚政府的宪法草案，就是这一意图的暴露。因为这个宪法草案是在美军政府的授意与协商下完成的，这个伪宪允许总统几乎是无限的权力，他有权不经国会同意而限制言论、集会、结社自由，甚至可以凭个人的意见废止宪法任何条款。

主张德国成为各自分立的联邦计划之反动性，在于这一计划的制订者企图倒转历史的车轮，企图将德国人民倒退到中世纪去，再把德国分为许多的小王国。这是完全没有考虑到德国人民自己的意志的。并且即使将德国变为联邦国，也不是制止德国侵略的灵药，恺撒的德国，在某种意义上，它曾是联邦国。因为霍亨左拉帝国，是囊括了许多公侯王国和许多自由市的。但这个帝国却锐意执行了引起第一次世界大战的侵略政策。因此，毫无疑义的，巩固欧洲和平的最主要的保证，并不是什么联邦，而是德国的民主化，和开展反军国主义的运动。

在希特勒独裁时代，德国的国家机关都完全集权化，创立了绝对统一的高度集中军营式的纳粹国家。

法西斯国家机构的骨髓，决不在于民族统一（这个统一也是德国进步分子和优秀人物们所永世期望的），而在于全国法西斯独裁政权的统一。国会被解散了，希特勒的所有关于改组各机构的指令，只是为着最后消灭各地方的自治权利，完全服从于希特勒国家和他所指派的各地总督的暴政。

希特勒德国的摧毁，是德国人民的幸运。现下在德国的基本政治任务，就是消灭法西斯残余，发扬人民的民主自治精神和民主作风。这种精神与作风，在法西斯统治时代是曾经消沉下去了，所以波茨顿决议指出尽力发展地方自治机构与民选组织的必要性，并不是偶然的。

在解决德国战后政治经济问题上，苏联一贯坚守保持其国家民主统一的原则。为促进德国民主统一，德国统一社会党领导机关所制定与通过的德意志民主共和国宪法草案，就是解决这一任务的答案。

（译自三月五日《俄语报》，载三月十一日《东北日报》）

德国的未来与持久和平——《新时代》社论

塔斯社莫斯科讯:《新时代》杂志顷以德国之未来与持久和平为题，发表社论称：在应用民主原则解决德国问题上，首先就要有效的消灭足以使德国黩武主义和帝国主义再起的一切条件及武装。盟国在战争中曾有多次长期占领德国的决定，而这些决定对于德国黩武主义的消灭，民主的建立，战争潜在力的摧毁，以及经济的和平发展等工作之圆满完成，是很必要的。假使是经这些原则的角度来看德国赔偿问题，那么完成三强雅尔塔、波茨顿会议关于此问题的决定该是多么的重要，严格遵守这些决议不仅在于遵守国际协议的神圣原则，而且也在于其实现。苏联及其他国家因希特勒德国侵略所遭受到的巨大损失，而提出了正义的要求，而这样的措施对于持久和平的利益来说，或是对于一切爱好和平的国家来说，都是非常必要的。民主原则的遵守是可以阻止国际上某些国家干涉别国内政的行动的，而近来一些关于分裂瓦解德国的计划，则是很远地离开了民主原则。有势力的美英垄断资本集团，企图渐渐将德国及欧洲作为其扩展经济政治势力之私有地区……不是瓦解德国而是坚决的重建民主的德国，对法西斯主义的胜利才能巩固。这不仅包含有效地消灭纳粹主义——而且也包括摧毁以容克家族为代表的德国侵略的社会经济基础，以及鲁尔区垄断企业的重工业和军事工业。希特勒主义者在苏联占领区已经是彻底消灭了。但是别的区域还远不是这种情况。

建设民主德国不仅先须根除法西斯主义，还须创造便于德国人民民主力量发展的有利条件。在这一方面，德国西部的情况，不能不引起严重的疑惧了。那些区域的占领当局，多方阻挠民主党派、职工会和反法西斯组织的发展，那里没有民主的选举，例如英占领区内没有比例代表制，只是伪造民意，这些能和建造民主德国的目标共存么?

必须运用民主原则来组成将来成为战后德国第一个代表团体的咨询委员会，这对于持久的和平是关系重大的。那些反对这个组织容纳民主党派、职工会和反法西斯群众组织的代表的人们，对于将来和平的德国的发展所能作出的效力是微薄的，可怜的。

在外长会议上，美、英、法三国代表团一方面承认改造德国为民主国家，使其国家权力都握在人民手中是很必要的，另一方面却反对苏联提议由德国全民投票决定政体性质（按指德国人民要不要所谓“联邦化”）的意见，很明显，这种态度是不合理的。

一种符合持久和平，积极解决德国问题的主要保证，是盟国信守对德国执行共同政策的原则，谁要阻挠这样的共同政策，极力阻止在对德问题的意见分歧中取得协调，他就是甘心情愿为持久和平的背叛者。如要使和平成为持久的，那就不仅毫无疑虑地实行现存的盟国决议，而且要在一些急待解决的问题上商得一致的政策。

（新华社陕北十七日电，载四月二十二日《东北日报》）

苏代表团提清除德军国主义并防止德国侵略条约草案

塔斯社十五日发表，外长会议中，苏联所提对清除德国军国主义并防止德国侵略的条约草案，全文如下：

一九四五年四月五日，美、苏、英、法四国政府，曾声明他们要完全解除德国武装与清除德国军国主义的愿望。此项声明之主要部分大体上已开始实行，任何事物均不能阻止或迟延此项工作的完成。必须保证解除德国武装与清除德国军国主义进行到必要长的时间，使德国绝不可能再威胁其邻邦与世界和平，并需要尽量长的时间以达防止德国侵略的目的。除非德国军国主义与纳粹主义被摧毁，除非德国人民生活与国家制度在广泛民主基础上经过根本改造，以保证将德国变为爱好自由的国家，为欧洲各国及全世界造成有利的条件，使他们能充分从事于和平事业；除非如此，则防止德国侵略的工作即无法完成。德国对盟国义务的完成，将使德国人民在国际社会中占其应有的地位。为达成这一目的，美、苏、英、法四国政府获得协议，以参加本条约所规定的共同工作。

第一条　缔约国同意采取共同手段保证：

（甲）德国一切空军与防空设备，海军与一切半军事力量，如党卫军、挺进队、秘密警察及上述机构中的一切附属组织，必须在最短期间内完全解除武装，复员、解散和取消，并制止业经解散的德国武装在任何形式下重建，上述各机构及其任何附属组织均不得存在。

（乙）德国参谋总部及一切军事与半军事组织的总部，均应解散或取消，并不得在任何形式下重建。

（丙）不准任何形式的，或伪装的军事或半军事组织在德国存在。

（丁）禁止德国军事装备的制造、生产及进口。缔约国特别禁止下列各物的制造、生产及进口：（一）一切军械，军火军事爆炸物、军事装备及各种军事物资和军需品；（二）除缔约国所批准者外，所有可能用作任何军事目的之物资；（三）所有各种海军舰只、海面舰只及潜艇和附属品；（四）所有各式飞机、航空设备与器材、及防空设备。

（戊）下列任何一种供军事需要的建造、利用和开拓，均应禁止：一切军事构筑、装置与建设，包括军用机场、海军航空基地、海军基地、陆军及海军仓库、永久或暂时的陆地或海岸的防御物、堡垒及要塞区、和一切现在仍存在的此类建筑物装置与建设，应予摧毁。

（己）在本条所定清除军国主义与解除武装过程中，在缔约国认可的情形下，得有下列例外：（一）如有维持公共治安的需要，得组织或雇佣德国警察，并给以适当种类和数量的进口的轻武器之装备；（二）必要时（电码不明中缺数字）所列物品得有最低量的进口，例如为建筑矿业、农业或其他和平目的所需之炸药或爆炸物之原料。

第二条　缔约国同意：

（甲）采取一切必要手段摧毁德国战争潜在力，一切军事工厂、其他工厂特殊化之军事设备以及其他工业生产力，此种工业生产力不在因德国和平经济需要而核准设立的工业范围之内，均应移作赔偿或予以摧毁。

（乙）制止德国为达到军事目的而建立、利用及开办任何制造厂、工厂、作坊、研究机关、实验室、工业技术的数字、材料、专利权计划、制图及发明等。上列各项系为生产或帮助生产第一条所列之各种物品而创设或有此种趋向者。

第三条　为防止利用德国工业进行军事之目的，缔约国同意：

（甲）在作为德国军备生产之主要基地及其军需品之主要工业堡垒的鲁尔工业区，建立英、美、法、苏的共同管制，以达下列目的：即利用鲁尔的资源，发展德国和平工业，并满足遭受德国侵略损害之欧洲各国的需要。

（乙）在最短期内完全清除德国康采恩、卡特尔、辛迭卡、托拉斯及控制上列各组织之金融寡头，他们曾鼓励并组织德国之侵略，其所属工厂应归德国国家所有。今后在德国禁止重新建立垄断性之工业与金融的组合。

第四条　为摧毁德国侵略之根源及变德国为和平与民主国家，缔约国同意：

（甲）采取各种手段，根绝德国纳粹主义及在其他形式掩盖下的德国侵略的民族主义之残余，清除纳粹党、纳粹团体及机构在任何形式下复活之可能性。纳粹及军国主义者之一切影响，必须从德国完全清除，今后纳粹及军国主义者不得进行活动或宣传。

（乙）给予德国人民以各种帮助，俾在其所批准之民主宪法的基础上建立民主秩序，德国民主宪法应保证德国人民享有言论、出版、宗教、信仰及集会、结社之自由。民主政党、职工会及其他反纳粹团体，在全德范围内有活动之自由，并适当保证劳苦大众之权利与利益，对维持安全之需要亦稍予照顾。

（丙）在全德实行土地改革，将大地主容克家族之土地转移到农民手中，因前者曾经常鼓励德国侵略，并资助德国危险的军国主义者。

第五条　缔约国同意当他们认为下列占领德国之主要目的确已达成时，各同盟强国即考虑终止对德国的占领：

（甲）按照各同盟强国的训令，完全肃清德国军国主义，其中包括对德国战争工业潜在力之清除。

（乙）重建并巩固德国的民主制度。

（丙）德国履行确定的赔偿义务及对盟国所负之其他义务。

第六条　终止占领德国后，在四强基础上建立的管制委员会如认为必要时，得派遣其官员或委员赴德国境内任何一部或全部视察、检查或调查。德国如违反其对同盟强国之义务时，如属必要，缔约国得采取包括使用海、陆、空军武力在内的强迫手段以保证立即结束或阻止此种违反义务之行为与企图。参加管制之强国应将本条款所允许之视察、检查或调查的结果，经常通知缔约国及联合国安全理事会。缔约国且应将其已经使用或准备使用之手段报告安全理事会，缔约国同意与决定终止占领德国之同时，渠等即以谈判方式从事商讨，以制定四强特别协议。此种协议，不得违反联合国宪章所赋予彼等之义务。如将由管制委员会执行的监督、检查及调查各细则；每一缔约国将要分担的武装力量之数量与种类；此等武装力量训练程度及其一般配备；以及各国供给与帮助的性质等；将尽可能加以全盘检讨。该四强特别协议，将由各缔约国依其宪法规定之相当手续予以批准。

第七条　本条约应提请各缔约国根据各自的立法手续予以批准，批准书由各政府检查保存，并通知各缔约国。批准书生效后，本条约即开始生效。本条约有效期限为四十年，期满前六个月内缔约国应互相磋商，国际和平与安全的利益是否需要延长本约或加以修正。德国人民在民主和平基础上生活之重建是否已经成功，不再需要盟国管制。

（新华社陕北十九日电，载四月二十二日《东北日报》）

莫洛托夫答美记者关于外长会议诸问题

苏联外交人民委员长莫洛托夫顷答复美记者尤根尼斯·斯蒂尔所提出的问题。问题及答复如下：

（一）问：你是否认为美国关于德国政治组织的建议将使德国分裂？

答：有此危险。

（二）问：你认为此种决议将有何后果？

答：此种决议将招致不良结果，因为这将给德国军国主义者及迷信复仇者，以掌握统一德国之任务的机会，如同（举例说）俾斯麦时的情形那样。

（三）问：你认为在苏联主张德国统一、美国主张“联邦”之间，有无折衷的可能？

答：如果可以协议，使德国人民自己用全民投票来决定联邦的问题，我不否认有此可能性。

（四）问：为了弥补被德国侵略者所加于苏联的重大破坏，德国赔偿一百亿美元够吗？

答：对于苏联来说，这当然是微小的，但这还可能给苏联人民以某种程度的满足。

（五）问：赔偿问题主要是经济的还是道义的问题？

答：赔偿在经济和道义上来说，都很重要。

（六）问：至目前为止，英、美，苏三国何者所得到的赔偿较多？

答：毫无疑问的，苏联所得到的，远较盟国为少。

（七）问：怎样提高和平时期的生产，以便使赔偿能以当时的生产品来支付？

答：在一定程度上提高德国和平工业的水平，以便将产品（钢铁、煤等）的一部分作为赔偿受害国家之用。

（八）问：怎样才是恢复希腊民主政治的最好办法？

答：最好的办法是消除外国对希腊内政的干涉。

（九）问：你认为杜鲁门总统所提出的美国对希政策，足以恢复希腊的民主吗？

答：我非常怀疑它能如此，正如其他许多人所怀疑的那样。

（十）问：你认为莫斯科外长会议是为有益的目标而工作，且可产生具体的结果吗？

答：我希望莫斯科会议能对我们共同的事业有最大的裨益。但这不仅仅决定于苏联代表团。苏联代表团将竭尽全力使会议获得良好的结果。

（塔斯社莫斯科五日电）

外长会议末次会议详情

外长助理提出有关德国各问题之报告

塔斯社二十五日所发外长会议最后一次会议之报导全文如下：

二十三、二十四两日外长会议上，各外长讨论了外长助理有关德国已获协议与未获协议各问题之报告。关于德国之非军国主义化、非纳粹化，民主化，迁移居民与领土之重新划分诸问题，各外长已采纳诸助理之建议：将已获协议各点交付管制委员会，作为督导与行动的指针。其未获协议各问题则交管委会继续研讨。

在外长助理报告之第二部分中，说明了各代表团对于经济原则、战后德国经济水平及赔偿计划诸问题所持之立场。而关于工业水平、赔偿以及德国经济统一等互相联系诸问题之是否能达成协议，即决定于各代表团报告中该部分涉及之各议案所持之立场。

各外长助理建议：对报告中本部分已获协议与未获协议诸问题交付对德管委会。维辛斯基建议，将未获协议各问题交外长助理会议重新研讨。法国外长助理表示同意，英美两国外长助理对此建议则持保留态度。莫洛托夫声称：苏代表团仍坚持原议案。马歇尔表示：美代表团撤销其对此议案之反对。但贝文不同意各外长之意见。因此，苏联关于将未获协议之经济问题交付外长助理继续研讨之议案，未获通过。

外长助理报告之第三部分，是关于德国临时政治机构之形式与范围问题。各代表团均同意：关于德国政治机构之任何决定，有赖于首先规定德国之经济统一。

在第四部分关于撤销普鲁士邦之报告中，指出此一由管委会所制定之“撤销普鲁士邦”法案，已于三月十日所召开的外长会议中批准。外长助理建议外长会议，将此批准决定通知管委会。外长会议接受了此项建议。

报告第五部分述及准备对德和约之程序。交换意见结果，该部文件不交外长助理继续研讨。

关于德国非军国主义化之四强公约问题

美外长之声明

关于德国非军国主义化之四强公约问题，马歇尔于二十三日曾发表声明称：我们在此讨论过的，美国所提关于德国解除武装及非军国主义化之四强公约的建议，外长助理报告中并未提及。我并不提议报告中包括此一问题。我的意见是，曾经涉及的原则，如交付某一辅助机构，自有其实际意义。我无意重述，美国政府在提议签订是项条约中之各种顾虑，亦不拟重述那些赋予此一问题以巨大意义的某些原因；我仅欲声明：对苏联政府实际上拒绝该条约一事，美国政府极端重视。我说“拒绝”，是因为莫洛托夫先生提出的条约草案，几乎包括了四强对德问题重要分歧点之全部。因此，致使欲于现时签订是项条约成为徒劳无益之举。

若在美国建议的基础上能达成某些原则上的协议，则可昭示世界：无论我们在对德问题的其他方面，有何种性质与多大范围的分歧，但至少四强在阻止德国恢复战争力量方面，具有一致之决心。同盟各国之意图若有如此明白的表示，不仅对于将来解决与德国有关的其他问题，而且对于一切国际情势都显然有利。至于何种原因致使苏联拒绝此种协议，实使美国难以理解。我们虽然考虑到，下届会议签订是项条约显然无望，但美国并不收回其签订是项条约之提议。

苏外长之声明

关于德国非军国主义化条约草案，莫洛托夫就马歇尔二十三日的声明发表声明称：二十三日马歇尔在其声明中曾谓，美政府视苏联政府对美国关于德国非军国主义化条约草案所持之立场为拒绝是项条约。此种声明是违反事实的。如众周知，苏联代表团不仅没有拒绝过签订关于德国非军国主义化之四强条约之提议，而且，远在去年七月，即提出签订此种条约，且其期限并非如美国所提的二十五年，而是四十年，且此建议曾被接受。

同时，苏联政府始终认为，为使美国的条约草案更臻完善起见，必须予以许多补充。此种补充的主要目的，在于剔除美国草案中某些不符合波茨顿决议的部分，而这些决议都是为了预防德国新的侵略的。在这些决议中规定：要阻止德国重新侵略，应当实行德国的非军国主义化与民主化。可是在美国草案中，把此种任务只归之于非军国主义化，而对如此重要的民主化的任务，却弃而不顾。

苏联政府的补充，首先是纠正美国草案的这一基本缺点。如不纠正此缺点，将使人们了解为：同盟各国已经不把德国的民主化视作预防德国重新侵略的基本条件之一，这显然是违背了波茨顿决议的。

其次，苏联代表团的补充，是使条约中确认德国有责任完成其对同盟各国之义务，首先是完成其赔偿义务；这是完全符合克里米亚与波茨顿会议各项决议的，反之则为对这些决议之破坏。

至于苏联代表团关于规定四强共管鲁尔，废除德国工业卡迭尔，没收容克贵族的土地等补充，是全与德国之非军国主义化及民主化的基本问题密切相关的。在这些问题上之分歧本可克服，苏联代表团亦为此而努力。美国代表团拒绝讨论此类问题，绝不能使同盟各国之观点趋于一致，而仅证明其欲将一己之意志强加他人，自不可能产生良好结果。

苏联建议的目的，正是纠正上述美国草案中，所忽略之各点。

苏联许多修正案之获得如法国代表团所给予的赞许，也是众所周知的。此外，法代表团也认为美国的草案必须予以若干修正。

由此证明，美国的草案如不加以严肃的补充，是不能被接受的。而某些人企图不加修改与补充即令人接受，是完全无理的强求，任何自尊之政府都不能予以同意。

因此，所谓苏联政府拒绝谈判阻止德国侵略之条约，只能说明其不合事实。只能妨碍对草案作认真的检讨修正与补充。事实上，不是苏联代表团拒绝这一条约，而是美国代表团拒绝讨论苏联政府有关改善这一条约的建议。

苏联代表团重申其去年的声明，肯定签订关于德国非军国主义化与民主化之四强条约的必要以后，提议外长会议继续审查美国的草案及与之有关的各项修正及补充。

比道尔声明渠准备接受美国的四强条约草案后谓，依彼之见，法代表团亦认为须对该草案提出某些必要的补充。并指出苏联代表团的某些建议同样是恰当的。法代表团表示，苏联代表团的某些建议颇值重视，外长会议应加讨论。

至此，关于四强条约的讨论遂告终止。

关于遣送德俘之决议

各外长交换关于遣送德俘问题的意见后，决定采取苏代表团关于此一问题的建议。决定在同盟强国内以及其他国内的德俘，于一九四八年十二月三十一日以前一律遣回德境。并决定管委会至迟应于一九四七年七月一日前作成遣送德俘之计划，遣俘工作即依此计划进行。

对奥和约问题

美外长之声明

马歇尔旋即声明谓：我仍愿回到对奥和约问题。我们现在应当决定，是否可以于此签订对奥和约。如莫洛托夫先生屡次所声明者，基本未决问题仅为条约之第三十五条，即关于德国在奥资产问题。英、法、美各代表团，曾尽可能地迁就苏代表团之观点，提出不少建议。特别是上周美代表团之最后建议与昨日英代表团之建议。在这一问题上，英、美、法三代表团间，本无严重分歧。根据我的了解，苏联代表团却保持其今年二月在伦敦外长代表会议上所作之建议而毫无让步。苏联代表团所表示的观点，并未缩小，反而扩大了我们的分歧。其他三国代表团声称，他们不能接受苏联的建议；因为这将使奥国政府不仅交出德国资产，而且要交出德人以欺骗与强制方式夺自奥人及他国人民之资产。我们不能认为苏联关于奥境德国资产问题之建议，与波茨顿所规定任何赔偿将不自奥国索取，或与对奥和约第一条所规定应使奥国恢复其主权独立并成为民主国家的义务是一致的。其他三代表团曾要求苏代表团提出符合此一目的之建议，但与吾等愿望相反，苏代表团并未提出任何新建议。如若苏代表团不欲为在奥境德国资产问题上达成谅解而作较更大之努力，对奥和约之欲达成协议，显然是不可能的。因此，如苏代表团对此问题，不能提出具体建议，判明德国资产并不包括某些依真理与正义观点应交还非德人之公民的财产，我们只有承认，在此会议上，关于对奥和约问题，已无继续获致成就之可能。我还要提出另一建议。如果在九月间联合国大会前，我们的观点不能折衷，我希望我们共同请求联合国依拟第十四条（按应为联合国宪章，原文未说明）对此问题提出建议。我认为，我们不应当使存在我们之间的分歧，剥夺了奥国的独立与卸去占领负担的权利。此外别无任何建议了。

苏外长之声明

关于对奥和约问题，莫洛托夫答马歇尔称：在讨论对奥和约的整个过程中，苏代表团曾作了极大的努力以求获致协议。这点说明了为什么苏代表团曾撤销自己许多重要的建议案。同时，苏代表团并声称，对和约中其他尚未获致协议之各条款，仍准备寻求协议。

苏代表团屡次声明：和约中与奥境德资财有关之三十五及四十二条对苏联有着特别重要的意义。

第三十五条及与此有关各问题之意义系在于这一事实：即这一条是涉及德国赔款与义务的。对于大部领土曾被德国侵占、破坏，及亿万家庭惨遭劫掠的苏联说来，向德国索取赔款是极端重要的，而且这也是全苏联人民的合法要求。

根据波茨顿会议的决议，德国在奥国东部之资产，应交予苏联，而德国在奥境其他地区之资产则应交予美、英、法，及其他盟国。问题在于不要使该决议成为一纸空文，不要使该决议被对什么可以认为是德国资产的种种解释弄成无效。

迄今，美代表团对德国资产问题所提之各项建议案，恰巧在事实上剥夺了苏联根据波茨顿决议应自奥境东部德国资产中获取之大部赔偿，美国既然对德在罗马尼亚、保加利亚、匈牙利、芬兰之资产问题，按照同一波茨顿协议解决一事未表示反对，尤见其此次表示异议为不合理。

在波茨顿会议时，苏联政府即已放弃了奥国的赔偿。苏政府与美代表团的声明相反，它无论过去或现在，并未强求奥国赔偿或索取奥国任何财产。关于奥国的主权独立问题，如奥国政府自己所承认的，苏联军队是帮助其恢复奥国主权独立与民主的第一人。这种事实是谁也不能歪曲的。

苏联政府现仍坚决主张将所有德国在奥资产移作解决德国赔偿义务之用。不能容许某些于德奥合并后曾与德国人合作的奥国人或非奥国人（他们曾将财产让与德人以获得巨大利益）的财产所有者索取这些财产，并借美国之保护前来索取。这意味着对吉斯林们的直接支持，对于苏联及其他盟国权利的侵犯，而这种权利是波茨顿会议所确认的。如美国建议是为保护英美在奥石油公司的利权，而从前当他们将财产让给德人时，英美方面并未加反对。则今日应向德人提出要求，而不应牺牲苏联及其他盟国的利益来满足这些要求。

要求由联合国大会提出关于德国在奥资产问题之建议的提议，实无任何根据，即第十四条亦不能作为此种提议的基础。同时将该问题提交联合国组织也是不正确的，因为这不是联合国组织权限以内的问题，而对奥和约的准备程序，不应与对意大利、罗马尼亚、保加利亚、匈牙利及芬兰和约准备程序不同。

苏联政府提议由美、英、法、苏代表组织委员会，审议对奥和约中一切尚未获致协议的问题，并特别注意详细审查第三十五条及第四十二条中与此有关的部分，借求各盟国政府之观点能在委员会中获取一致，并随时报告外长会议。

关于对奥和约准备之程序问题，二十四日各外长交换意见后，经过某些修正，通过了苏联之建议。即由苏、美、英、法，各国代表组成委员会，审议对奥和约中一切尚未获致协议之问题。并将成立专家委员会，以审查对奥和约草案第三十五条关于德国在奥资产及第四十二条与此有关的部分——即联合国在奥财产，借以判明具体事实，以便各盟国观点能在委员会内求取一致。

关于德境占领军问题

该委员会应毫不迟延地把它的报告提交外长会议。该委员会须在维也纳工作。

关于德境盟国占领军问题，马歇尔提议称：外长会议同意占领军的军力应根据盟国在德国的目的与安全的要求减少到最低限度。为此目的，美代表团认为需要责成对德管制委员会研究此问题，并将其研究结果在本年六月一日以前报告外长会议。

莫洛托夫声称：对该问题可能通过一更具体的决定。苏联政府认为外长会议关于德境盟国占领军的军力是能够通过一定决议案的。苏代表团提议通过下列决议：

限制德境盟国占领军的数量于一九四七年八月应为下列数目：

苏联——二十万，德境美英联合占领区——二十万，法国——五万。

贝文称：德境英美占领区，只是经济上的统一，而不是军事上的统一。他对美国所提关于德境英占领军数量应减至较其他占领区为少的建议表示怀疑。彼提议德境英占领区武装数量应为十四万五千人。

比道尔称：关于该问题，法代表团尚未得到本国政府的指示，并报告目下德境法占领军人数为七万。

马歇尔对于德境占领军问题，亦反对采取具体决议。

贝文提议交对德管制委员会在一九四七年七月一日，确定各占领区占领军数量。他提议通令对德管制委员会至迟要在一九四七年六月一日将对该问题之决议呈交外长会议。

马歇尔针对贝文建议，指出英代表团所提日期，美代表团不能接受，主张确定占领军数量的日期应更晚一些。

莫洛托夫指出：去年十二月纽约外长会议上，各代表团均要求迅速缩减德境占领军。然而现在对该问题那种性急的表示却没有了。

莫洛托夫继称：苏代表团建议德境苏占领军数量限于二十万人。这正符合于去年十二月美国务卿贝纳斯所提，限一九四七年四月一日确定此数目的建议。现在自然应该考虑较晚些的日期。苏代表团提议在一九四七年八月一日确定这一数目。外间盛传苏联有数百万大军留居德国及其他国家。苏代表团以为：姑无论其他，仅就苏联代表团建议限制德境占领军之数量一点，即足以揭发该谣传真相。

苏联的草案包括这样的建议：即美英在其各自占领区内占领军应有同等的数量——即十万人，这也是符合于贝纳斯在纽约的建议。虽然当时贝纳斯提议确定英美占领区军队数量各为十四万人。他认为美英占领区占领军的数目应是同等的，同时其每一占领区占领军的数量应较苏占领区即将确定的军队数量要少。

莫洛托夫考虑到各代表团在立即通过决议以限制德境占领军数量问题上所持之反对立场，又提出了下列建议案："外长会议认为限制德境占领军数量是必须的，故提议将该问题交由对德管制委员会去审议，并在一九四七年九月一日前确定德境苏、美、英、法占领军的数目。而对德管制委员会对该问题的决议，至迟要在一九四七年六月一日报告外长会议。"

外长会议通过了该建议。

会议结束

莫洛托夫提议下届外长会议于本年十一月在伦敦召开。马歇尔建议：如四强外长出席本年九月纽约联合国大会时，可以举行限定议事日程的简短外长会议。会议采纳了莫洛托夫的建议，而对马歇尔之建议，认为如四外长都出席时，可以商讨。

最后一次会议系由贝文任主席。贝文建议，对苏政府给予外长会议之优越工作条件致谢。比道尔代表法代表团附和这一建议。渠并为苏政府与苏联人民在莫斯科给予法代表团的殷勤招待致谢。马歇尔亦代表美代表团对苏政府与莫洛托夫的招待及对会议参加者之关心表示谢意。莫洛托夫于致答辞时，首先感谢各代表团所作之热情的声明。继称：我们为讨论本届外长会议议事日程上所列各问题曾费去不少时间与劳力。我们的工作虽未完成，但成就并不少。我们确实作了巨大的准备工作。当强调德奥问题之意义时，莫洛托夫谓：我们希望我们在莫斯科所成就的工作将有助于我们的事业之未来成功，有助于所有未决问题之达成协议。

（新华社东北总分社译稿，载五月三日、四日《东北日报》）

附：外长会议介绍

一九四五年七月至八月，斯大林、杜鲁门、艾德礼三巨头柏林（波茨顿）会议，决议设立一个外长会议，由苏、英、美、法、中五国外长组成。并规定它的任务是制订盟国对意、罗、保、匈、芬五国和约，和准备对德和平方案，及负责处理由参加外长会议各国政府同意所提交会议的其他国际问题。

又决定在伦敦设立一个联合秘书厅，由外长各派一高级代表及少数技术顾问专家组成，负责处理外长会议前后准备工作及技术上的问题。这就是在不久以前在伦敦举行的外长代表会议。同时决定首届外长会议于同年（前年）九月在伦敦举行以后，会议的时间和地点由外长会议决定。

首次伦敦五国外长会议于同年九月十一日至二十七日举行，首先提出讨论的对意和约问题，由于英美不遵守波茨顿关于只有参加对战败国签字投降书的国家才可以参加对该国和约制订工作的决议，使会议一开始就遭遇困难。第一次会议只是对五国和约进行了一般的讨论，未得到任何协议，连已协议部分英美亦不愿签字也就未发表公报。

第二次会议是苏、英、美三国外长于前年十二月十六日至二十五日在莫斯科举行的。为什么这次会议只是苏、英、美，而无法、中参加？这是根据克里米亚协议，三外长必要时可举行会议。在波茨顿协议中亦声明五国外长会议不影响克里米亚关于三外长会议的决定。这次会议开得很好，解决了上次伦敦会议关于制订和约程序的争论，三外长并对中国问题共同宣言，不干涉中国内政，停止中国内战，苏美相约尽早撤退在中国的驻军（但一年多来美国完全背弃自己的诺言，将协定破坏无余）。另外对朝鲜问题，管制日本问题，原子能管制问题等都有重要的和开明的决定。

第三次四强外长会议（没有中国参加。因为中国不是对意罗等国条约签字国），于一九四六年四月二十五日在巴黎举行，继续讨论上次伦敦会议五国和约问题，由于美国务卿贝纳斯“对苏强硬”政策——实际上是美国企图使这些战败国成为殖民地或美帝国主义的附庸，致使在讨论赔款、意大利殖民地、的里雅斯特、多瑙河等问题上遇到分歧，无结果而散。

接着六月十五日又在巴黎举行第二次（第四次）四强外长会议，历时三周，除决定在七月二十九日举行巴黎和会外，对和约的重大问题仍未获得一致意见。

在去年十二月四日，与联合国大会同时，在纽约举行了四外长第五次会议，由于苏代表团坚持努力结果，最后解决了和约中的重大难题，如的里雅斯特、多瑙河航行、赔款等问题，完成了和约最后的审定工作，并决定在今年二月十日于巴黎举行五国和约签字事宜。同时决定了六届外长会议在莫斯科举行，考虑对德奥和约问题。

本月十日在莫斯科开幕的外长会议，已是第六届了。这次会议主要讨论对德奥和约问题，包括盟国管制德国问题及建立德国中央行政机关问题，德国边界问题（包括鲁尔与莱因问题及其他）与赔偿等问题。同时在第一次会议上莫洛托夫已提出检讨苏、英、美三国上次莫斯科会议协定对中国问题协议实施情形。

（载三月十三日《东北日报》）

第三部分　美国

一　经济

是谁掌握美国
——原载纽约《真相新闻》

战时小工业协会，经参议院小企业委员会发表的《经济集中与第二次世界大战》一篇长达三百五十九页的政府报告，说明今天实际上控制美国的是八大金融集团，他们的根据地是华尔街。这八大集团的人是：梅隆、杜邦、洛克菲勒三家族，摩根、库恩 ×，表比的银行系，和在克利福兰、芝加哥及波利顿的金融集团。美国二百家头号大公司，它们利用战争，而取得了对全国经济生活的绝对控制。它们还掀起对国会议员的选举运动，企图控制政治生活。在这二百家头号大公司中，八大集团就控制了一百七十五家。在这一百七十五家之间，又因为互为董事股东，而结合在一起。它们以二个最高组织为联系，那就是全国制造业协会，与美国商会。二百家头号大公司的股东，还不到七万五千人，只及全国人口的百分之零点六。梅隆、杜邦、洛克菲勒三家族，就拥有价值十四万万美元的股份。这些公司的领袖们，除讨论他们经济势力的合并与扩张的经常集会之外，还开会讨论如何用最好的方法来打击有组织的劳工。如今年一月，正当罢工危机之时，通用汽车公司、美国钢铁公司等公司的代表，即在华多夫爱司托里亚旅馆，举行会议，讨论对付办法。

该报告证明：独占的触角到处伸展着。例如克莱夫脱范尼克斯乳酪公司所制造出售的乳酪，就要占全美国的百分之四十五，西格莱姆斯、星莱、希莱姆华尔克和纳特尔蒸馏产品，这四家酿造商就控制着美国酒和威斯忌市场。

塞夫威、克洛格、美国纳特尔、第一纳特尔这四家百货公司，包办了全国大部分的百货交易。渤罗克特和格姆布尔、莱弗布罗、考尔盖特棕榈橄榄，这三家肥皂公司，所供售的肥皂要占市场全部出售额的百分之八十。杜邦维斯者斯可则实际上供给了美国所有的人造丝袜和内衣。

该报告说：美国报纸虽日有增加，但报纸的种类却在减少，一九〇九年有二千六百种日报，目前只有一千七百四十九种。在这些报纸中，有二系报纸最有势力，即赫斯特、斯克立浦斯—霍华德、柏德逊、麦考米克、赫尔勃洛克李德、甘纳特，它们所属日报，在全美销数总额四千八百万份中要占百分之四十。所出星期日报，要占全部星期日报的一半。美国有三处大通讯社，即国际新闻社、合众社和美联社。赫斯特和斯克立浦斯—霍华德即占有前二个通讯社。美联社是全美国最大的通讯社，被证明有违犯反托辣斯法之罪。现在国会却正在寻求特种立法，以求其可不受反托拉斯法的拘束。这些报纸的出版商在全国八八六座无线电广播电台中，据有五〇八座，因此少数的报纸大王，完全控制了全国的言论与思想，而他们则又全都经由他们的出版商协会，而与全国制造业协会发生联系。

在杂志界，据报称：虽然有六千五百种周刊、半月刊、月刊与季刊，但单是五种定期刊物，即《时代》、《星期六晚邮报》、《柯里尔》、《美国人杂志》、《赫斯特杂志》，就用去了每年报纸消耗量九十二万吨中的百分之五十二。

原子能亦是那些大公司战后所享受的惊人利益。据该报告称：政府过去在三家原子炸弹厂上，花了十三万万美元，这三家工厂是联合炭化物工厂、伊斯晚曼柯达工厂、杜邦工厂，如将原子能转作平时用途，那么这些公司，势将压倒一切其他制造科学品的公司。

（载九月二十九日《东北日报》）

美国战后经济恐慌

美共中委詹姆士·爱伦作

美国素来就以它经济恐慌的特殊严重性著称。危机在美国所以比其他各国更趋于深重，原因在于我国工业发展的若干特点，即：产量较其他各国为大，劳工生产率较高与独占资本之优势。这些因素在战时愈见增强。

战时工业，特别是基本工业与重工业的大规模膨胀，已使所有这些因素积累而在造成大的崩溃。更有甚者，这膨胀几乎完全发生在供给军火与因为战争而特别扩充了的重工业中。如航空、造船、炸药与轻金属等工业。这些工业在一九四四年雇用的工人超过战前的五分之一以上。这些都是生产品工业，它们的生产水平决定了美国经济的升降。这些工业恢复到平时状态之后，在任何地方都找不到一个可以比得上战时政府收购那样的市场，那时政府订货每年达九百万万美元。

我们已经看见劳动生产率如何在战时提高，和它将如何继续提高，这样对就业与购买力所生的影响可以从简单的比较上看出来。虽则从一九三九年到一九四四年的工业生产量增加了百分之一百二十，但这些工业中新雇用的工人却只增加了百分之六十。根据商务部统计，如果生产量降低到一九四〇年的水平（即是产量相当高的一年），出品就要比战时水平减少百分之三十，结果失业人数将达一千九百万人，而一九四〇年失业人数则为九百万人。独占也在加速和拖长恐慌，并延缓其恢复。在景气的时候，它增加价格却不肯增加出产品，阻碍了生产的上升。在不景气的时候，它减少出品却还要维持价格，这样一等到市场紧缩，便加速了生产的跌落。在恐慌恢复的时候，它只要一看见购买力略有起色，便立刻提高了价格，因而像煞车一样延缓了恢复。

生产过剩的危机并不立即随战时膨胀而来。在战时，充分就业、工业品与原料之充分利用，造成了极大的大众购买力。但是因为工业要致力于战争，不能生产许多消费品，特别是较大的如汽车与冰箱等，这购买力就有很大的一部分储蓄了起来。这种情形将以一个短期的繁荣结束。这繁荣持续的时期只等人民把战时积蓄用光，与在这一繁荣时期造成的购买力消失，那就过去了。战时公债总数至少有三分之二是在公司、银行、人寿保险公司与其他大企业手里，剩下来的只有一百二十万万美元是在收入较低的人群手里，而其中有许多已经用于当前的生活费中了。

跟着繁荣之后来的就是恐慌。也不是一个普通的经济恐慌，如果它以全力袭来，而政府不能应付，以缓和它的冲突的话，它将比我们所经验到的最可怕的一九二九——一九三三年的大恐慌更严重。

当资本主义国家特别是美国，正以空前未有的速率趋于没落的时候，社会主义经济正以自上次大战以来就无可比拟的速率发展。如果美国的经济恐慌以我们熟悉的进程发生，苏联不但在总生产上会超过美国，甚至每个人的生产量上都可以超过美国。

我们可以清楚为什么一旦繁荣过去，大托拉斯便想占据要津，来决定我国政策的主要路线。当他们加紧榨取繁荣时期的市场已取得一切的时候，他们已经在为恐慌作准备了。

他们第一件要事便是把恐慌的主要负担放到工人与一般人民的身上，另一件要事便是在恐慌到来以前，尽其所能的设法扩大他们国外市场与势力范围。因为这样的一个膨胀，是牺牲了别个帝国主义国家的利益，或者是其他人民的民族主权与民主权利得来的，它使一切政治冲突的因素益趋严重，打击了世界和平。另一个主要的影响是当恐慌来到美国的时候，就会连累着拖垮世界经济远为广大的一部分，它又回过来加深了美国的恐慌。

独占资本家还有一件要事就是为恐慌作政治上的准备。在这准备中，军事力量居有极其重要的地位。国内的政治准备被用来鼓励并培养一切可以当作反对人民对托拉斯进攻的抵抗力量。独占资本为要取得国家无可抗拒的权利而作斗争。这必要对工人和人民进行斗争，直接使法西斯的威胁重新兴起。

编者按：作者系美共中委，有名的马克思主义历史学家与经济学家，本文译自作者今年六月新著《谁掌握美国》。

（新华社延安六日电，载十月十三日《解放日报》）

美国今日的繁荣能维持吗
——战后美国经济动态之二

浦寿昌

在这次大战之前，美国已经是数一数二的工业强国，经过这次战事，其工业的生产能力，在世界上更是独一无二。其他主要参战国的工业设备，莫不受到战争的糜烂，但是美国的工业，不仅未被摧毁，反有空前的扩张。因此，正如记者在上次报告中所说，今日的美国足以左右世界的经济。一般的美国人，也并没有忽视美国在世界上的经济地位。开明的人士，提倡美国扶助其他国家的经济复兴，以奠定世界经济合作的基础。倡导“美国世纪”的人，主张利用经济力量，作为美国独霸世界的工具。这两种政策，虽然有着绝对相反的目的，可是至少有一个共同点。那就是，他们的着眼处都放在美国的对外经济关系上，而忽视了美国经济制度本身不稳定的几个基本因素。美国既然已经处在左右世界的地位，除非世界各国能和美国完全脱离经济上的关系，否则他们今后的经济发展，势必受到美国国内经济变幻的拖累。因此，美国经济制度不稳定的基本因素，应该是我们极需提出特别注意的问题。

任何经济制度，在它特别兴旺的时候，往往使人忽略它的缺陷，有时甚至是十分严重的缺陷。正如一个外表康健的人，往往忽视他内在的病症。一个经济制度，即使是富强的，不一定同时就是健全的。美国经济之富强，是不容置疑的。这在战前，就已经十分明显。譬如，在一九二五年到一九二九年这个时期，美国的工业生产数量，占全世界（苏联除外）的百分之四十八，足见美国生产力之强。一九二九年美国全国的收入，足抵二十三国之和，其中甚且包括大英帝国、德国及法国，由此也可见美国购买力之富。由于其工业规模之大，购买力之强，所以在一九二七年到一九二八年期间，美国所消费的工业原料及粮食，占全世界的百分之三十九。从第一次大战结束到第二次大战爆发，美国的出口数量，占世界第一位，资金的外输，尤其可观，比其他几个主要国家资金出口的总和还多。美国的入口，也仅次于英国，主要的入口货是工业原料，在这里应该指出一点，那就是，以上的比较，多以一九二九年的数字作准，而一九二九年，是美国在这次大战前，经济繁荣的最高峰。因此我们不应有一个错误的观念，以为美国的经济，一直是如此的繁荣。事实告诉我们，一九二九年以后，美国的经济，几乎总崩溃。记者之所以专用一九二九年的数字来作比较，一方面为要显示美国经济可能繁荣的程度，同时也借此指出这种非永久性的繁荣。

这次的战争，对美国的经济，可以说是一副强心剂。不但使它逃脱了崩溃的危机，并且获得了空前未有的繁荣。据美国战时生产局的估计，一九三九年和一九四四年之间，美国制成品的数量增加了百分之一百五十。巴特氏去年三月，在纽约扶轮社演讲的时候，曾经说，美国战时军用品的生产数量，尤其是飞机、坦克和货船，等于敌国和同盟国生产数量的总和。最可贵的是，军用品生产量的突增，并没有减少消费品的生产。事实上，一九四四年美国人民购进的消费品，以价值而言，比一九三九年多百分之五十八，以数量而言，比一九三九年多百分之二十（一九四四年的物价较高）。美国是战时唯一的国家发生这种现象。战时美国工业生产量的激增，主要的原因，当然是因为整个工业设备的扩张。在战时所建设的厂房及机械，达二百五十万万元之多，增加全国工业的生产力量百分之四十。根据极可靠的估计，即以机件工业一项而言，已经扩大到战前的十二到十五倍。致使美国工业生产量增多的另一个原因，是工人生产力的提高。由于战时工业技术上的研究及改进，分工愈形精密，生产量虽然因此而加多，所需于工人的体力及注意力也随而增加。美国工人的生产效力，几十年来的趋势，一直是上增。甚至在商业凋敝生产量低落的时候，工人的生产力仍然不减。这种趋势的必然结果，就是失业工人人数的增多。所以在一九二三年到一九二九年，美国经济趋向最高峰的时候，工业生产量虽然增多了百分之十二点六，工人的生产效率却增高了百分之二十点五，受雇工人的总数，反因此减少了百分之七点六。战时工人生产效率增高的速度，比战前更快，以致制成品的数量虽然增多了百分之一百五十，受雇工人的总数，只增加了百分之六十。

战前美国工业的基础，加以战时的扩张，造成今日美国强大的经济地位。可是其本身的不稳定，不但没有因此而消除，反而更趋严重。美国经济不稳定的基本因素，概括地说，第一是经济力量的集中，第二是工业技术的改良所引致的失业问题。美国战前及战时经济力量的集中，在上次的报告中，已经简略的叙述过，以后当再作更详细的报导。现在暂先指出这种趋势对美国今后经济发展的影响。一九三八年，罗斯福总统鉴于垄断资本之统制美国经济，所以特别设立一个暂时全国经济委员会，来调查经济力量集中的实际情形。经过四年的实际调查，这个委员会得到的结论是，财富的集中为阻碍美国经济充分发展最主要的因素。假使财富分配不均的现象继续存在，不但一切富源不得充分利用，即欲长期维持现在的繁荣，也不可能。由于工业技术的改进而引致的失业问题，在战前就已经十分严重，经过战时的发展，其危险性更为加强。按照美国商务部的估计，假如工人在一九四六年的高度生产效率，在一九四〇年就已经达到，当时的失业工人人数将不是九百万，而是一千九百万。在这里，还有一点应该特别指出。那就是，这两个致使美国经济不稳定的基本因素，并非单独的存在，而是互相补助的。工业技术的改进，固然增加工人的生产效率，同时也促使经济力量的更加集中，因此，由于这两个因素的互为因果，美国的经济，永久处在不稳定的状态中。

（载十月十九日《东北日报》）

美国经济恐慌逼近

瓦尔加

十一月二十七日苏联科学院研究员瓦尔加，在《真理报》著文说：

当美国从来不曾经历过的或许是最大的“兴隆”正盛的时候，对于新的经济恐慌正在逼近的畏惧，在资本主义世界中迅速地增长了。

这种畏惧是完全有理由的。曾在战争中作战过的一切资本主义国家，除了美国和加拿大，从战争中走出来时都比战前贫穷得多了，英国已丧失了在国内和国外的她的国民财富的约百分之二十五。德国已丧失了她的约二分之一的财富。在欧洲各国中，生产量只相当于战前水准的百分之三十到百分之八十，这种百分数的高低，视战争破坏的程度而定；因此，生产量比最严重的恐慌期间更少得多。

美国，和被蹂躏过的欧洲大陆适成对照，她从战争中脱颖而出时财富增加了。

一九四六年美国的工业生产比一九三八年超过百

分之五十，因此已达到“兴隆”的水准，战时美国生产比一九三九年增加一倍以上。生产方面这样的增加，使美国不仅能够适应战争的要求，而且也够满足民众的需要。另外，美国还蓄积了颇大的财富，投资在新创的工厂与船舶方面。美国进入战争比别的国家迟些，在一九四四年以前，她没有把任何大的兵力投入战斗，美国领土在战争期间没有受到任何损害，这一事实也是具有极大重要性的。

由于战争对美国及加拿大的影响，跟战争对欧洲及远东各资本主义国家的影响是完全两样的。现在，就正像第一次世界大战后的时期，资本主义并不是经历着整齐划一的经济情况：在美国看到“兴隆”，而在曾经打过仗的别的国家中，经济情况的改善却十分缓慢，生产继续处于恐慌时期所特有的低度水准上。

但是，就连美国的“兴隆”也不是正常的。美国尽管“兴隆”，还有二百五十万失业工人和一百五十万复员士兵，依然依靠政府给他们的津贴生活。一九四六年工业生产比一九四三年减少三分之一以上，由于物价飞涨，工人的实际工资日益减少。取消一切物价的管制，势必引起物价更进一步的飞涨，并且引起形成消费者大多数的工人、职员和政府公务员购买力的相应的减少。这就要加速目前“兴隆”局面的完结，并加速新经济恐慌的到来。

三件事实指示出：在美国，这种恐慌正在逼近：

第一，商品的存货正在增加着，据商务部统计资料，工业方面以及批发和零售商方面的商品存货的价值，已增加十亿美元，商务部声明：存货这样增加，“对于今后经济的发展，充满了确实无疑的威胁”。

第二，原料的现货交换价格，十月份锐减。琼斯氏的原料价格指数，在一周内，表现一九三三年以来空前的惨跌。

第三，工业股票的行情，在今年五月半到九月半的期间，迅速低落。纽约证券交易所登记的股票总值，已从八百四十亿跌落到六百五十亿美元。经验启示我们：行情方面这样的暴跌，往往开始于经济恐慌到来之前约十二个月到十八个月的时候，因为金融寡头政治的消息灵通的大亨们，开始抛出工业股票了。

从所有这一切证明了：预料美国在最近的将来，大概不会迟于一九四八年，也许还要早些，定会发生一种新的经济恐慌。

他如巨额的军费对他国的大宗借款，旷日持久的罢工，这些因素，也只能把恐慌拖延相当时日罢了。在美国行将逼近的经济恐慌，将必然地大大影响到其他资本主义国家中的情况。美国的恐慌，必将使在这些国家中成为劳动人民加重负担，使战后复兴工作受到一种显著的打击；恐慌造成的破坏性的影响大概不会容许这些国家达成经济的繁荣的。

（新华社延安十七日电，载十二月十二日《解放日报》）

自美国归来

《真理报》记者　犹里·朱可夫

一月初，经济顾问委员会向杜鲁门总统提出不愉快的新年预测，专家们承认：据一般的意见，目前工业活动的基础多少是人为的。并称：生产下降和失业增加已属无可阻挡。

问题是在过去五个月内物价增高的程度有如战时的五十个月，而另一方面自从没有逾时工资的可得以来，普通美国人的工资则急剧下降了。十二月三十日劳工部发表报告称：一九四六年的特点就是物价水平已达到一次世界大战以来的最高度。故总统罗斯福曾通过禁止提高物价的法案，并制定政府管制物价，战后这个制度在独占资本家集中打击下垮台了。

记者当时在美曾有机会目击其经过情形：突然一切铺子里没有肉了，虽然牧场上有着八千万头的牛。到处都有排成长列的买肉者。家庭主妇打破了肉铺的橱窗，并谴责政府。杜鲁门取消了管制，于是一个晚上到处都有了肉了，不过价钱是增加了一倍。现在是糖业独占资本家在袭击物价管制制度了。在这里记者可以引录一个小报的消息：在纽约市北部布隆克斯地方群众买不到糖，打破了橱窗，而且另外七家铺子里在顾主找不到糖之后，不得不叫警察来恢复秩序。

美国现在正在建筑景气之中，每月投入建筑的资本在十亿元以上。但是记者在纽约从来没有看到过一所完整的新房子已有了新的房客住在那里，虽然杜威以市长的资格承认现在纽约州有七十五万人已得到新房子了。新房子之所以没有完成乃是因为房租的管制还没有取消，而且全国的地产所有人协会已在十一月决定发动一个增加房租的运动，由共和党参议员凯尼斯·惠利去影响其国会同僚要求废除管制，房主们现在获得很可观的利润——一年约十亿元。而且认为不需要花什么钱修理，因为现在由于房屋的缺乏，人们都愿意搬到贫民窟的任何陋室里去。在芝加哥情形之恶劣竟至于去年他们把旧的电车调整一下当房子住。杜鲁门总统曾宣告美国缺乏房子五百万幢，而另一方面却有五十万幢房子不适合基本需要。不仅如此，房主们宁愿使新房子不完工，要等房租管制取消再说，那时他们就能从房户那里索取随意所欲的大笔租金。

为要使物价膨胀，就必需造成商品奇缺的气氛，当主顾看到市场上商品没有了，他就不会还价了。这种很简单的盈利方法就是把巨量的供应品囤积在仓库里。据民用生产局称：自从一九四五年七月以来，这种囤积供应品已增加了四五倍，而以价值计算起来逐月都增加十亿元。当询以再囤积下去是否因为到那时一切货物都腐烂掉了，而只能利用一堆废物了？头脑清醒的商人就焦虑地摇摇头。

小康阶层人民在战时所存的储蓄（那时人们可以赚很可观的钱）大体上已经耗尽了，现在劳动人民的工资是很难维持生活的。他们估计一个四口之家需要多少钱可以维持生活而不需要借债——总数是一年二千九百六十四元。

还应该提出一说的是，据最近美国报纸上发表的统计，美国当前已有了“生产过剩”的威胁，并谓在不久将来美国资本家势将不得不关厂，因为他们看到囤积物品没有售脱的实际可能性，而这就将是可怕的经济危机真正开始到来了。危机的阴影使华尔街的大老板们心神不安。产业工会联合会主席莫莱在其致经济顾问委员会函中指出：由于过去数年内机械化的增加，生产力已达到空前的高度，如果不采取急剧的步骤，生产的狂跌或将于今年底一九四八年夏季发生。美国报纸登载了不少的消息说：反劳工的立法乃是使他们“自救”的办法。

同时密切注意美国公共生活的人也应注意下述的消

息：如乔治亚州成立法西斯组织“哥伦布会”，这一团体是依照希特勒匪党的模型建造的。又如关于纽约成立一应付新战争的志愿军团的消息，这一军团的创起人就是杜威自己。该军团首脑称：“该团人员将受训练，用他镇压国内严重骚乱。”之后，下午报就提出问题问杜威：他是否知道这一团体多久可以成为美国的冲锋队之核心呢？杜威先生对此没有回答。

（塔斯社莫斯科五日电，载二月十四日《东北日报》）

在下坡路口
——美国各报关于本国经济危机的评论

安多诺夫作　施滨译

在美国报纸上，对于美国经济危机的惊恐日益增多。当说明美国战后“兴隆”的热性病时，许多报纸写道：这种疯癫状态，是企业家们为追求高利润，而竞争发展和平工业的结果。企业家们所追求的唯一目的，即是保持甚或提高战时利润的水平。因为他们深信：人民在和平时期对商品的需要是很高的，因国民储蓄的增加（自一九三九年的一百四十亿元增至一九四五年的四百亿元），也使他们以为这种需要将有高度购买力作为后盾。

可是实际上，这些储蓄的最大部分是属于实业家们的。而很大一部分的国民，正如华尔街新闻杂志的经济观察家克拉乌斯所说："或者根本没有储蓄，或者为数甚微。"据实业界机关杂志《实业周刊》载称："大半战时储蓄已转到富豪和实业家手中，他们急速地将自己的储蓄用之于营利。"统计局的官方材料揭露了战时储蓄的秘密。该材料列举以下几点：

一、在美国将近百分之九十的家庭，是依靠薪俸或工资来生活，他们每家一年的收入不到五千美元。

二、在一九四五年八月，这类家庭中有五分之三是在银行没有储蓄的，有四分之一甚至连战时公债券也没有。

三、这类家庭（每年收入不及五千者）之储蓄，将近四分之三是在占其总数三分之一的上等户手中。换言之，其中大部分是经常仅有极少的储蓄。

四、这些每年收入不及五千的各家储蓄的平均数（按一九四六年八月数字）仅为六百一十元，还不够一个中等户三个月的收入。

五、占全国人口五分之三的工人和职员，每年收入不及三千元；对于他们是无所谓储蓄的，如在一九四四年，这群人余款的平均数，每人仅有十七元。

这些事实，都证明一点，即如在为大企业家们出版的财政周刊《平衡》上所说：

> 总储蓄的极大部分，是掌握在收入巨大的人们手中，但他们却绝少把它花费在战后购置日用品上。

企业家们对工人阶级的进攻，又正是对国民购买力给了一个残酷的打击。众所周知的，在企业家们的压力下，逾时工资已被取消，逾量工资也已减低，物价管制亦被取消，致使物价飞涨，因之实际工资也急剧下降，这就使得战时存在人民手中的不多的储蓄，很快即被吞没。

据《经济学者月报》载：在一九四六年夏，全国储蓄总额已经减少正好一半，即二百亿元。至年终，在中等家庭手中，大概已经没有存款了，这是毫无足奇的。根据去年十二月生产管理局长史沫拉的报告，在一九四六年，全国人民用于日常必需品的费用，因物价之昂贵，比一九四五年增加一百二十亿元。在各种用具方面，也支出一百四十亿元，即比前年多百分之八十，比一九四一年多百分之五十。

分析美国国内经济情势时，各报同时指出美国罢工运动的巨大增长。据劳工部官方材料，仅在一九四五至一九四六年八月，美国即发生七千八百七十五次罢工，参加者近七百万人。不久以前发生的四十万矿工大罢工及全美海员罢工尚未计算在内。一九四六年十一个月中罢工的人数，比一九一九年多出四百万。由于这些事实，美国实业家们不得不公开承认：他们的长期繁荣的估计是破产了，企业家们以及实业界机关杂志现在亦不再掩蔽其对危机临近的恐惧。

《经济学者》月报这样写道：“商界巨子们都担心着：

买主们将无力购买这行将充满市场的各种商品，因为他们必须将自己的所有去购买日益昂贵的日用品。这样下去，很可能在一九四七年中，商品的生产将超出市场的购买力。”

照上月美国各报的意见，到那时，“无可避免的，生产将要减缩，而罢工势必增加。这就是经济危机的开始。”

美国产业工会联合会主席莫莱，在其去年十一月十五日致总统经济顾问委员会的报告中，要求特别征收“战时利润税”，随物价上涨而不断的提高工资，以便避免经济萧条，而造成数达一千九百万的失业大军（据官方材料，现在美国失业者有三百万人，其中一百万为复员的老兵）。莫莱在报告中指出：如果美国生产低落，如各方所预测的那样，回到了一九四〇年时的生产水平，那么，“我们将面临一千九百万人的失业问题。其中将有九百万是根本不曾找到工作，如同在一九四〇年一样；有二百多万是在一九四〇——一九四六年间曾被吸收从事生产而又失业的；还有八百万则是由于这些年的技术改进而被排挤出来的。”

美国经济复员局局长斯蒂曼，在其致杜鲁门关于经济复员工作进行情形的报告中，同样表示这种惊恐，并对物价的继续上涨提出警告说：

> 物价之继续上涨，足以堵塞买主对商品的需要，减弱国民的购买力，破坏工业的稳定，并将招致物价的惨跌，以及一切经济的与社会的后果。

不久以前，《华尔街杂志》报导：目前许多百货公司由于害怕数月后即令赔本也无法售脱存货，已开始将某些商品实行廉价拍卖，以避免货物堆积。这就可以证明，美国的购买力是已经降低了。

总统经济顾问委员会重新建立起来。在其最近公布的报告中，正式承认“在一九四七年可能发生经济停滞”。并且哀鸣着美国各阶层间存在着不谅解与紧张关系。

在美国报端上，关于未来经济恐慌之恐怖的论述与日俱增，均认为较一九二九年的经济恐慌更为可怕。《联合新闻杂志》就这样写道：

> 几乎所有的人都抱着同一观点：即我们正面临经济生活的转折点，但这一次却是站在下坡路口上。

（译自一月七日《真理报》，载二月二十六日《东北日报》）

论美国经济恐慌迫近

沙英

（一）大风雨的前夕

“山雨欲来风满楼”。美国各阶层及统治当局，目前都在焦虑着日益迫近的经济恐慌。最近美国大资本家道奇汽车公司总经理何尔登氏曾咨询过许多位经济专家，其中有五十多位资产阶级的经济学者，都认为美国的经济恐慌在本年底就要发生。欧洲各国一些最优秀的经济学家和商业观察家们，亦均认为美国的经济恐慌在今年年底或明年就要开始。就连英国的不少政界人士，因怕受美国经济恐慌的影响，正在纷纷反对英美联盟。特别是在美国的报纸上，对于美国经济恐慌之恐怖的论述，与日俱增，如《联合新闻杂志》上就这样写道："几乎所有的人都抱着同一的观点：即我们正面临经济生活的转折点，但这一次却是站在下坡路口上。"总之，毫不夸张地说：美国现在是处于一个大恐慌的前夕！

（二）经济恐慌的信号响了

所谓经济恐慌，一般的症候是：商品过剩、生产缩减、股票跌价、工人大批失业、阶级斗争剧烈化……等，可是这些症候目前已在美国显著的表现出来了。

苏联经济学权威瓦尔加曾指出，从下面三件事可以看出美国的经济恐慌正在迫近：1. 商品存货正在增加；2. 原料的现货交换价格日益锐减；3. 工业股票迅速跌价。这就是说美国现在开始了生产过剩和缩减生产，即经济恐慌已露其端倪了。

关于美国存货增加——生产过剩。据美商务部的统计资料：在工业方面以及批发和零售方面的商品存货，其价值已增至十万万美元，商务部并声明了存货的增加，对今后经济的发展充满了确实无疑的威胁。在农业方面，美国农业部不顾人民严重的饥荒，宣布了毁灭二千万担所谓“剩余洋芋”，现在已发出消灭第一批洋芋五十五万吨的命令。美国《华尔街杂志》曾这样报导说：“目前许多百货公司，由于害怕数月后即令赔本也无法售脱存货，已开始将某些商品实行廉价拍卖，以避免货物堆积。”从这也可以看出美国生产过剩的情形。

关于生产缩减。据琼斯氏的原料价格指数，在去年十月份一周内，表现一九三三年以来空前的惨跌。原料价格为什么跌落呢？这当然是供过于求，生产缩减的结果。譬如美国的炼钢业，在前年八月第三个礼拜，开工的只占炼钢工业产量的百分之八十二点五；而在第四个礼拜，便只剩下百分之六十九点九了。至于其他军火工业的大量停顿，那就不用说了，总的数字：美国一九四六年的工业生产比一九四三年减少了三分之一以上。

关于工业股票的跌价。在一九四六年五月到九月半跌的十分厉害，纽约证券交易所登记的股票总价，已由八百四十万万美元，跌落到六百五十万万美元。在九月三日那天，是纽约股票市崩裂的一天，代表美国第一流大公司的股票如杜邦公司、克利斯勒公司、培色尔汗公司等，每股的损失额高至美金十七元。这是因为金融巨头和政治消息灵通的大亨们，预测到工业股票不能赚钱反而要赔本的时候，于是开始大批抛售股票，致使股票的价格跌落了。美国名记者史坦因指出：股票跌落，是“美国经济恐慌的信号”。一点不错，瓦尔加也如此说：“经验昭示我们，行情方面这样的暴跌，往往开始于经济恐慌到来之前约十二个月到十八个月的时候。”

美国工人失业的情形，也愈来愈多了。在前年八九月间，美国平均每天解雇的工人有二万人到三万人。前年十二月中旬，合众社报导：美国失业工人已达三百余万。去年九月，据外国报纸统计，美国已有七八百万失业者。去年美白宫官员估计，在不久的将来势将有一千九百万到二千五百万失业者。无疑问的，美国工人失业的日益增加，是美国经济、政治生活的严重威胁。

从上面的情形看来，可以充分的证明：美国的经济恐慌就要到来了，大概不会迟于一九四八年，也许要早些；因此，这也就无怪乎美国各阶层都为之震动与惊惧了。

（三）经济恐慌不可避免

美国的经济恐慌是否可以避免呢？肯定的回答：不可能。

任何资本主义—帝国主义制度下面，资本家追求利润的生产，是盲目的，无政府的，完全受市场势力所支配的；其根本矛盾是生产的社会化与私人的占有性，生产量与消费量无法适应，不可能实行计划性，因此就必然发生经济恐慌。当然，我们不能用这种一般的规律就说明了美国的经济恐慌之不可避免，美国还自有其特殊的具体情况。

世界第二次大战以后，世界上许多国家都差不多比战前更穷了，可是美国却相反，在战争中没有受到什么损失反而发了大洋财，使美国的独占资本家获得了五百万万元的战时利润；并且生产力空前地提高了，据统计：美国一九四四年的工业生产量比一九三九年提高了二倍。这是因为美国要满足战争的需要，大量的发展了军事工业和重工业。生产发展，就业人数也就增加，据统计：美国一九四五年初就业人数较一九四〇年增加一千八百万人，几乎没有了失业的现象。就业人数增加，国内人民的购买力因之提高，这也是刺激生产发展的重要因素。但是当战争一结束，军事工业大大减少，资本主义疯狂生产军需品促使他在战争中发展的基础没有了，许多工业要转向和平工业，这时美国就面临着一个严重的生产改造的困难：1. 从前生产军需品，有国家每年达九百万万美元的订货，销路绝不成问题；现在由军需品改为生产非军需品，国家的订货取消了，于是销售商品的市场便感到了极大的困难。2. 使已经生产成了的军需品，现在也因国家定货终止而无法卖出。

现在我们来看看美国的市场情况。首先看国内市场：1. 战争工业转向和平工业的时候，由于生产缩减而必然引起一部分工人失业。2. 美国有二百五十万复员士兵，连同一部分失业工人，现在有四百五十万人靠政府的津贴生活。3. 资本家企图把生产改造中所受的损失转嫁在工人身上，所以便降低工资，抬高物价。譬如美国在一九四五年五月，工人实际工资就降低了三分之一到四分之一。另据美《实业周报》的统计，去年九月初，美国工人实际工资较年初降低了百分之六十。今天美国有百分之八十的美国工人月薪不出二百美元；由于物价高涨的结果，如有四口之家，一月二百元便不够生活。4. 一年来，美国物价平均上涨了百分之七十，币价跌落了百分之三十，美国人民战时数年的积蓄，一下子都跑到资本家的荷包里去了；据《经济学者日报》载：在一九四六年终，一般中等家庭在银行里已经没有存款了。根据这些情况，美国国内人民的购买力是很低落的了，故其国内市场十分狭小。《经济学者日报》又这样写道："商界巨子们都这样担心着：买主们将无力购买这行将充满市场的各种商品。"

其次，再来看美国的国外市场。在第二次大战以后，欧亚两洲的国家都穷了。如英国丧失了她国民财富的百分之二十五，法国丧失了她的财富约二分之一；在欧洲各国目前的总生产量只相当于战前水平的百分之三十到八十；在亚洲以我们中国来说，那是更穷了。因此，整个世界无法供给美国一个广大的市场。譬如去年美国输出最高月份（八月份），其总值仅八万万八千二百万美元；按此最高数目字计算，美国全年亦只能输出一百零六万万余元。自然美国还可以贷款给各国来发展其国外贸易，以便销售美货；但是由于美国疯狂的经济侵略政策，不会扶持别的国家走上经济复兴，同时还存在着大量贷款将来能否本利双收的忧虑，所以他不可能大量贷款给各国。如美国第二次大战后贷款的总额，才不过六七十万万美元；且其中贷给英国的三十七万万五千万元，还要分五年支付；对法、比两国的六万万五千五百万元贷款，还是购买美国之剩余物资的。所以说，这些债务国仍不可能动用大批的美汇来购买美货。据统计：一九四六年各债务国动用美汇来购买美货的，尚未超过十五万万美元。这个可怜的数目字说明了：美国不可能和欧亚两洲发展大规模的国外贸易，美货不可能有广大的国外市场。

现在美国全年的生产总数字已达二千零五十万万美元，但其国内国外市场，只能销售其全年总产量的三分之一强一点，其余几乎有三分之二的商品找不到市场，这样便形成了美国经济恐慌最重要的原因。

引起美国经济恐慌加速到来的，美国的经济政策也至关重要。美国存在着两种经济路线和政策。在战争期中，罗斯福新政的主要之点，是在严格的管制物价和征收过分利得税（在战时利润中划出一大部分充作战费）。这两种措施，曾发生了如下的作用：政府可以利用订货单相当控制商品的生产与分配，缓和资本家的市场斗争，削弱独占利润的数量，平稳物价安定人民生活等等。可是从战争之日起，一些独占资本家的代表们，就不断叫嚣，主张取消一切战时限制物价的法令。到战争一结束，他们更猛烈的进攻。虽然罗斯福新政的剩余人物如华莱士、鲍尔和琼斯等曾抗议物价管制法案的取消，反对通货膨胀等，但是结果，杜鲁门都把那些限制法案一一取消了，金融寡头们获得胜利。于是在疯狂追求利润的目的之下，自由抬高物价，竞争生产商品，降低工资，通货膨胀……一连串的事情发生了，这无疑问的，是加速了经济恐慌的日益迫近。

（四）将带来严重的后果

美国迫近的经济恐慌，将要引起怎样的后果呢？我们可以预计，会发生这样严重的情况：

第一，美国的经济要遭受空前的破坏。美共中委詹姆士·爱伦（名经济学家）曾这样估计：这将不是普通的破坏，它将比可怕的一九二九——一九三三年的大破坏更严重，更深刻。《解放日报》今年的“新年献词”中又指出：“……在下次经济危机之后，就再不能有经济的繁荣……”由于美国现在的生产力与独占资本空前的提高，而与之相反的，其国内外的市场却大大的缩减，这就造成了他不可克服的矛盾。同时战后倒下了几个帝国主义国家，出现了许多新型的民主国家和半殖民地国家中如中国则有广大的解放区，再加上苏联的经济建设与和平民主的外交政策继续不断的胜利，这就意味着美帝国主义的经济活动地盘较战前是大大的缩小了（政治上也是如此）；因此他的经济恐慌来的最快，来了以后，则即无法再得繁荣。至于经济恐慌对美国经济破坏的程度，那将是空前的严重。例如美国去年四月发生的，坚持四个月之久的全国四十万矿工大罢工，就使煤产减少了五千三百万吨，对外输出减少百分之五十，全国各大城市工业交通陷于麻痹状态。六月举行的五十万海员大罢工，则使美国东西两岸各港轮船全部停驶。因此，我们可以预想到当经济恐慌来临的时候，要发生：无数的工厂倒闭、银行关门、交通停顿，高度的通货膨胀和商品过剩，大批的工人失业和罢工斗争……那将是一幅极悲惨的图画。同时美国经此空前的打击后，使它不可能再有新的繁荣。

第二，美国国内展开剧烈的民主斗争。美国的工人阶级和美国的人民，为了提高工资和生活水平，只有用斗争来解决。在战后，美国的罢工运动已日益开展起来：从一九四五年，到四六年已有八百万工人参加过罢工；无疑问的，在经济恐慌爆发的年月里，工人罢工斗争的规模和激烈，也必然是空前的。

在资产阶级的内部，斗争也必然愈趋激烈。在战争期中，金融寡头并吞中小企业也未停止过。据美国参院小工业委员会的报告：有数万中小企业在战争中被吞并了。现在美国有二百家头号公司，其中就有一百七十五家被八大集团控制着；而此二百家头号公司的股东人数，还不到七万五千人，仅占全国人口的百分之零点六；全国千分之一的公司其所有资产，大于全国其余公司资产总数的一半。我们可以看出它资本的集中与独占到了如何惊人的程度。因此不难想象，在战后更剧烈的竞争中，特别是在经济恐慌到来的时候，将有更多的中小企业甚至部分的大企业被打击而破产，这样独占资本家一方面是财富更加集中，另一方面也就更加受到经济恐慌的震撼，表现“外强中干”和愈益孤立了。美国全国人民团结与觉悟，与一小部分反动统治者的斗争，势必日益尖锐化。

第三，英美之间矛盾尖锐化。美国为了建立全世界的经济霸权，正积极地向英国竞争，企图取消英国的经济脊骨——特惠税率制度，来夺取英国的广大市场。甚至在战争的期间，美国已经把英国的经济势力从南美驱逐了。现在实际上美国已统治了从夏威夷到菲律宾与日本的太平洋，美国已将英国的经济地位排出中国，并且插足于英国的印度、埃及和巴勒斯坦等所有的自治领和殖民地。瓦尔加说：弱肉强食与不平衡的发展规律，对于英美的关系是完全适用的。现在英国各阶层人士中间，普遍增长着反美的倾向；工党的左翼不必说，就是保守党的死硬派中间，例如前印度事务大臣阿梅利，亦公开著书反对美国侵略英国，以达到经济上政治上统治英国的目的。特别是不久前英美在中东的斗争而在外约旦爆发了战争，及最近在对日本问题上英国反对美国及同意了苏联的意见等，这些事实都一再证明了英美之间的矛盾日益加深，成为目前国际上最重要的矛盾。那么，在将来美国爆发了经济恐慌，向世界市场疯狂的倾销与掠夺的时候，我们不难估计英、美之间的矛盾将达到更益尖锐的形势。

第四，美国反动派成为全世界人民的公敌。因为美国的经济恐慌，必然要使资本主义国家与殖民地半殖民地国家的人民加重负担，陷于灾难之中；也必然使这些国家的战后复兴工作受到显著的打击，所造成的破坏性使这些国家不会达成经济的繁荣。同时这种打击的结果，一方面会转过来又影响美国经济的破坏更深刻更严重，时间拖得更长；另一方面又将引起各资本主义国家与殖民地半殖民地国家的人民以至全世界的人民猛烈的反对美国，使美国处于“众叛亲离”和“四面楚歌”的孤立地位。

总之，美国即将到来的经济恐慌，一定引起美国的人民、各资本主义国家的人民与殖民地半殖民地国家的人民联合一起，结成世界规模的反对美帝国主义及其走狗的统一战线；这种统一战线从阶级成份来说：则是包括工人、农民、直到资产阶级中的爱国分子、主张和平的分子等十几万万人的极其巨大的队伍。那时候，美帝国主义就再不能神气活现和张牙舞爪得怎样长久了！

（载三月十四日《东北日报》）

二　政治

论华莱士事件
——《解放日报》国际述评

在过去一个月中接连发生了许多重要事件，交织成战后世界局势中最复杂紧张的一个月份，这中间最引人注意的事件之一，就是美国的华莱士事件。

华莱士本月十二日在纽约的演说这样说："各地普通人民从未有如今日之切望和平；然而他们也从来未有如今日之畏惧战争。"他指出：避免战争危险的办法，是取消美国的"对苏强硬政策"，而代之以"美苏和平相处"的政策。关于中国局势，他主张一个统一与和平的中国——建立在该国各党派合作及外国不干涉政策之基础上。华莱士并披露了他七月二十三日致杜鲁门函，揭发了美国政府里面存在着“一种军事思想派”，“此种思想之一派主张一种‘预备战争’，即在苏联拥有原子弹之前，以先下手为强向苏联进攻”。华莱士的演说和信件接触到当前国际局势中最重要的问题，这就是自今年二月以来，美国反动派以李海、范登堡、贝纳斯集团为代表所实行的“对苏强硬政策”，已形成战后世界和平的严重威胁。华莱士的演说和信件，不仅反映美国资产阶级眼光较远大的分子和广大和平人民的焦虑，而且也符合于全世界人民厌恶侵略战争，渴望持久和平的情绪。

一月以来在反动派控制下，美国当局究竟干了些什么勾当，举其荦荦大者：

在中国，美国当局于八月三十一日将价值八万万美元的剩余军火物资售与蒋介石，从一面调停一面援蒋内战的政策走上公开替蒋方说话，更积极的援蒋内战的政策。

在日本，麦克阿瑟于九月二日发表反苏声明，公然强调日本在未来美苏战争中的战略地位，露骨的表白保存日本反动势力，企图将它作为美国在东方的警犬的政策。

在德国，贝纳斯于九月六日在斯图加特演说，要求立即成立德国临时中央政府，暴露了扶植被打败的德国法西斯残余势力的图谋。

在巴黎和会上，迄本月中旬止，由于美方的多方阻挠，和会工作的进展像蜗牛爬行一样，经过了七个星期，仅仅讨论了和约草案的三分之一，修正案的四分之一。范登堡正在挑起新的纠纷，以便造成和会的新危机。

在美国国内反动派从八月下旬以来，尽力散布反民主、反苏以及战争的空气。反动报纸不仅百般诽谤美国全国公民政治行动委员会和美共等，而且他尽力污蔑中国民主势力、南斯拉夫民主政府以及欧洲其他民主国家和党派。美国的新军阀们一个继一个的大放备战厥词，宣布不从中国撤兵、北极以及阿拉斯加的军事演习计划，和平时军火准备等等。

所有这些，不能不引起美国人民空前普遍的焦虑和反对。正因为如此，华莱士演说马上震动了全国，使杜鲁门内阁发生危机，杜鲁门曾经两度企图与华莱士妥协，以便一方面继续执行李海——范登堡——贝纳斯的“对苏强硬政策”，另一方面把华莱士留在内阁里面作为装饰。但是华莱士和平政策与贝纳斯“对苏强硬政策”的冲突，已经引起了军事思想派和反动派惧怕，华莱士的继续留任，将成为他们的政策的严重障碍，因而不能不把华莱士排挤出内阁之外。

在华莱士事件中，反动派好像赢得了一个“胜利”，但是这个“胜利”是暂时和表面的，这个“胜利”正是反动派悲哀的开始，反动派驱逐华莱士一个人出阁，但却给美国人民上了一课，使他们更加觉醒和团结起来，为保卫和平反对战争而努力。这事件供美国人民认识杜鲁门政府在反动派控制之下，违背了罗斯福政策，扫除了“新政”遗规，洗清了“新政”旧人，使美国人民认识美政府当前的外交政策是遵奉着大财阀和新军阀的意旨，妄图独霸世界，使美国推行战争的罪恶政策。这个事件也给华莱士上了一课，华莱士要和“军事思想派”作斗争，就不能不多依靠美国人民和美国民主派。

华莱士事件清楚的表现了在美国今天存在着两条不同的道路。人民要走和平的道路，新兴的军阀——“军事思想派”则要走战争的道路，而今天的美国政府正日益为“军事思想派”的工具，但是美国的“军事思想派”

和反动派是极少数，且是外强中干的，而美国人民与美国民主派则蕴藏着不可战胜的伟大力量。华莱士去职后，坚决为和平奋斗的宣言，立即获得各界和平团体和人士的响应，美国铁路工会且宣布拥护华莱士为下次总统候选人。此后美国人民与民主派争取和平的统一战线运动，不管还有许多严重的困难摆在前面，但是它的前途是极其宽广的，它将逐步排除种种障碍，而获得空前的开展。这个运动在全世界各国人民反对美帝国主义扩张政策的思潮的配合之下，是有力量保卫和平，而击败反动派挑动战争的阴谋与计划的。

（载九月二十五日《解放日报》）

评美国国会选举
——《解放日报》十一月九日时评

轰动一时的美国国会选举结束了，执政党的民主党暴跌为少数党，这是十六年来的破题儿第一遭。

民主党这一失败的原因何在呢？原因就在于杜鲁门政府实行了反动的对内对外政策。自一九三二年大选以来，民主党连续在七届国会选举中占多数，民主党的总统候选人——罗斯福三度蝉联，主要原因之一是罗斯福推行比较开明的内外政策，特别是在战争期间，罗斯福坚持击败德日法西斯，签订莫斯科、德黑兰、雅尔塔诸协定，主张中国民主团结，对内亦施行了相当抑制大资本而较为照顾劳工阶层的措置。因之罗斯福在历次竞选中得到广大的选民的拥护，然而，自罗斯福逝世以来的一年半中，以杜鲁门为首的民主党政府，一步远一步地离开了罗斯福的路线，特别是今年二月以后，在中国愈来愈露骨的执行援蒋内战政策，在世界范围采取“对苏强硬政策”，一再背弃雅尔塔、波茨顿以及莫斯科诸协议，玩弄“原子外交”、“金元外交”，向这国要基地，向那国要“门户开放”，甚至把以“罗斯福”为名的航空母舰派到地中海去吓唬东南欧人民，并在雅典上空由美机排成“FDR”（罗斯福姓名的缩写）示威，简直把罗斯福的声名糟蹋得不成样子。在国内则有杜鲁门的镇压罢工法于先，又有取消多种物价管制而使百物飞涨于后，他如军人跋扈、军费浩繁，并拟实行强迫军训等等，闹得怨声载道，失尽人心，诚如《真理报》所说：把罗斯福挣下来的政治资本花光了。九月间又把华莱士摈出内阁，并取消他作为民主党竞选发言人的资格，此不啻宣告杜鲁门的民主党政府与罗斯福政策最后分家，从而使民主党在美国人民中的声誉，降至十六年来的最低点。虽则杜鲁门、贝纳斯于选举前夕发表冠冕堂皇的演说，甚至开放罗斯福生前演讲的留声机片子以资号召，然亦无济于事，远不能平息美国人民的广泛不满。杜鲁门政府这样的内外政策，直接招致了民主党在这次选举中的失败。民主党在众院中从二四二席跌至一八六席，在参院中从五十六席跌至四十六席，州长从二十五席跌至二十三席，表明了美国人民是如何厌恶现在的执政党，表明他们是如何的反对现政府的帝国主义反动政策。这是美国此次选举之最重要的总结。

共和党在这次选举中占了多数。这是不是表示美国人民多数拥护共和党呢？绝对不是的。共和党跟民主党一样，是美国大金融资本的政党，而且一般讲它的内外政策比民主党更反动。美国全国人口有一万四千万，达选举年龄的选民应为八千八百万，但因各种不民主的限制，登记投票的选民仅五千九百万，而实际参加投票的选民比这还要少，最近统计只有三千五百万，即使其中投共和党票的有二千万，也不过只占全美选民的百分之二十二点七，占登记投票选民的百分之三十四，即是说占选民的极少数，而且其中大部分是被欺骗蒙蔽和威逼利诱的。还应特别指出，美国选举基本上是两党制的选举，第三方面绝少可能提出候选人，所以选民如果对两党都不满，他只有放弃投票一途。这次选举中投票人比前年大选少一千余万，就是因不满民主党而又不愿选共和党而放弃投票的，这和民主党所失去的票数相差不远。这样一来，就使共和党虽然依然获得和前年相等的票数，只因民主党票数减少而获得多数议席。因此，此次选举绝不是像反动派报纸所故意渲染的表示美国人民“向右转”，恰恰相反，它正反映了美国人民正在日益觉悟中。他们不仅厌恶民主党内的反动统治集团，而且也讨厌共和党内的反动分子；他们衷心拥护民主进步分子。此次选举中，国会内三十一个孤立分子中有十八个早在预选中落选了；而许多进步议员，如隆巴兹、麦坎唐尼奥等获得连选连任。这是美国民意所趋的真正标志。

自然，共和党在选举中占多数，意味着美国金融资本的反动集团企图通过它来更进一步地对外扩张霸权、对内进攻人民，美国当局的政策，今后有趋向更反动的危险，这是值得美国人民及全世界爱好和平民主人民严重警惕的。据电讯所传，共和党成为多数党后美国现行外交政策将不变，而对苏强硬政策甚或作某些强化，对英关系由于向主变英国为美国经济尾闾的塔虎特可能出任参院财政委员会主席，有使英美矛盾更趋紧张之势，伦敦《明星晚报》已写道："今日美国选举结束，使英国工业生产的增加愈益迫切，英国对美国反动派胜利之唯一回答，就是站定脚跟自立。"在内政方面，据传共和党将使物价管制撤销，减低公司赋税及私人所得税，并修改所有有利于劳工的立法。所有这些，显然都是赤裸裸的帝国主义反动政策，如所传属实，那么，其结果之一将使全世界反对美国反动派的运动更加高涨，而美国反动派自己则更加孤立。结果之二，如华莱士所说："共和党控制国会的结果，势将使美国经济问题增多。"共和党的反动政策，必然使一般公认不可免的经济危机提早到来及更加严重化，从而更加暴露共和党的反动本质，给美国人民上一次很有意义的课，使那些迄今仍被蒙蔽的人清醒过来，使美国人民一致起来反对它，因此，共和党成为美国国会多数党的一天，正是其可耻的失败开始之时。因此，共和党在这次选举的“胜利”是表面的和昙花一现的。今天美国当局的反动政策，是共和党的反动分子（如范登堡等）所支持和策划的。美国人民一贯反对这种政策：美国将依照人民的意志一天天走向进步。不管反动派如何阻挠，今后美国民主运动是充满着光明的希望，这是无可置疑的。华莱士于选举前已表明，一旦民主党竞选失败，他就行动更自由了，并暗示将为组织第三党而努力。他于选举后又说：“在基本态度上一贯进步的美国人民将转而求助于自由主义的领袖。”美国各民主进步团体最近已建立了芝加哥联系委员会，以加强自身的团结。随着共和党和民主党内反动派的一意孤行，民主党和共和党内部必然更加分化，美国民主联合阵线必然形成和壮大起来。不管采取什么形式，这一联合阵线迟早必将实现，而且必然胜利。

附一：美国今年国会选举及民主党[1][2]

胡骑

今年十一月美国第八十届之选举是民主党当政十四年来共和民主两党最剧烈的一次角逐。罗斯福的逝世及战后经济上的纷乱给予了共和党以夺取国会并随之赢得下届总统的极大希望。

杜鲁门当政以来，共和党以国会少数派纠合南方保守民主党人已有力地阻挠了国会的立法。计杜鲁门提出法案二十余件，搁浅于国会的即有十余件，其被通过的也多半修正得面貌全非。若共和党获得国会或其一院的多数，该党将利用其地位操纵立法以遂行其打击民主党之政治影响及增加自身政治资本的战略，各种社会经济的立法若不合乎该党的战略就难望通过。两党政策虽基本上无所区别；但共和党议员一般反动较多，而民主党议员尚有一些开明分子，故两党在国会中的地位，一定程度地影响美国的内政设施，在一定条件下并影响外交。所以本届国会选举对美国今后政治关系颇大。

[1] 中期选举是两届总统选举之间的一次国会议员的选举。

[2] 本文材料大部系根据美国杂志及年鉴等，此处不一一列举。

有各种根据指明民主党面临着困难的斗争。

两党现势

就两党争夺之中心——众院来看。本届议席总数是四三五，除四个空额，其分配如下：民主党二三八，共和党一九一，进步党一，美国劳工党一。不计空额及进步、劳工两党席位，两党的差额为四七。这是一九三〇年民主党掌握众院以来中期选举（即两届总统选举之间的国会选举）中差额最小的一次。共和党只需再增二七席，即可获得众院确定的多数（二一八席），也是一九三〇年以来，中期选举中，最为接近的一次。实际上，国会议员的投票并不完全遵照党的路线，而尤以民主党方面更为显著。在本届众院中，据统计有三六名民主党议员在投票中通常追随共和党（共和党议员之常追随民主党方面者则为一〇人），因此共和党在众院所占实际势力较其数目字所表示者为大。此种情形在下届议会亦难避免。

罗斯福逝世后，民主党即发生下届选举的恐慌。四〇〇〇〇〇〇〇无组织之职工（包括农业工人，公司、企业及政府之雇员及其他非工会职工），原以罗斯福为归向，今天民主党即失去控制。其中七〇〇〇〇〇〇农业工人除一度曾为罗斯福新政卷进民主党阵营，一向拥护共和党，其他三千余万独立职工亦较为保守。杜鲁门威信还不足以确保这类选票。民主党国会议员中城市与农村（亦即工业与农业）地区矛盾表面化，形成了众院中保守民主党人与共和党人之反杜鲁门立法集团，要删除杜鲁门政府所提出的法案中某些较带自由主义色彩的法案（本来也就不多）。此种战术使民主党负责竞选的全国委员会主席汉尼根颇感棘手，因在杜鲁门的施政中，较开明的立法犹如凤毛麟角，而部分较开明的立法一向是笼络广大中下层选民的有效手段，也正是罗斯福成功的秘诀。

但最损伤民主党竞选基础的还是杜鲁门自其当政以来在一四五〇〇〇〇〇有组织工人中所激起的愤懑。杜鲁门在战后罢工纠纷中纵容或偏袒雇主的态度，保证大企业战后利润的立法，允许大企业在增资以后提高商品价格的规定，实际对业主无损而拖延罢工运动的事实调查立法，政府接收罢工工厂以军队破坏罢工的措施，以至最后杜鲁门在铁路工人罢工中紧急要求国会赋予宣布罢工为非法及判处罢工领袖徒刑以至拒绝复工工人服兵役的权力，诋毁罢工领袖，促成了有组织劳工与杜鲁门关系的最后破裂。同时也扩大了民主党内部左右翼的分歧。各派职工会重要领袖自左翼的库伦，汤麦斯至希尔曼，莫莱以至右翼的格林，民主党中的自由派（伊克斯、摩根索等）以及各种报纸自《工人日报》至《下午报》以至保守的《华尔街日报》，均一致起而抨击，斥责杜鲁门此举是走向独裁、法西斯的措施。工人更集会抗议：高举打倒杜鲁门的标语。共和党右派分子亦趁机叫嚷，加以打击。这些大大损伤了民主党在有组织劳工中的政治影响。虽杜鲁门后来在汉尼根等的建议下否决了凯斯反对罢工法案，也未曾挽回局势。

民主党在其基本选民中政治影响的降低，相对地就加大了共和党胜利的机会。

选举规律

参照过去选举的规律，五十年来众院权力的转移无一不与经济的不景气相关联。尤其是当中期选举举行于经济不景气或其余波之中时，常使当政的政党失去众院的控制。

战争结束以来，美国虽尚未发生严重的经济危机，但不断的罢工浪潮特别是钢铁、煤炭、铁路工人的麻痹性的大罢工，数百万的失业工人，战后市场的巨大需求与生产负荷不足、供应奇缺之矛盾，物价的飞升及通货膨胀危机等等，已使国内经济相当不安。物价则因战时管制的取消，飞速上涨。所有这些因素均将影响选举。

除此以外，过去的选举还显示另一巨大特点，即中期选举中参加投票的选民数目，往往减少，而其结果则为执政党在众院议席的减少。一九四二年中期选举，投票数目自一九四〇的五〇〇〇〇〇〇〇人（选民总数为八千万）降至二八〇〇〇〇〇〇人，而民主党在众院议席即自二六七跌至二二二，同时共和党的议席则自一六二增至二〇九。

正唯其如此，所以民主党竭力企图保持经济稳定及争取更多选民并且首先是有组织之工人参加投票。因为他们在四三五个选区中约四分之一地区占着举足轻重的地位。从下述情形可知：

决定因素

民主党的根据地是在南方诸州。其中得克萨斯、路易斯安那、密士失比、阿肯萨斯、阿拉巴马、乔治亚、佛罗里达、南卡罗林那、北卡罗林那及弗吉尼亚等十州是民主党巩固的基地。自一九三二年以来，该十个州全部九五众院议席一直为民主党所有。故有“民主党南方”之称。在此以外，阿利桑那、新墨西哥、犹太及内华达四个州，自一九三二年来一贯为民主党所有，议席共计七个。南北交界区的肯塔基、俄克拉荷马及田纳西三个州中除个别选区历史上均倾向共和党以外，整个仍处在民主党的优势之下。最盛时曾占有其二七众院议席之二五，本届众院中民主党占有其二二席。除此以外，有北方的罗得岛，该州二个议席除在一九三八一席为共和党所占外，亦自一九三二以来属于民主党。上列十八州合计一二六席，民主党认为可靠。但民主党所需的其余议席就全赖十余大城市及北方的工业区了。因共和党亦有其北方工业区的根据地。此类城市及工业地区集中于纽约、伊利诺斯、宾夕法尼亚等十余中心工业地区。工人占其选民的大部。而民主党在此地区的选民又大部系工人。因此工人选票在两党的竞争中举足轻重。若工人改变态度无疑将决定民主党的失败（此种可能较小），即使他们并不转向共和党而仅由于对民主党热情降低，干脆就不愿牺牲自己工作时间参加投票，即足使民主党遭受失败，因共和党在此地区中的选民主要为商人及专门职业者。

民主党所处的形势决定了它的战略在于争取一四五〇〇〇〇〇有组织工人中尽可能多的选民参加投票，其他数千万职工，虽数目巨大，但成份复杂，又无组织、散处全国，在左右全局上作用不及团结集中的工会工人巨大。

民主党的部署

根据这样的战略目标，民主党进行了各方面的活动。

立法斗争是重要环节。此处两党斗争颇为剧烈，民主党所采策略可由今年来在劳工与物价管制的争议上杜鲁门之对策见其大略。

在劳工纠纷上，杜氏一方面以政府干涉缓和或破坏罢工，一方面又故作亲善，自认为劳工之友，同意若干工资的增加，而又以允许业主提高商品价格抵消业主的损失。

在物价管制上，杜鲁门始终为避免因物价管制的突然取消而引起物价的飞涨，招致工资及薪金阶层（民主党的基本选民）的反对，要求国会延长物价管制局寿命。但国会共和党人纠合代表南部农民利益的民主党人几番阻挠，杜鲁门亦曾装模作样的要保持物价管制，图赢得工资阶层的好感。但是在后来，特别是最近，杜鲁门维护大资本利益终于暴露了。他连接取消了几种重要的物价管制，以致物价暴涨。劳工大众不堪其苦，大有大规模罢工的可能。

在外交上，最近贝纳斯、杜鲁门发表了几次演说，堂皇其词，图挽回国内对其对外政策的普遍不满，除此以外，民主党亦进行积极的组织活动。今年以来即从事重建及加强该党的州、郡支部。此外并成立全国及州郡的训练班以训练候选人及工作干部的竞选技术，许多民主党阁员、议员、领袖及重要人员的妻子均参加受训，以便推进工作。组织州郡的妇女训练班，推动妇女参加投票。此外还成立以数百万退伍军人为对象的青年民主俱乐部，在各州展开活动，创设退伍军人纪念基金等吸引退伍军人。

除了本身的组织活动，民主党并竭力与政治行动委员会建立联系，因产业工会联合会的政治行动委员会在四四年选举中证明在动员劳工选民上颇为有力，今年亦已展开有计划的活动，恰为民主党所切需；全国公民行动委员会虽是新成立的组织，亦已在全国广泛展开活动，已在若干州设有州委会。其活动深入下层，方法切实，影响甚大，而其活动范围远较产业工会政治行动委员会广泛，恰可补其不足。因此汉尼根对之甚为重视，不顾党内保守派的反对，经常与之来往。以伊克斯为主席的艺术、科学及就业独立公民委员会，基金丰足，会员中知名人士不少，而且宣传方式新颖，颇受欢迎，亦在汉尼根拉拢之列。

选举前途

民主党虽竭尽全力布置竞选，前途仍不完全乐观。民主党依靠于职工的选票，而劳工的不满未因凯斯法案的否决而消除，杜氏施政亦尚未博得独立选民完全的拥戴；民主党寄希望于经济的繁荣，而生产与需求的巨大矛盾无法解决，货物仍然奇缺，物价的继续上涨已属无可避免；各方对杜鲁门当局现行的对苏强硬政策，对华政策多表不满。各业又有再度罢工之危险，新的罢工高潮又在逼近。许多征兆预示民主党前途之黯淡，对此，即民主党内部亦日益悲观。据传华盛顿心虚的民主党人已在寻找栖身之所。民主党目前的困难处境，是它政策之日益反动的倾向之必然结果。

（载十一月二三日《解放日报》）

附二：从选举中看美国的“民主”

一

甲：明天美国就举行国会选举了，据说已登记的选民有五千九百多万，这该是很民主的选举吧?

乙：五千九百万这个登记数目似乎是很大的，但实际参加选举的据一般估计不会超过三分之一。而且你要知道美国共有一万四千万人口，算起来已登记选民还不到全人口的一半，而法国则是一半以上哩。有许多美国人是被无理剥夺选举权的。

甲：美国宪法上不是规定凡年满二十一岁以上的都有选举权么？怎能被剥夺呢？

乙：宪法上的规定是一回事，实际情形又是一回事。美国有一州——南卡罗林那州全部合选举年龄的人中只有百分之五实际上有选举权。其他许多州的情况也差不多。其中原因很多。例如，许多州有限制穷苦人民投票的规定，那就是人头税。要纳人头税才能投票，每年每人税额自一元五角至四元五角美金不等。在弗吉尼亚州，想要投票的人，必须于选举前六个月每月交一元半美金，假如你过去虽达选举年龄，而没有钱交纳人头税，因此也不能参加投票，在今年要想投票，那人头税就得从投票年龄那时候算起，必须将历年积欠还清，才能有投票资格。你看这是怎样的一种“民主”呢？

甲：还有其他限制么？

乙：有的，又比如有半数以上的州规定，不能读和写的人便没有选举权，还有许多州里，办理选举的民主党或共和党的党老爷们，还可以跟那些反对他们党的选民作难，要那些选民正确的解释宪法条文，如果他们认为解释得“不正确”，就无权投票。这些规定对南方各州的黑人最为不利。

甲：啊，说到黑人，使我想起了前些日子报上登载虐待黑人的事情了。

乙：是的，美国有黑人一千三百万，大部居处在南部各州，差不多都是雇工或佃农。黑人中百分之四十四是文盲，他们大都被剥夺选举权。大资本家大地主们用一切办法阻止黑人参加选举，今年夏季预选时，乔治亚州一个黑人投票以后，即被四个打手从背后用手枪打死了。田纳西和佛罗里达州也同样发生了投票黑人被枪击的事情。据罗斯福时代人头税调查委员会的统计，一千三百万黑人中，有六百万到了投票年龄而没有投票资格。大地主大商人们还有一种对付黑人的办法，例如杜鲁门的故乡密苏里州的一个选区，形状非常奇特，划得弯弯曲曲的，其边界长度竟比全州的边界还要长，为的是把黑人划在一起，纵使黑人都能投票，也只能选出一个众议员。这种办法也被用来限制工人。

甲：照你这样说来，美国选举根本无丝毫民主可言了。

乙：那也不能说。这次战争以来，工人政治觉悟已大大提高，对于竞选运动起了很大作用。如一九四四年选举时，由于产业工会联合会的政治行动委员会的活动，使罗斯福能以四百余万票击败了杜威。有组织的工人团体，正在不断的努力争取民主，而且获得了不少成就。废止了许多州的人头税，他们教育选民分清敌友，劝告选民进行登记（规定选民需事先办理登记，才能投票），并引导人民踊跃投票选举民主进步人士。今夏预选中，许多反动议员的落选以及害怕失败（如鲁斯夫人），而不敢参加竞选，而政治行动委员会所支持的竞选人则已有十六人获胜。这都说明着工人及进步人士力量与影响一天天壮大与发展。

二

关于美国这次竞选，本报发表的消息中，主要都是说到民主与共和两党的活动，这是因为美国政治中两党制至今尚未打破，所以竞选也以民主共和两党为主。原来自美国立国以来，政权就为这两个党所操纵。

无论是民主党也好，共和党也好，它们的竞选费用，都出自它们幕后的主人，正如《美国政府手册》一书所说："它的经费大部分是从与商业有关的人们处得来，那些人是获得保护关税，或从政府处得到别种优惠或希望免除某种限制与要求低税率的富有者。”例如自一九一九年起华尔街在辛克莱石油公司的海斯主持下，即开始为共和党筹集竞选经费，所有各银行公司的经理董事与重要职员，都有捐献，每人自百元至千元美金不等，所以一九二四年共和党的竞选经费，据参院及各有关方面调查统计，共达一千万元之巨。至于无账可稽的，那就更不知有多少了。

两党制是统治阶级操纵美国政治的工具，也是扮演美国民主的双簧角色。统治者利用各种方法妨碍第三党的兴起，如北卡罗林那州就规定第三党候选人须有一万个积极活动的党员签名申请。经州政府批准才能成立，就是一个显著的例子。然而妨碍自妨碍，资产阶级的如意算盘并不能打得那么如意，民主共和两党以外的党派还得有人民拥护与支持，而且在个别州区比民主共和两党的当选人票数还多得多，占美国人口十分之一的纽约市二十个参议员中就有两个美共党员，而且其中一个黑人领袖叫戴维思，他的票数是各党当选人中最多的。这真是资产阶级看着无可奈何的事。

三

美国的两党制不仅旨在防止第三党的兴起，而且还阻止两党内进步分子当选。近的如纽约州共和党众议员鲍尔温比较进步，竟不容于该党州主席库尔兰，库氏今年竟命他退出政治生活，当被鲍氏拒绝。乔治亚州民主党曼金此次参加竞选，即因该党州委员会巧设奸计，改用分区制，废除多数制而遭受失败，曼金也不服气，她自己乃组织机关，进行竞选，反对该党州委的决定。远的如南卡罗林那州民主党员马克唐纳（进步的大学教授）本可当选为州长，但他的选票竟为反动派设法销毁。大文豪辛克莱本可当选为加利福尼亚州州长，也因反动派施用同样诡计，而不能走马上任。

美国一切有利的竞选物质条件，如报纸、广播、电影和广告，都操于大财阀手中，可以制造有利于他们的政党与候选人的“社会舆论”，以迷惑一部分认识不清的选民。代表大棉农与大地主的比尔波（密士失必州议员，最反动的反黑人专家）则完全是靠人头税、靠偷票和金钱运动才侥幸当选。而阿拉巴马州的波伊金之当选，则靠金融寡头的司令部——全国制造家协会与美国总商会的支持，再加上卑鄙的舞弊。美国大财阀们在两党中都有其代理人，比方说，摩根财阀，他们不仅捐款给民主党竞选，而且也捐款给共和党；军火大王杜邦、煤油大王洛克菲勒、铝业大王梅隆也是这样。因之不管两党中哪一党占多数，都为他们效劳。

然而事情的发展并不照着反动派的想望与企图进行。著名进步议员德拉西和政治行动委员会支持的十六个竞选人，在今夏预选中还是胜利了。而反动的孤立主义者惠勒、惠利斯和希普斯特之流，反而为人民唾弃，名落孙山。

（载十一月四、六、八日《解放日报》）

谁操纵美国外交
——余去译自《大西洋》月刊十月号

华府官方正担心地注意着国务院将怎样设法维持它对外交政策应有的控制。按规定，国务卿有“秉总统之命决定政府处理国际问题的主要责任”，可是事实上职权却已悄悄地发生了奇妙的转移，国务院的权力已被迫分给了下述两个主要的机构——“混合参谋首长会议”与“参议院外交委员会”。

国务院职权落入“参院外交委员会”这趋势重要性较小，部分由于去年国会方面的跋扈。但主要系由于罗斯福为了避免重蹈第一次世界大战后威尔逊总统覆辙的缘故。

罗斯福总统为了使有权势的参议员们事先承认任何可能决定的和平方案，各次预备性的谈商，他都尽可能令参院外交委员会参与。在罗斯福当时原是一种巧妙的政治策略的运用，可是到了今天，外交委员会的权力就尾大不掉，委员范登堡已成了贝尔纳斯的教唆者，这特别是由于当年的总统可以德威震摄委员们，而这时他的继任者杜鲁门却只能听委员们摆布了。

至于混合参谋首长会议，由艾森豪威尔、尼米兹、史巴兹与李海等陆海军人组成，对外交日趋增大的控制，情形更加严重，他们对于外交政策的决定完全依据有关美国利益的局势的估计或“重视”，因此任何局势发生，美国现在会有两种打算，一种出自国务院，一种出自混合参谋首长会议，而两种打算多半歧异，这就是美国的“二重外交”。

按李海海军上将为总统的军事顾问，可以说是混合参谋长会议驻白宫的代表。混合参谋首长会议对总统深巨的影响，就通过李海而发生作用。李海同时也就是“全国情报总署”的负责人，而总统杜鲁门在第一次世界大战时当过兵，因此对于军人似乎还保留着本能的服从。

将军充外交官

熟悉局势的观察家，同时指出目前对美国外交政策发生严重考验的地区有五处：苏联、德国、奥地利、中国与日本，而这五处的美国代表就完全是军人，他们是艾森豪威尔前参谋长史密斯中将，以前的陆军副参谋总长麦克奈纳上将，奥境美军司令克拉克上将，马歇尔元帅与麦克阿瑟元帅，今天对上述五处美国政策作骨干的决断的也就是他们五人。自然这五人中间多数不与国务院而与陆军部取联系的。

观察家们又指出美国对拉丁美洲最近最激烈的一项

事件，是杜鲁门总统要求通过组织西半球部队的咨文。这咨文的内容，系由美国军人所操纵的“泛美防卫委员会”所设计，由陆军部所推动，而白宫就不顾国务院抗议完全接受，国务院后来就设法在国会里抵制这个计划，使国会将该案由“必办”法案的表中撤出，让它停留在委员会里。

谁在侈谈对苏一战？

不过，国务院与混合参谋长会议虽有对于掌握外交政策的争执，但是对于与苏联不免一战的观念却并无轩轾。两方面都有悲观派与乐观派。而一切显然以求战思想为根据的政策，都可能系出于陆军部的希望。

但是据说艾森豪威尔与马歇尔等人还毅然反对好战的侈言，而指出与苏联合作尚有可能。艾帅说过：“我们必须认识，我们当前只有两条路，不走向民主就是全世界的毁灭”，而且“诉诸武力的结果除困苦、忧愁与争吵外，决无其他收获”。

国务院方面同样也有赞成对苏一战的人员，不过占优势的还是主张对苏强硬而不挑战的一派。一年以前苏联任何行动，国务院里照例有麦克里希与艾奇逊等作种种好意的解释，可是现在艾奇逊与麦克里希的地位都已经隐落（译者按：麦克里希业已去职，艾奇逊的副国务卿也已经由于增设了一位专管经济的人，副国务卿的地位也削弱了。新升的副国务卿是大财主克来敦）。几个月来，艾奇逊显然已与贝尔纳斯一致，赞成强硬政策。这一点多半与前任副国务卿格鲁有关，格鲁在一九四五年就已经大声疾呼，主张对苏强硬，不过那时候毫无效果。

贝尔纳斯是以拙于组织出名的国务卿。

他惯于与少数幕僚一起工作，不善于运用专家顾问，他携同专家团出席重要国际会议，曾几次在情绪方面闹得很坏，在贝尔纳斯出国时国务院由艾奇逊代理院务，可是他也没有进行激烈改组的权力。

艾奇逊是个机智而聪明的人物。但是他颇受主管行政的助理国务卿罗塞尔牵制，罗塞尔因系贝尔纳斯过去执行律务时的同事，又是贝氏主持战时动员局时的亲信部下的缘故，他与贝尔纳斯比艾奇逊接近得多。

（载一月九日《东北日报》）

美国财阀与美外交政策

米利于洛夫著

美国实业家协会，在一九四五年十月于亚波雪肯召开了一个会。与会者有六十六个美国的大工业家与金融寡头。连续开了三天秘密会议。会后也没有发表过任何决议与协议。

这次会议规定了独占者们战后政策的总方针，并讨论了集中整个美国资本主义的经济与军事力量去影响世界政治与经济发展的方法与手段。虽然这次会议的内容未宣布，但在这次会议后，美国政府全体人员的更动，以前和罗斯福总统合作的阁员都相继离阁，以及美国国会全盘的“残酷”政策中，又恢复了故罗斯福总统在战前的外交政策——如“金元外交”、“大棒子政策”等，不难推断亚波雪肯会议制订美国政策的总方针，是命令美国政府建立统治世界的远大计划。

还在罗斯福时代，美国帝国主义御用学者就宣称二十世纪是“美国的时代”。现在他们大声叫嚣的自夸美国乃是和平之神——“亚美利坚的和平”，而反对在罗斯福参加下而完成的世界建设方案。如果以前反复地认为巩固苏联和盎格鲁撒克逊列强的合作乃是巩固世界长期和平的主要条件的话，那么现在美国外交政策的新方针，则是基于尽人皆知的“原子外交”露骨的武力政策。美国现行的外交政策很明显地从他的代表们，在巴黎和会，在安理会，以及在其他一些国际会议上的演说表现出来。

美国财阀不愿意让他在战时所达到的极高度的利润降低，否则他们就力图去造成它。前美国军火生产部长纳尔逊与海陆军军需部曾为白宫作了一个有意义的报告，劝告美国保持很大部分工业再从事制造各类型武器。从这个目的出发，他图谋在军事工业中集中大部分机器及机械设备为直接进行军火生产，除此而外，他还计划在已转为制造日用品的工厂里保存“军用品的工厂”。纳尔逊同样建议必须在国内许多区域建立军事工业，为了完成这个任务，给这些工厂以基金及立法是必需的。据华盛顿美联社记者的报导，纳尔逊在他报告提纲后又附加了他自己的意见，使该纲领远超过第二次世界大战美国工业资源动员的计划。

纳尔逊的计划乃是为从事于军火生产的大财阀开辟了新的致富的前途，同时也是用以达到增加美国军事预算，为继续阻止美国军队的复员，为新大陆的武器输运到海外去。美国军部对纳尔逊的计划非常重视。这使得他们得到很快地来处理以前所制造的，而马上就要变成陈货的剩余物资，和由于大量新的军事订货而使工业继续不断地工作成为可能。

最近美国的出版物公布政府的小军火企业团体的报告，这个报告里小公司暴露了那些在战时纳尔逊特别照顾的大公司的贪婪。根据该报告的材料，被大金融集团，特别是在摩尔根与杜邦集团控制下的大公司，垄断了政府的军火订货。在报告中写道：

> 一百个大公司接受美国总军火订货百分之六十七点二，其总值为一千七百三十万万美元，而使他们获得高度超额利润。在摩尔根与杜邦集团所控制下的通用摩托公司获得差不多一百四十万万美元，即百分之八的订货。不到百分之四的公司，获得所有工业公司利润百分

之八十四。

大公司为了要保持与增殖巨大的利润，他们需要一种指导他们继续巩固国内外独占地位的政策。在国会中，财阀们的代表们，坚持反对规定政府管理工业，甚至轻工业的一切法案，而为某些美国经济学家所提出的一些个别的工业部门国有化的法案也被拒绝讨论。财阀们利益的保护者仅仅承认一种控制形式，那就是财阀们本身控制美国及全世界一切工业与对外贸易。他们时刻不忘地设想一切新的方法和手段，以期达到这种目的。

大公司与银行出版的美国财政周刊《巴尔伦斯》，发表了一个同样的计划，谈到关于经过国际复兴银行的工具，而使许多国家的财政经济服从于美国财阀们控制的政策。按《巴尔伦斯》的话说，这银行除了负有发行纸币及公债外，同样的，还执行国际“经济政策”的作用。正如《巴尔伦斯》周刊所指出的，这个银行在世界上许多国家都有代办及分行，他力图在经济上限制一定国家的主权，也就是他们想去控制其他国家的预算，并取得法律上的承认，这样，再借助于适当的价值确定保险证券的方法，美国商品就容易浸透到各国内地去。该周刊写道：

> 由于外债及汇兑交易的活动，可能发生较前任何时候更峻严的崭新的手段。

《巴尔伦斯》周刊指出，银行代表同样企图去干涉债务国的内政，他的义务是：

> 任何国家获得银行的借金，不得滥用及作政治的投资（换句话说，是为民主的利益）。没有一个债务国政府有足够力量去摆脱国际银行经济的制裁。

这样，当国际复兴银行建成后，它就会变成巩固摩尔根集团对新旧大陆上的许多国家经济的统治，同时又支持世界上的反动派。如果这个计划实现，得到它对财政上帮助的国家，换来的却是人民与国家重大的损失，因为它不仅付出很高的利息，同时损失的乃是国家经济的独立。

很值得指出的，即美国独占集团紧接着丘吉尔在福尔敦演讲的叫嚣以后，便专心致志于国际复兴银行建设的计划。那个演讲是很明白承认英帝国主义准备了在现在国际政治舞台力量对比关系上，成为美国财阀在实现他们扩张政策的配角，丘吉尔建议成立英美经济、政治、军事同盟，事实上是英国请求参加美国计划的一股。

美国财阀们非常晓得，为什么英国现在依赖美国。丘吉尔在福尔敦演讲后，英国便获得美国的借款，证明着强有力的美国财阀集团有充分办法保证在经济上去影响于英国本身及其殖民地。英国在世界列强中作用的削弱，是大有助于美国财阀们继续进攻英国在世界上经济地位，而英国则被迫同在拉丁美洲，在中国等等市场的胜利者——美国重修友好。现在英国在“美英合作”旗帜下企图为保持自己在近东、中东以及在西欧的地位而斗争。

在目前控制鲁尔与莱茵工业区的最大财阀们，他们选好为保证英国在欧洲的势力而着手建设唯一的经济基础。他们知道，不处理德国问题是不可能的。不久以前，

《经济学家》杂志曾讨论在德国西部经济统一后，什么条件对于保护英国的利益是必需的时候指出，基本条件乃是鲁尔的恢复，以及西欧由于法国的帮助创造广大而自给的市场。然而鲁尔的恢复是需要时间与投资。这方面，美英之间发生了很大的竞争，他们双方都在力求较巩固地顺利地去取得控制德国西部占领区主要经济命脉，为此目的，他们利用德国财阀的康采恩与他们所有的资源。

大家都知道，不论是英国或美国决不焦急去实现波茨顿会议关于消灭德国独占——卡特尔、托拉斯、康采恩的决议。在美国财阀们的亚波雪肯会议后数个礼拜，在一九四五年十二月十一日，美国国务院公布“关于德国赔偿与和平经济”的声明。这是第一个官方文件，证明了美国外交政策准备拒绝波茨顿会议关于战后建设问题的决议。其中坚主限制把德国工业装备当作清还赔款而被搬走。在声明中强调着，即美国关心于为出口业而生产的某些德国工业部门重新动工。除此以外，美国务院要求规定德国钢铁工业的生产能年产八百万吨钢，而同样地要求恢复许多化学工业部门。

在最近几个月来，美国国会及德境美行政机关对德国的管理都是执行一九四五年十二月十二日美国国务院的声明所规定的方针。在一九四六年三月，当联合国管制德国委员会在柏林讨论限制德国生产时，美国代表提议制定德国钢铁工业生产的量，已不是年产八百万吨钢，而是年产九百万吨钢。在五月二十五日，驻德之美军副指挥官克礼依将军就下令停止从美占领区搬运工业设备去清还苏联及波兰的赔款。克礼依将军宣告，停止在赔偿目录上所记载的撤搬一百五十个企业，和为增进德国西部间贸易而应加以利用并增加以前被指定撤毁之钢铁、机器建设、化学工业的出产。

这种政治方针，从贝尔纳斯在斯杜特卡尔特的讲演中，在巴黎外长会议上，在对德问题建议方案中，同样可以找到他的表现。

美国财阀集团他们企图不仅帮助德国反动力量保持在国内政治经济生活中的影响，而且要联合这些力量。这个政策是实业界直接鼓励而成的。关于这，我们应有足够的认识，还在六月，德国美占领军总司令马克礼利宣告允许美国工业界直接与德国公司发生商业关系。马克礼利将军在其废除与敌人禁止通商的声明中，批准与德国公司订立契约，包括归还以前被没收的德国企业。他们这种方法之直接目的是意图从恢复德国重工业与出口业以获取利润。同时不可置疑地，德国帝国主义的再生是美国财阀集团阴谋达到统治世界远大计划的一部分。

美国占领当局煽动英国当局宣布“停止消灭德国康采恩与托拉斯的行动”，虽然这种行为在英占领区还未开始实行。关于统一德国西部占领区经济议案，英国最大的报纸《财政时报》对英法债权者表示了恐惧，他恐惧美国通过经济统一的手段而从英法手中攫取绝大部分的利益，而利于美国的财阀们，美国财阀很注意德国的康采恩，和收买德国的康采恩。在这种情况下，《财政新闻》断定英国方针如下：

> 这使我们除了顺水而流与参加美国的计划外，别无其他的道路。

这样掩盖在恢复德国经济统一口号的所谓“占领地

区间经济合作”的烟幕下，英美间为管理德国而发生了经济斗争。然而，我们必须了解，在“统一”口号下，绝不是波茨顿会议所规定的民主统一的德国。民主统一德国的基本前提乃是消灭德国的财阀与国家军事主义。可是英美关于德国经济统一的计划真实的目的，乃是恢复财阀对全国国民经济的控制。

这里我们仅论及美国垄断集团所规定的外交政策方针的若干方向，这些集团想用“金元外交”来达到统治战后欧洲的建设和国际关系的发展。

大财阀们的兴趣是企图不断地扩张，而美国目前在中国、日本、中东、近东和西半球的政策，就是实行他们的意向。但是现在美国经济的扩张，同样是用军事手段来加以巩固，近在中国的事件乃是确实的证据；同样的，拉丁美洲各国的现势也是最好的证明，美国财阀们不仅要使农业的国家变成强大的美国的附属物，而且要把他变成美国为统治世界而斗争的战略前哨阵地。

美国外交政策现在的方针，他的目的，以及实现他的方法，已惹起美国广大阶层的人民不满，引起美国在朝政党——民主党内部的反对。不可置疑地，这种政策的继续，显然地，是和一切爱好自由民族的共同利益相违背的，这种政策不可避免地不仅要惹起作为美国扩张政策对象的国家的反对，而且要遭受金元祖国内部的反对。

（高名瑄节译）

美国军国主义的滋长

加拉克亨诺夫将军（苏联）著

第二次世界大战以前，美国的军队是由正规军、卫戍部队及有组织的后备队（军官后备队）组成的。在一九三九年的七月，美国作战部队的总数，仅有十七万四千人。由第一次世界大战建立起来的征兵制，到一九四〇年的九月才恢复。

在德国和日本被击败以后，美国的军队作了局部复员并开始和平建设。陆军部长柏德逊于今年十月上旬在旧金山的一个会议上说：美国计划建立五百万的部队，其中包括正规军和后备部队。正规军的数目约占一百万。

美国空军总司令斯巴兹十月八日在芝加哥空军人员会议上发表演说，他极其强调建立强大的陆军以及特别强大的空军。他说："只有空军才能够保护我国，使其避免由北极来的攻击。"

斯巴兹将军认为越过北极的攻击是不会很快就到来，但是在他的发言中却判断：这种攻势准备着攻击世界的各部分。他说亚洲、欧洲以及美洲的工业区，都在彼此的飞行圈内，并且说B－36轰炸机就能载着重镑炸弹往返一千英里。斯巴兹将军的意思，在"美国的自由只有用武力来保持"一语中，表现得最明显了。

斯巴兹将军的演说，像其他很多类似的一样，是暴力政治的反映，金融巨子及军需人物正竭力想用它来压制美国人民，曾周游各地且具远见的人士认为：暴力政治是违反故总统罗斯福所申述的国际合作政策的。头脑清醒的政治家们很清楚地知道，暴力政治是危险居多的。罗斯福接近的同僚，前商务部长华莱士最近写道："建筑在谅解基础上的和平是持久的，建筑在武力基础上的和平绝不会持久。”

暴力政治对于整个和平事业是危险的，这是谁也不会否认的。但是他们却追求对国家最危险的暴力政治。

过去的经验肯定的证明：一个国家醉心于扩张军力的话，这也是内部衰弱的征兆。这在军国主义最近的历史中，希特勒、墨索里尼以及日寇的失败，都证实了这种弱点。

但反动派现在却仍想将这种破产的制度强要美国人民接受。这是和美国人历史传统相对抗的。美国人们知道本国历史，即当北方反对南方之解放黑奴战争的初期，他们当时在军事方面非常弱，但是他所实行的战争是正义进步的战争，因此他们在战争过程中发展了更强大的军队，并取得战争的胜利，而垄断资本的发展，必然使美国对内对外政策趋向军国主义。但是：第一，直到今天美国资本还是着重于经济浸透的扩张，而不是明目张胆的军事扩张。第二，美国不需要建立一支巨大的武装力量，因为在美洲大陆上没有一个国家在军事方面可以与他竞争，而美国人民经过长期战争后也更日益厌倦军营生活。

第二次世界大战刚结束，在美国就发出取消征兵制的呼声。在上议院的讨论中更最明显反映了国内人民的这种情绪。很多议员反对建立庞大常备军的计划，这使政府延长征兵制到一九四七年三月三十一日的法令发生很大困难。

当然，每一个国家在保护国家的安全是必须有军队的。但是某一个国家武装力量的发展超过这个限度，而成为压迫、恐吓、威胁其他民族的武器，这便是军国主义的开始。

今天美国不需要有这样庞大数目的军队，美国人民要求迅速复员，美政府无法向人民解释为什么美军直到今天还驻扎在中国和菲律宾？为什么要在欧洲扩大美空军的力量？据报载：美国在欧洲建设五百架航空堡垒的新空军，美国人民要负担这笔巨大的军事开支。

根据美国动员与复兴局负责人的材料，海陆军的开支占今年财政总预算百分之四十五。

拨给陆军的军费几达七十五万万美元，拨给海军的军费计六十五万万美元。在预算中同样拨一万九千五百万美元充当在阿拉斯加、马利亚拉纳群岛、菲律宾、夏威夷等地建设永久军事根据地用。维持旧有的军事基地用费尚未包括在内。

这些远离美洲大陆的军事根据地，没有一个人敢肯定地说它是防卫性质的，在接近东亚海岸的军事基地，却显示着美空军控制东亚的企图。同样在靠西欧及在南美建筑的军事基地，其企图亦不言自明。

美国反动派的出版机关叫嚣着关于“从空中攻击美国”的危险，特别是“从北极来的危险”。这种叫嚣是有目的的，其目的在于使美国舆论承认通过军事法案是必需的，并掩盖他们进攻的性质。现在美国出版界关于阿拉斯加的谈论特别多。派遣部队及军官们到阿拉斯加去，使他们在那里锻炼在北方气候条件下从事于军事活动。但这仅是一个细节。

美国在实施建立基地与改组美国武装部队的政策中，很着重空军的建设，建议成立单独指挥的空军，从美国百万正规军中抽出四十万人拨给空军，而拨给地面部队的却只有三十万人，这是极有意义的。

在这里建立辽远基地政策中还包含有建立强大海军。美国在战争中大肆扩充海军和注目于加强海空军部队，建筑航空母舰和加强战舰之空中防卫力量。

从前，美国海军只是计划防卫她的海岸线。并且是单独作战的。她现在改变将重点放在空军上了，认为只有支配了空间，才能保证对于广阔洋面的支配。攻击的倾向遂占了上风，而海军的中心任务不再是防卫自己国家的海岸线，却是保卫部队的运输及其登陆行动了。所有这一切都需要将以前海军的单独性和独立性来一个修改。

这说明了为什么在美国国会中提出了将陆军部与海军部合并起来，并建立一个单一的指挥部法案。去年六月杜鲁门总统给参众两院陆海军事务委员会主席写了二封相同的信，力主武装部队的统一，并要求国会通过该法案。但是遭到了强烈的反对。它清楚地反映了一种恐惧的心理，即：该步骤会驱使国家进一步的走上军国主义的道路。

军备的增加，新基地的建立，强调空军地位，都是进攻政策其中的一环，另一个环节是原子炸弹。空军的优势观念是与这种新式武器联结在一起的。原子炸弹的发明燃起了军国主义者的希望。于是一阵叫嚣开始了，使头脑简单的人们相信这种炸弹可以终止军国主义崩溃的寿命，并且使人们相信原子炸弹发明之后，没有必要去维持支出庞大的陆海军了。

此种谈论并不是新奇的，战前在英国流行着一种认为坦克作战乃是最廉价的作战形式的理论，而且认为坦克应该是一种独一无二的武器。然而事实却完全推翻了这种理论。美国目前的原子政策正在企图加强其军国主义，并引起一种新的军备竞赛。

对于各民族唯一彻底有效的办法，乃是完全禁止为战争目的使用原子能。这就是苏联在联合国建议的实质。

总而言之，军国主义者正在尝试证明，他们的计划与以往的不同，是一种廉价的计划：所需要的只是基地、飞机与原子炸弹，别的什么也不要。可是，认为强力政策能够建立在对空中支配权上的那种思想是一个幻想。没有一种武器，甚至于强大的空军能够迫使民主国家向侵略者低头屈膝，第二次世界大战已无疑的说明了这一点。

原子炸弹的神话只能吓唬神经衰弱的人，连原子外交中的一部分人，比基尼的试验也证明了它的虚妄，联合社华盛顿访员报导说："领导比基尼试验的联合工作队代理指挥员麦克奥利飞陆军少将在接见记者时说：在作攻击战时，此种炸弹也许是没有多大用处的。他以用陆军地面部队的装备试验的分析指出：即使挨近原子弹爆炸的地方，但只要躲到地窖里去，便可免于被炸和烫伤。靠近爆炸地点的坦克、大炮与其他重武器均得完好无损。"

一个权威人士对于原子炸弹的军事性质作出了如此的估计，是颇有意义的。它再一次证明了这一件事实：虽然原子炸弹具有破坏的作用，但是当用它来攻击一个和平的城市时，是无论如何也决定不了战局、它更无法使战争的时局缩短，战费减少，不像战争挑拨者所吹嘘的那样。

实际上，军国主义者的计划当然不仅仅限于增加空军与原子武器，还要大事增加一切的武器，并设计另一次持久的破坏的世界战争。当然，此种计划正在唤醒着美国人民的反抗，他们眼看到国家预算的半数都用在军费上了。

在国际关系上主张推行强力政策的人们，正在将美国推上军国主义的道路。历史指出了那是一条危险而毁灭的道路。各民族需要和平与安全，但军国主义却偏偏不允许这样。

（孙蔚祥、高铭瑄、严蒙合译，载二月二日《东北日报》）

美国国内争取和平民主的斗争

沃兹奇科夫　著

与全世界民主力量为敌，而又违反本国人民基本利益的美当局的反动政策，日益引起更多美国人的不满。

美国广大人民对政府政策的这种不满，最明显的表现在一九四六年十一月国会选举时，大部选民不愿参加投票。在有选举权的七千万选民中，仅有三千四百六十三万零四百三十六人投票，这就是说有百分之五十以上的选民没有参加选举。

但这仅是消极的抵抗，仅表示对民主、共和两党同样均不予以支持，因为这两党的政纲实际上已绝少差别。

与此同时，在美国还有一种广泛的进步运动，对美当局的反动政策作着积极的斗争。领导这一运动的是一些有威望的进步团体，如产业工会联合会之政治行动委员会、全国公民政治行动委员会、科学艺术工作者独立公民委员会、美国斯拉夫人大会、美苏友好协会等。这些团体要求美国政府确切执行三强各次会议决议，巩固美苏友谊作为持久和平的基础。

根据世界民主建设的任务，这些团体制定了一个共同的斗争纲领。其中强调说：我们外交政策的第一个原则，即是不仅对西欧各国，而且对世界各国都采取睦邻政策。如不建立各强国之间的互信，而欲解决世界特殊问题，那将是一无所成。

因此，密切与巩固美苏友谊的思想，在美国人中间是普遍存在着。美国的进步运动，极端注视美反动派在人民中间煽动反苏情绪的企图。

美国反“种族歧视”协会的领导者詹姆士·维特，在一九四六年十月一日举行的拥护华莱士和平政策的群众大会上，发表演说称：谁若想煽动对苏联的仇恨与敌视，谁若想挑起反苏战争，那么，他就是现世的罪犯，如同在纽伦堡国际法庭所审判的战争罪犯一样。

进步运动认为：不干涉他国内政，这就是巩固世界和平的因素之一。因此，美国进步势力，为使美国自中国与菲律宾撤退驻军，作着顽强的斗争。在美国，“我们应退出中国”的口号，其声浪之高，并不比要求巩固美苏友谊的口号来得逊色。

除为动员群众去进行争取民主外交政策的斗争外，进步运动同时也支持职工提高工资的要求，并为反对反劳工法案而斗争，尤其注意于反对歧视少数民族的斗争。

美国反动派，为抵挡广大群众反对他们统治世界的帝国主义计划的进步运动，千方百计企图消灭这一运动的组织核心。所谓美众院调查反美活动委员会，就是执行这一巨大阴谋的领导机关。

这个委员会和它幕后的反动势力，以反动报纸上连篇累牍的狂言，和以莫须有的“反美活动”罪名而使进步组织吃官司的威胁，企图吓退进步运动中的积极分子，以达到瓦解这些进步团体的目的。

但是，反动派的这些活动，只能得到相反的结果。

一九四六年十二月二十九日，在一个新的进步组织——“美国进步公民”的成立大会上，美前商务部长华莱士说：“对我们的压迫越是厉害，我们也就越可以充分地真正准备好反击力量，越有条件获得成功。”

美反动派对国内进步势力的进攻，只能使后者内部更加团结，使它们组成了反法西斯反独裁垄断的联合阵线。这一联合与反动派相反，是要保卫美国人民的利益，也是要保卫和平事业的。

国内进步力量的统一运动，深得美国工人阶级的广泛支援。在工人报纸上，在各职工会议上，都讨论着建立一独立的群众性政党的问题。这个党将要在未来总统选举中与民主、共和两党相抗衡。美国劳联和产联以及铁路员工所属许多职工团体，表示赞同组织一个这样的政党。在美国其他阶层中，这种观点也同样得到赞助。

一九四六年十二月十日，科学、艺术工作者独立公民委员会，和全国公民政治行动委员会主席大卫逊和耿黑东就申述过进步力量统一之必要。他们强调说：“为在一九四八年选举中取得胜利，必须着手建立一个政治组织，因此，这些各自独立的进步力量之统一与巩固，在目前特别重要。”

作为建立这种联合组织的步骤之一，许多进步团体遂组成一个新团体——“美国进步公民”。

美国进步力量与反动势力的斗争，显示出反动派无力压服美国广大群众要求民主、要求世界和平、要求国内毫无种族歧视的一切公民真正自由平等的意志。

（施滨译自三月二十一日《俄语报》，载三月二十六日《东北日报》）

华莱士访欧
——新华社时评

本月十二日美前副总统华莱士访问欧洲，连日在各大都市演说。正当美国反动派在那里大唱其“援助希土”、“反对共产主义的扩张”，和在国内实行像希特勒所做过的那套反共行动如“检举美共”，在莫斯科外长会议上故意把事情闹僵的时候，华莱士的旅行及其所作的演说，说明了杜鲁门、范登堡、马歇尔等那些反动派是何等孤单，连资产阶级本身之中，也有很多像华莱士这样的人，反对反动派自取灭亡的冒险政策；而且当反动派越来越是赤裸裸的反动之时，当人民的觉悟程度提高与力量增强之时，资产阶级中像华莱士这样的人就越多的会起来说话。资产阶级中间的分裂，第二次世界大战之后，比第二次世界大战之前更厉害了。反动派的外强中干众叛亲离，比过去更明显了。主要原因是由于人民力量的强大。

华莱士的几次演讲中，暴露美国帝国主义除了给予希土两国以政治借款之外，还准备给朝鲜、匈牙利、中国、伊朗、伊拉克、日本、英国以政治借款来反对苏联。他并且指出，美国现在对苏所采用的手段是“战争”以外的其他威胁手段。美国反动派的所谓“援助希土”，显然是企图尽力伸入英国的势力范围，深入油田区域去。华莱士警告美国帝国主义者不要自取灭亡，他说：“美国即在获得英国之协助时，仍无能力使本身在全世界作有效之发展。”又说：“欲借扶助封建政权，并借干涉以终止共产主义决不会成功。”他指出：“杜鲁门无条件贷款予反苏政府是败坏性琐碎无益的计划。”这些都是老实话，都是有头脑有眼光的话。

华莱士说：“共产主义是终止贫穷与剥削之思想，要使共产主义成为多余的东西，则须使贫穷与剥削不再为民主之一部分。”事实上对于资产阶级民主主义说，贫穷与剥削不仅是它的“一部分”，而且是它的基础。民主主义中，只有新民主主义才不以贫穷与剥削为基础。

华莱士在二十二日巴黎的演说中说：“我发现英国工人群众要求与苏联作最大程度的谅解，英国需要对苏和平比一切东西都重要。”这里华莱士是指出了国际时局发展的症结之点。

华莱士在欧洲发表的演说触怒了英美反动派，去年三月在美国发表反动演说的英国反动派丘吉尔，对于华莱士在英国发表演说大为愤怒，他说：华莱士利用了英国对他的优渥的招待，但他忘记了自己就曾利用过美国对他自己的优渥招待，他说华莱士是“隐蔽的共产党员”，他忘记了他自己的反动论调，才真正与希特勒法西斯理论没有区别，唯一的区别是把“阿利安种至上”改为“英语民族至上”而已，这才是真正英美牌的法西斯。

美国的反动派也大声叫嚣，说华莱士在外国活动反对美国政府，所以犯了“效忠法”，要判三年徒刑与五千元罚金。但是就是美国反动派，在丘吉尔倒台工党上台后，曾让丘吉尔在美国发表违反英国工党政纲的反动演说，演说时还有杜鲁门当主席，并无人说英国政府应该把丘吉尔判三年徒刑与五千元罚金。

英美反动派又同声大叫，说华莱士要离间英美关系，因此似乎就犯了什么大罪，但是英美反动派，丘吉尔、杜鲁门、范登堡等天天在反苏，破坏英美与苏联的团结。美国反动派“援助”希土，其结果必然是激起英国的反对，真正分离英美。而华莱士所要求的乃是英美不应反苏，而与苏联团结；美国不应以援助为名侵略希土，以至与英国闹翻。

英美反动派的咆哮，说明反动派是脆弱到碰也碰不得，无理到说也说不得，反动派的唯一手段就是把一切不满反动派的人，都说成是共产党，都以徒刑与罚金相威胁。反动派的野蛮无理完全暴露出来了，反动派的所谓“民主”与“言论自由”的假面具也揭穿了。

（新华社陕北二十七日电，载四月二十九日《东北日报》）

三　对外关系

黄操良

金元外交

战争结束以后，美国即开始实行了一个庞大对外贷款计划，作为其外交政策的重要武器之一。去年九月，美当局即已设计了一项“惊人建议”，规定在三年内每年对外贷款六十亿至八十亿美元。今年三月初，美总统杜鲁门提出了对外贷款政策的十点声明，其中阐明为了应付对外的巨大借款，决定将进出口银行的贷款额由二十亿美元增加到三十二亿五千万美元。同时，由美国资本所控制的国际建设开发银行亦拟定于今年下半年开始贷款活动。

自去秋到今年七月为止，美对外贷款（包括现金与物资借款）已达七十亿余美元，对中国国民党政府的租借物资"援助"尚不包括在内。其中包括英国三十七亿五千万元，法国十三亿七千万元，荷兰二亿元，丹麦二千万元，埃及一千万元，希腊三千三百万元，比利时一亿元，土耳其四百五十万元，芬兰一千五百万元，奥地利一千万元，匈牙利一千万元，捷克二千万元，波兰五千万元，菲岛四亿五千万元等。

美国的对外贷款，由于对象的不同，应用的方法及其条件亦各异，一般可分为如下几类：

第一，是对英国及在英镑势力下的丹麦、荷兰、比利时、土耳其、希腊等国，美国就借贷款作为打破英镑集团帝国优先权与夺取基地的武器，以便将金元势力伸进这些地区中去。英美借款谈判于去年八月下旬即行开始，至十二月六日始行签订协定，直至今年七月十三日始为美国会所通过。时间之长前后达一年。在借款谈判中，据苏联消息报称：英国被迫与美国签订了石油协定，规定近东石油实行"门户开放"政策，在贷款协定签订后，美国利用国会批准前空隙，又向其施以压力，美参议员约翰逊、惠里等提出修正案，公开要求"以自英国取得大西洋基地为交换条件"。五月间英又被迫与美签订九十九年租借特立里达及百尔慕他基地协定。同时英美贷款协定条约是非常苛刻的，主要有二项：1. 要英国参加制定国际贸易宪章以取消帝国优先权；2. 规定英镑区域内任意使用金元。因此这一贷款协定曾引起英国一部分统治人士反对，英商会联合会会长培尔福曾抗议称："英帝国市场之金门，现正为金元之钥匙所开启，英国政府已将帝国将来发展之机会付作质物。"英保守党议员亦称这一贷款"将使英国受外国之支配"。对荷、比、丹、希、埃及等国的贷款，除规定购买美剩余物资作一笔交易外，均附以"减低关税""自由贸易"等条件。金元势力向英镑势力圈之一步进一步的迫进，引起了英国的恐惧与英美资本间日益增长的矛盾。例如最近英国与希腊缔结一项生产贸易垄断协定，用以对付美国，美国务院即提出照会，表示"明白地反对"；同时美国目前正以二亿美元贷款作为对希腊的钓饵。英国亦正力谋对策中。

第二，是对欧洲一些新民主主义国家或民主势力正积极发展的国家，美国贷款采取了两种方法：一种是"冻结贷款"。二月十六日美全国制造家协会公报曾载称："美国对欧洲苏联势力圈内诸国放款计划已予冻结，须待该各国内部情形能与美国所表示之意向相符时再予解冻。”南斯拉夫曾向美国请求借款，美国则借口南国无“四大自由”而加以拒绝，甚至有五千吨糖原来要从西印度运到南国去的，而美当局竟中途下命改运到希腊。《纽约下午报》在评美国这样政策时，一针见血的说：“美国对于铁托政府实行经济制裁，是美国企图强迫巴尔干各国改变政治趋向之努力的一部分。”另一种称之为“应时贷款”。其含义从最近对法、波两国的贷款中颇可玩味。四月二十四日，美国务院曾宣布借予波兰九千万美元，其中五千万元系现金借款，条件是波兰须保证“自由”选举等；并称：“以后是否续借，将视波兰是否履行诺言而定”。但在五月间，美政府即借口“波兰政府拒绝取消新闻检查制，及将该国与其他国家经济关系完全向美国公开”而停付，直至波兰六月三十日复决前夕，美国务院忽然又宣布决定全部借贷，但不到二十四小时，国务院又改变初衷声称：“其中由进出口银行贷予波兰的四千万美元暂停拨付，以待波兰好好实行某些义务。”波决复决后即将实行大选，美国这种时而拨付时而停付，付一部分留一部分的方式，为世界贷款史上的创举。

对法十三亿七千万元贷款的情形更形离奇。法社会党右翼领袖勃鲁姆为了“单纯选举利益”于二月初赴美进行借款谈判，奔波两月，仍未获得任何结果，勃氏曾带着失望之心情离美赴加“游历”，至法民主新宪法草成之际，勃鲁姆复由加归来再度向美当局商谈借款，但又被拒，直至五月五日法国复决结果否决了新宪法，而接着又将举行立宪议会选举之时，美政府当局竟一反过去对勃氏之冷淡态度，敬以上宾之礼，众院外委会及纽约市长并殷勤招待，当局且声明“一切皆可磋商”。经短期谈判后，法美贷款协定终于法国大选前十天（五月二十二日）正式签订。法美贷款不仅经过了迂回曲折的谈判过程，而且其条件非常苛刻，据法报界所称，并包括有一种重大的政治“计谋”。美对法贷款名义为十三亿七千万美元，其中六亿五千万元为现款，七亿二千万元为物资贷款，在物资贷款中的四亿美元，原为去年十二月所允之五亿五千万借款中尚未支用者，今仅换一新借据而已，其余三亿二千万元为充作法国购买法境内美剩余军用品之用，这些剩余军用品，美方折价三亿元，而实际上仅值五千万元；同时美收买法国八万吨“诺曼第号”

大邮船，折价四千万元，但据专家估计这只邮船价值一亿二千万元，因此法国这次负债虽达十三亿余元，但实借到的还不到六亿元。尤其重要的，正如法报界所称："法美所缔结的财政协定，乃是选举前的计谋，此种计谋严重的损害了法国的利益。"

第三，是对菲律宾和中国。关于前者，五月下旬美菲四亿元借款协定订立时，美驻菲专员麦克纳特曾明白地宣称："菲岛在'独立'后，将继续为美国国防安全体系中一个完整的部分。"这种对"独立"的殖民地借款，将更加强美国对菲岛之控制和菲岛对美国之依赖，这是更明显的。至于后者，美国对国民党政府的"义务"援助，其本质与对菲律宾的援助没有多大区别。从去年底至今年六月初，美国援助国民党政府十余亿美元的租借物资的结果，却使美国势力实际上操纵了国民党政府的军事、经济、财政、内政和外交，自由侵入我国的领土、领空、领海和内河，因此目前盛传的七亿美元借款如获成功，那么在国民党反动派的大拍卖政策下，中国国家民族的财富势将让美国帝国主义予取予求。

第四，是对苏联，美国对苏联借款的谈判，一方面反映美国不少资本家想和苏联做生意，另方面美当局以贷款作为一种要挟苏联在外交上让步的手段。苏联曾于去年八月要求自美获得十亿美元借款，以便帮助它实行经济之恢复工作。美国初则置之不理，至今年四月中旬巴黎外长会议前夕，国务院却突然发出邀请苏联谈判的照会，但据合众社六月十四日电讯透露：对苏贷款的条件，在经济上为苏联参加在美国资本控制下的银行货币基金和国际建设开发银行（货币基金为八十八亿元，美占二十七亿五千万元；银行资本为九十一亿元，美占三十一亿七千五百万元）和世界贸易会议，以期抑低商业壁垒，并发表其财政和生产数字，在政治上则须改变苏联对东欧各国的关系，使美国的势力可侵入这些国家。苏联愿意美国贷款，但对于这样的贷款条件是不能接受的，故美苏贷款迄未成功。

从上述事实中，可见美国对外的庞大贷款计划，是具有强烈的帝国主义侵略之目的。早在去年秋冬之交，杜鲁门助手现任财长的奈斯德即曾吐露了这一不可告人的目的。据《纽约下午报》载称：“你的意思是说我们对外来个统一战线，我们办个交涉时，要把一切都考虑到？把关于关税、空军基地、石油或其他的谈判，与贷款、租借物资和剩余品的处置都联系起来？”斯奈德回答说：是的，意思就是如此。

（载七月十九日《解放日报》）

谁是美帝国主义扩张政策的受害者

黄操良

战后美帝国主义日益明显的“扩张政策”是在反苏反共的旗帜下进行的，从联合国安全理事会、巴黎外长会议到目前召开中的和会，从欧洲、近东到远东问题，美国当局对苏联曾采取了一系列的攻击姿态，高唱所谓“对苏强硬政策”。在第一次巴黎外长会议后不久，美国务卿贝纳斯曾公开宣布：“对苏进行和平攻势”，在最近的巴黎和会上，据美联社八月二十一日电称：美国正发动了“计划缜密的反苏外交攻势”。美国不少反动报纸，叫嚣着“反对苏联控制欧洲”，“反对苏联控制中国”，“严防国际共产主义里应外合”。

不管反苏的烟幕散布得如何周到，但如果揭开这一烟幕来看一看目前的事实，就不难看出谁是在世界各地积极推行扩张政策，谁是这个政策的直接受害者。

在军事上，美帝国主义正加紧推行着一庞大的“世界基地网”计划，据联合社载七月二日公布的美海外基地的庞大计划，规定美在战后得拥有海外基地四十余处，遍设大西、太平两洋，并横贯赤道南北。其中属于英澳的计有西印度群岛中的牙买加、安蒂瓜与圣罗西亚，巴哈马群岛中的大慎克舒马岛，以及圭亚那与千里达等九处。属于法国的一处，丹麦的一处，为格陵兰冰岛建立基地工程正在设计中，现在美帝国主义分子还企图把整个中国变为他们的军事基地，并霸占青岛等重要港口，这些基地都可以拿“反苏”为借口，但是这些基地并不筑在苏联的领土上，而是筑在英、法、澳、冰岛、丹麦；中国等国的领土、属地或势力范围内。

在经济上，美帝国主义又正利用金元势力，对世界市场作无休止的侵占与垄断，这同样使英、法、意、丹、比、荷及中国等国的经济权益蒙受侵害。美方正到处叫喊“门户开放”、“机会均等”与“自由贸易”这首先针对着英国的帝国优先权，去年底签订的三十七亿五千万美元的英美贷款，强使英国接受了参加制订取消帝国优先权的国际贸易宪章，并在金镑区内自由使用金元的苛刻条件，这个条件一旦实现，美国的廉价商品与金元，势将滚滚流入英国势力圈内，到处排斥英国商品与资本，使“不输出即死亡”的英国经济，陷于益发不可收拾之境。美当局这种争夺市场的手段，是在“帮助”他国的名义下进行的，英国有些报纸已经在叫喊“我们需要迅速动作，而不要依赖美国帮助”。不仅如此，美帝国主义分子不仅要争夺英国的市场，甚至企图要英国成为它经济上的附庸，在一九三一年纽芬兰政府陷于破产，当时英政府曾趁这个机会迫纽芬兰放弃自治领，作为纽芬兰偿付债款的条件。从一九二三年起，纽芬兰即从自治领降为殖民地地位了。现在美帝国主义集团的喉舌“人类事件”，竟公开主张英国所应用于纽芬兰的原则应由我们应用于英国。

在中东及地中海一带的国家，美国的经济势力正一步紧一步地深入。

最近美国在外约旦、沙特阿拉伯、巴米岛、伊朗、黎巴嫩、埃及、意大利等国，掠得了石油权益，在巴勒斯坦，美国正企图以十万犹太人移入巴境之计划，以扩展其势力。同时美国又与意、埃签订了侵犯该两国主权的航空协定。美国势力在这些地区均扩张直接威胁着英国的势力范围，也伤害了这些区域内各国的民族独立的利益。

此外不久以前美国又借贷款为手段迫使法、比、荷、丹等国实行“减低关税”及“自由贸易”等，随之而来这些国家将发生美货泛滥压迫这些国家的工业的现象。因此美帝国主义在海外的经济上的扩张政策，并不能直接损害自力更生不依靠国外市场的社会主义国家苏联，而只能直接损害美国以外的资本主义世界。

争夺军事基地，争夺市场的努力，是和把其他国家殖民地化的企图分不开的，例如对南中美洲最近美当局已提出了“与泛美各国广泛军事合作计划”，规定武装与训练各该国军队以适合于美国化的标准，美国评论员史梯尔八月底在评这一计划时一针见血的指出：“美总统在享受供给武器及可以任意收回武器权利之下，将可变成南美各国政府命运的唯一裁判人，支持独裁者和推翻他不喜欢的政权。”秘鲁“《劳工报》已发出警告说：“接受此一计划，即将使拉丁美洲各国从属于美国军队，因而丧失他们的主权。”尤其是对于中国，美国当局正积极实行武装干涉，企图把中国变成它们的殖民地，美帝国主义分子对中国的要求就是“你们要向菲律宾看齐吧！”美国当局尽力扶助愿意接受这一要求的蒋介石买办军阀政府，来向坚决拒绝这种要求的中国人民进行大屠杀。在与蒋政府合作之下，目前美帝国主义势力已经由侵入我国的领土、领海、领空和内河，控制了国民党政府的军事、财政、经济、内政和外交，任意侵犯中国的人权，同时丧权辱国的公司法的签订和美国商品潮水般的涌入和倾销，造成了中国民族工业有史以来的大危机。工商业纷纷倒闭，民族资本接踵破产，工人一排接一排的失业，因此中国乃是目前美帝国主义分子“扩张政策”之最惨酷的一个受害者。

同时美帝国主义的扩张政策也危害了美国内广大阶层人民的利益。由于“扩张政策”需要巨额经费，就促进了收支的不平衡和通货膨胀，加重了人民的负担。由于在海外大量倾销货物并大量协助各国反动派，如蒋介石等，美国人民反感日用品不足及价格高涨之苦。扩张政策所酿成的世界不安定局面，使许多和平产业家不能发展海外贸易。美国在海外驻军的继续不撤退，使许多官兵不能回国与家人团圆，享受和平的幸福生活。

综观以上美帝国主义的扩张政策，虽以反苏反共为标榜，但这个政策的直接蒙难者首先就是美国以外的资本主义世界和美国人民，而还不是苏联与其他的新民主主义国家，如波兰、捷克等。这种情况不能不令人回忆到希特勒在推行“征服欧洲”“征服世界”的计划时，首先遭受到他的打击吞噬的是英国、法国和欧洲其他十三个国家，这是类似的一方面，所不同的德国和苏联同在欧洲大陆上，而美苏间则远隔重洋，在战前一部分人民曾受英首相张伯伦等对法西斯绥靖政策的麻醉，但在希特勒被打倒后，世界各国人民觉悟了，人民力量更强大了，世界和平堡垒苏联也更强大了，美帝国主义分子如果学习希特勒的榜样，将遇到不可克服的困难和必败的命运也就更明显了。首先美帝国主义分子要贯彻其扩张政策，必须设法在国内实行法西斯，但美国人民是反对法西斯的，爱好和平民主的。美国资产阶级内亦有一部分主张恢复罗斯福的对内与劳工界妥协，对外国际合作的政策。这就成为美帝国主义扩张政策的内部严重阻碍。在国际上，美帝国主义分子的“反苏”宣传实质上就是推行“世界霸权”的计划，为了对付苏联，就有“理由”在欧洲亚洲建立军事基地，就有“理由”逐步地把这些地方的国家变为“菲律宾第二”，动员这些国家的人力物力为美国帝国主义冒险政策的牺牲品。然而欧亚两洲各国人民以及一部分资产阶级谁也不愿意当这样的牺牲品，因而必然会联合起来反对美帝国主义的扩张政策，英国资产阶级的权威杂志《经济学者》对美英贷款发出了内心的怨愤：“吾人没有选择的机会，但是他们照旧传统可以咒骂有钱人呀。”英国政府的代言人吐露了“等五年再看”的报复话，英国将日益看清楚危害他们和压迫他们的究竟是主张和平建设而素以平等待人的苏联，还是到处放高利贷争夺市场和军事基地的美国老板。在中东英国正进行着抗拒美国势力的挣扎斗争。中东各国的民族运动亦在逐渐展开，在远东中国人民一致反对美当局援蒋内战，要求撤退在华美军。在冰岛全国舆论猛烈抨击美国在该国建筑基地的企图，并要求撤退驻军。在中南美各国反对“泛美合作计划”之热潮亦正日益高涨，反对美国当局扩张政策的运动日益普及全球，这是今天世界形势的一个重要特点。

美帝国主义分子的“扩张政策”，天天为自己制造新的敌人，他们所梦想的“二十世纪是美国统治的世纪”是无法实现的，因为二十世纪是属于人民的，是人民的世纪。

（载九月二十一日《东北日报》）

“反苏”不过是烟幕
——《解放日报》社论

在第二次世界大战结束之后，美国的独占资本跟着希特勒的后尘，千方百计，准备建立一个统治全世界的帝国。希特勒的帝国是死亡了，希特勒的大帝国计划是最无耻地破产了，但是美国反动派却要按照希特勒的模型来雕塑它自己。

希特勒灭亡欧洲大陆各国，并沉重地打击了以至几乎毁灭了大英帝国，这是在他真正举行反苏战争之前，而日本军阀侵占了大片中国和远东的一切英美殖民地之后，并没有来得及直接进行反苏的战争；但是大家知道：希特勒及其伙伴日本军阀都曾用反苏的口号作为吞并许多民族和侵略全世界的托辞。现在美国反动派同样地以反苏的口号作为压迫世界的烟幕。美国反动派在向着资本主义世界扩张自己的势力，一方面准备把美国以外的资本主义国家都变成美国帝国主义的附属物，一方面准备把资本主义各国原来的殖民地和半殖民地都变成美国独占的殖民地。有一个美国反动派曾经毫无忌惮的写道：他们“要求遥远的基地，压迫外国成立‘友好’政府（按：即美国傀儡政府），它以军事代表团到各‘友好’政府去倡导散布战争的因素，维持情报机关，雇用间谍，刺探所需要的军政经济消息。”这是表现了美国反动派的野心勃勃，他们仅仅承认世界各民族必须在美国反动派的刺刀下生活，公开否定了世界各民族的独立与自由生存的权利。这是目前美国反动派在反苏的叫嚣声音后面的真正实际的东西。

美国反动派在资本主义世界中这一切吞并的企图与活动，日趋积极。原来是被它压迫的民族，就被压迫得更重。原来还不是受它直接压迫的许多民族，美国反动派正在尽量给以压迫的痛苦。菲律宾的“独立”这是最滑稽的讽刺。现在那里在计划什么“美菲防御”了。有一个中国报纸的标题问得很好：“‘防御’甚么？”原来那里离开苏联很远很远，而英国也没有准备去占领“美菲”，所防御的不是别的，正是菲律宾的民族、菲律宾的人民。这样的“独立”在历史上大概是只有日寇统治下的“满洲国”可以和它比拟的。中国这个伟大的民族，经过八年流血的战争，赶走了日本帝国主义，但是美帝国主义又来了。美国反动派要把中国变成美国在远东的经济边界与军事边界，于是就以“盟国”的资格，要把菲律宾式的“独立”、“和平”与“民主”，经过蒋介石之手，赐给中华民国。美国反动派从蒋介石的手里，得到了陆、海、空军在中国的基地，又掌握了蒋介石政府的军事、政治、财政、经济的大权。一个民族处在这种情形下面，就说明了它已经不是独立国，而是美国的殖民地了。为了建立美国这种征服者的地位，美国反动派就要保护蒋介石的法西斯独裁，依靠蒋介石去镇压中国人民的民族自觉与民主力量，于是把大量物资与军火供给了蒋介石打内战，使中国人民不得建立其和平与民主的生活。美国反动派这样破坏中国民族的独立、和平与民主，也是在反苏的烟幕之下进行的，但是美国在这里所压迫的，乃是中国人，并不是苏联。

美国反动派说："苏联拟欲控制中国"。美国反动派认为只要他们这么一说，也就有"理由"把中国变成美国的附属国与殖民地。美国反动派又说："相信苏联正在秘密支撑中国共产党、煽动共产党领袖破坏共党与马使所订之停战协定及北平之军事调处小组"（前面的引语均见合众社华盛顿九月二十一日电所载美国众议院军事委员会远东考察团若干委员之谈话）。美国反动派认为只要他们这么一说，也就有"理由"帮助蒋介石独裁与内战。但是任何中国人民听了这些话之后，都会知道说这种话的人完全是帝国主义的骗子，战争的贩子。中国人民根据自己切身的经验，知道现在压在中国人民头上者，煽动中国内战之火使中国人民受痛苦者，乃是美国反动派。中国人民看得见，在中国共产党所领导的中国解放区，没有什么苏联的军队，没有什么苏联的军事基地，没有什么苏联的军事代表团，没有什么苏联代表掌握军事、政治、财政、经济的大权，没有什么苏联货摧毁中国的民族自由工业，没有什么苏联输进内战的物资与军火；这里仅仅有的，乃是中国人民做了自己土地上的主人翁，乃是解放了的中国人的自力更生。至于在蒋介石的统治区却完全是另一样；美国反动派在那里占有了一切，握着最大的权力，而如果没有美国这种种侵略的行动，中国全国就已有了真正的独立、和平与民主。

很多美国人会懂得美国反动派这类反苏烟幕下灭亡中国的把戏。美国名记者史诺曾说过："我们与中国相距一万六千公哩，采用日本侵略中国、纳粹在欧洲所使用过的借口，建立单方面的联盟，基本上是否认中国的自主与独立。"这些话说得很对，并表示了有正义感的美国人的良心。中国人民不愿为日本军阀的奴隶，便也不能为美国独占资本的奴隶。由于美国反动派梦想统治全世界，不独中国民族，我们相信：历来为解放而斗争，并参加这次反法西斯大战的一切民族，都一定不会在美国反动派的压迫之下低首下心。他们都会像中国人民一样，再接再厉地起来斗争，汇成民族革命的巨流，以摆脱美国反动派的锁链，避免当前新的奴隶的命运。

美国反动派如果不中止自己的侵略，改变自己的政策，而且继续利用希特勒和日本军阀的老调子，夸耀自己有原子弹、有军火、有金钱，以求统治全世界，那么，看吧，它一定要，并且正在遭受全世界人类的反对，而希特勒与日本军阀失败的道路，便将是美国反动派必走的道路。

（新华社延安七日电，载十月八日《解放日报》）

不是爆弹而是哀鸣
——评杜鲁门反共演说

杜鲁门三月十三日在美国国会关于“援助希、土”的演说，公然提出了反共口号。这个演说发表后，在全世界响起了强烈的反对的声浪。在美国内部，也受到人民团体、民主人士和华莱士的反对。如果要说杜鲁门的这个演说有什么特点的话，那么可以指出三点：第一，是杜鲁门拾起了反共的旗帜。这面旗帜乃是希特勒用过了的破烂了的失败了的臭不可闻的反动旗帜；第二，是杜鲁门公然宣言要去援助像希腊这样的“民主国家”。这个“民主国家”反动政府的卖国、专制、腐败、黑暗，是在世界上列于第一等的；第三，是杜鲁门开了一个先例，过去美国帝国主义干涉别国内政时，还想想办法，至少表面上要取得别国或几个强国的同意，那么，这次干涉希、土就为了“美国的安全”，干脆不得任何国家的同意而独断独行。这三个特点，总起来是一个特点，就是杜鲁门公开暴露了美国帝国主义的狰狞容貌。

美国帝国主义素来以善于欺骗著称，为什么这一次美国的金融寡头要把那可怜的无能力的总统杜鲁门拉出来，要他来一个希特勒式的“爆弹演说”，来一个斯科比将军式的宣言，来一个不顾一切独断独行的姿态呢？这岂不是很不调和的吗？

原因就在于美国帝国主义者，现在处在历史上空前未有的困难地位，他们在哀鸣了。他们除了这样的办法以外，毫无别的办法了。

美国帝国主义者空前未有的困难表现在三方面：即反苏战争是打不起来了；世界人民的迅速进步是遏制不住了；而美国的经济危机却紧迫着要到来了。这三件事是如此的确定，连最顽固的反动派也不能不承认。去年三月，丘吉尔发表反动演说之时，与今年三月杜鲁门发表演说之时，其不同之点，就在：去年三月美国的反动派还没有自觉到他们的空前困难必会到来，还以为反苏战争仍有可能，世界人民可以用欺骗和压迫的办法平息下去，经济危机不一定很快到来。而今年三月他们却有了明确的自觉，知道自己的幻想不合于事实。知道自己的困难是那么巨大。因此，他们就索性赤裸裸的做帝国主义者，他们以为这样比隐隐藏藏的侵略或许更有利些。

隐隐藏藏的侵略已经不能顶事了，赤裸裸的帝国主义侵略，只有在下述条件之下才会多少顶事。这条件就是：人民在精神上还有畏惧反动派的弱点，还有过高估计反动派力量的弱点，还有被反动派吓坏的可能。如果人民没有这个精神上的弱点，或者能够克服这个精神上的弱点，那么美国反动派的“新政策”便只有一个结果，这个结果就是：美国反动派的更加孤立，更加无力，更加困难。

现在就全世界来说，由于反法西斯战争的伟大胜利，由于全世界人民亲眼看见几个强大的帝国主义的倒台，所以全世界人民对于金融寡头们的反动性，同时对于其脆弱性是有了深刻认识的。这种认识，在第二次世界大战之后，由于中国的爱国自卫战争的坚持与胜利，由于希腊游击战争的坚持与胜利，由于菲律宾游击战争的坚持与胜利，以及由于越南与印度尼西亚独立战争的坚持与胜利而更加增强了。世界广大人民藐视反动派，这是世界人民取得自己解放的必要的前提之一，不藐视反动派而惧怕反动派，人民就没有解放的希望。

第二次世界大战之后，全世界的资产阶级中，只剩下美国的和英国的资产阶级，在人民中还保留着若干对他们的幻想和恐惧，而美国和英国的金融寡头，则利用了这点幻想与这点恐惧；换句话说，利用了人民中特别是英美人民中精神上的弱点维持其统治，并使世界人民继续过着愁苦的生活。美国反动派以前所以大叫“原子弹”，现在又把杜鲁门演说竭力渲染为“爆弹演说”，其目的都在利用人民精神上的弱点，以便吓唬人民，统治人民，毒害人民。世界的，特别是美英两国的工人政党与民主人士，现在的最重要任务之一，就是不断的教育人民，克服精神上的弱点，不要对资产阶级幻想，亦不要怕它，而要揭露它的反动性，同时又藐视它。

试问：杜鲁门演说的“爆弹性”究竟有多少呢？充其量不过是四万万美金，再加上三万万五千万美金“救济费”而已。这样的区区之数全部用到希腊一小国，怎能满足那里官僚的贪欲呢。如果全部用到中国来，只抵四大家族全部私产二百万万美金的百分之三点七五，那又顶得什么事？美国帝国主义者难道有什么神法可以用一杯水填满海洋之广？至于训练军队、装备军队那一套，美国早在中国努力做过，英国也早在希腊努力做过，也都没有顶过什么事，此次再做一番，又顶得什么事呢？

不是爆弹而是哀鸣，对杜鲁门演说应该如此看法。至于美国副国务卿亚泽逊宣称：“美国不愿中国有共产党占优势的政府”，那么美国反动派在美国容许有讲话的自由的，至于中国的命运，那是由中国人民来决定的，并不以亚泽逊先生一个美国反动派的好恶来决定。美国反动派干涉中国内政已久，它的本领只有那么大，中国人民谁也不怕它，而且相信不久必能以自己的力量，像赶走“防共”的日本帝国主义一样，把美国帝国主义也赶出中国去。

（《解放日报》社论，载三月二十七日《东北日报》）

评杜鲁门演说
——《消息报》社论

施滨　译

三月十二日，美总统杜鲁门向国会建议，要求国会拨款四万万美元，以援助希腊和土耳其；又要求允许派遣军事及技术人员前往上述两国；同时并要求以美国的力量，保证它们的再建工作与训练“专门人才”。

当解释这一建议的根据时，杜鲁门说：希腊已处在经济的与政治的绝望状态中，但英国却没有力量保护希腊。如他所说："英国显然必须减轻或免除其对世界某些地区之义务，希腊亦在其列。"

同样土耳其也要求美国迅速援助。固然土耳其与希腊不同，并没遭受第二次世界大战的苦难，但它们需要英美的财政援助。杜鲁门说是为着"该国近代化，此乃保持其国家完整所必需"。更由于"英国本身的困难"，目前它已经不能对土耳其有什么财政或其他的援助。于是，按照杜鲁门的意见，这种帮助"应当"由美国给予了。

因此，他要求国会一下子批准"两件好事"：从国内纠纷中救出希腊和供给土耳其"近代化"的经费，甚至说这种援助和土耳其的继续存在有关。

毫无疑问，查达里士政府向美国求援，是显然证明了希腊国内政治制度的破产，可是在杜鲁门的建议案中，它却得到意外的赞美。

很显然的，直到目前，希腊的真正主宰，过去是现在也仍然是英国的军事统治。从一九四四年起，英国军队就开进希腊。根据丘吉尔的倡议，英国在希腊承担了政治"安定"的责任。英国政府不仅协助保存并巩固了希腊国内反动的反民主力量，同时并极端露骨地帮助了曾经与德国积极合作的人物。直到现在，希腊所有可能组成的短命的政府的一切政治、经济的活动，都是处在英国的监督与指导之下。

到了现在，我们所能看到的结果，就只有政治破产。英国军队并没有给希腊带来它所完全应得的和平与安定。希腊人民又回复到新的苦难、饥饿与贫困的境地。希腊的内战并没有平息，反而日益残酷起来。

希腊人民所遭受的这样悲惨的境遇，难道不是驻在希腊的外国军队促成的吗？那个自命为希腊保护者的英国，难道对于自己保护的破产不要负责任吗？

美国总统的建议案，放过了这些完全自然的问题，其实际的原因是很明显的，那就是美国不愿意批评英国的行为，因为它正计划照样行事。

伦敦《泰晤士报》热烈欢迎杜鲁门的演说，并不是偶然的。德里电讯就这样说：杜鲁门的演讲“完全阐明了英国在希腊的政策”。从杜氏演说中可以看出：美国并无意改变不列颠在希腊所执行的政策。当然，这政策由美国来执行，也不能期待有什么更好的结果。在希腊问题上，美国不打算像联合国一员所应当做的那样，去关心联合国的另一国的命运。华盛顿的人们显然也不愿意考虑美国在联合国中所应尽的义务。杜鲁门急不可耐地，甚至不愿等待安理会专门派往希腊调查真相的调委会工作的结束。美总统提到“美国在联合国组织创立时起过领导作用”。可是，为要越过联合国首脑机关宣布自己的愿望，它可以不顾国际组织的存在，忘却在纽约就有经常开会的国际组织执行机构——安理会，这却是从不提起的。

国际组织也罢，希腊的主权也罢，杜鲁门是置之不理的。在美国军事人员及技术人员当了希腊政府的上司以后，当这些“人员”用运到希腊的二万万五千万美元开始“建设”的时候，希腊的主权实际上还能残存什么呢？由于这种奇特的“保护”，希腊的主权和独立便首先受到损害。希腊的人民为自由与独立进行了英勇的斗争，不应当受到这样的待遇。如果查达里士辈求来了这样待遇，那么，对于使希腊弄到这般地步的查达里士之流会是更不利的。

威胁着多灾多难的希腊人民的前景，是由一个“主人”——英国，换来另一个“主人”——美国。无论美国用什么理由掩护它这种统治希腊的主张，都无法把这主张解释为保卫希腊人民的独立和自由。

当美国基于它的“人道主义”，认为必须帮助土耳其时，作为借口的，是土耳其的领土完整受到了威胁；虽然并没有任何人任何事件威胁土耳其的完整。

美国的“援助”土耳其，显然是要把土耳其放在美国的控制下；从此以后，土耳其再也谈不上什么独立的内政、外交政策了，因为这个政策是任凭美帝国主义摆布的。某些美国的观察家就公然这样说，比如李普曼在《纽约前锋论坛报》上公开指出：“美国贷款给土耳其，就使美国获得了统治中东所必需的最有利的战略基地。”纽约的时报谈到杜鲁门在国会的演说时，夸大其词说：这是“美国负责的时代”到来了。

试问，这种称霸的“美国责任”，除了作为美国扩张政策的掩饰外，还能是什么呢？

至于说什么美国接受呼吁，免得希腊和土耳其遭受所谓极权国家的侵略等等这类喧嚷已经是滥调了。当希特勒想为自己的侵略铺平道路时，也是以“防止布尔塞维克危险”为借口的。现在他们想统治希腊和土耳其，于是便以“极权”国家侵略的喧嚷，企图掩盖它们的扩张计划。尤可注意的是，美国当实行它的统治时，同时还从两个国家中排斥另一个非极权国家的大不列颠。

杜鲁门的演说，不能不引起美国国内及世界舆论的注意。也不能说，甚至在美国国会中没有遭到严重的批评。美国国会中有十三个议员，当杜鲁门演说前，就试图谏止他发表这一演说。正如民主党参议员迪洛尔所说：“我们遇到了一个主张给某些伪政府以财政援助的提议，这些伪政府却正在迫害与纳粹作过斗争的分子。”

民主党参议员约翰逊也表示同样的意见：“我完全同意以粮食作无政治目的的援助，但是总统所作的，却使我们感到失望。我不同意派遣我们的军事人员前往希腊和土耳其，甚至于仅作顾问我也不能同意。对希腊和土耳其的军事援助，可以成为对世界某些地区的武装干涉。我愿意给饥饿的人们以百万援助，但要帮助腐朽的君王，那是一个钱也不给。”

民主党参议员泼贝尔说：“杜鲁门的建议。并未与联合国协商，它造成了对于联合国的威胁，也使美国增加了无谓的负担。”众院预算委员会主席共和党员克鲁逊的话是很可玩味的，他说：“当美国还没有坍台时，杜鲁门计划的拥护者们，大概是不会安心的。”华莱士和许多其他美国政治家都尖锐地反驳了杜鲁门的建议。

现在我们所见到的是美国对他国内政新的干涉行为。美国对国际事务上领导权的野心，是与美国贪婪集团的欲望同时增长着。但是，在新的历史情况下的美国执政者，还没有懂得：旧的殖民者的一套办法和死硬政策，已决定是过时的破产的了。

杜鲁门演说的主要弱点，也就正在这里。

（载三月二十一日《东北日报》）

美国的魔手在土耳其

《真理报》观察家·维尔申尼

当美国给土耳其以“援助”时，他们却完全忽视了土耳其的主权，指派的特别军事密使不仅起草即将在土耳其领土内工作的计划，而且还有实现它的领导机关。这意味着建基于“杜鲁门主义”的政治目标与美国工业家的利益是完全一致的。除了倾销剩余的战争物资和某些美国战争工业的产品外，所有这一切都是完全在美国控制之下进行的。高级的美国人和各种使团在不断地飞行中到达了土耳其，与土耳其参谋人员讨论土耳其整顿军备中的“需要”。这些谈判包括了土耳其步兵的近代化，交付重火器与近代的高射炮，整顿旧的与建造新的飞机场，扩大与近代化兵工厂，以及建筑港口等等问题。他们甚至还讨论到了土耳其各种兵种的新军装。美国使团在土耳其正在考察一切多少有些重要性的战略区域。为美国专家们所“研究”的美国军事使团的计划与范围，将足以说明土耳其在军事方面是如何的失掉了独立。它的一切部队、兵工厂、战略地区都服从于外国的统治。

但是“援助”的计划并不限于军事方面的干涉。美国资本正在拼命的侵入土耳其的经济。美国银行的分行已经在伊斯坦堡和伊斯密尔建立起来。美国托拉斯已经得到大规模地采掘土耳其油矿的允许，由美国各大银行各大公司代理人组成的美国经济使团很快地将到达那边。土耳其一切对外国投资的股份之限制已经取消。根据新立法外国公司获得了对土耳其工业投资资本及输出所得利润的无限机会。土耳其的货币已经贬值，里拉对美元和英镑的兑换率较前减低了一半。实际上美国在土耳其是实现了他们的“门户开放机会均等”的有利原则。

最近以前土耳其主要地享有英国的“援助”，今天她又决定靠拢美国，虽然到今天英国在土耳其的地位还是强大的。一九三八年英国对土输出统计为二百五十七万五千余镑，到一九四六年增为六百二十三万三千余镑之多。仍然有成千的英国军事专家与其他的专家住在土耳其。但是今天英国不能不向那个较强大较富足的敌手低头。某些英国出版界的喉舌对此异常地吃惊了。不列颠的清醒头脑完全懂得：在中东“俄国威胁”的神话后面隐藏着另一个掠夺英国地位的完全真实的威胁。

美国的“援助”及其实现的前途，在土耳其引起了不同的感情。如我们所知道的，土耳其反动派是不关心他们国家的独立的。但是变成美国殖民地的远景却使土耳其的民主人士深深地吃惊了。他们公开地表示了他们的疑惧，深恐美国独占集团的侵入，以及在军事上、经济上对美国控制的服从，最终会剥夺了土耳其的独立。土耳其人民很难找到下列事实的辩解：他们增加军备而不是减少增加捐税以偿付贷款的利息，维持巨额的军队危害国家的经济。反军国主义的言论甚至侵入到土耳其陆军中去，而半官方的报纸对此也再不能保持缄默。土耳其普遍的人民，对他们的国家变成侵犯土耳其主权的外国“主义”的目标深为惊异。他们仍然保持着另一个臭名远扬的“军事使团”访问土耳其的新鲜记忆，并且他们还记得他们给国家带来了什么痛苦。以冯·山得为首的德国军事使团也是从使土耳其陆军近代化着手的，我们还记得这把土耳其卷入到灾难的冒险中去。土耳其人民的进步分子很清楚地记得这个可悲的经验，并且知道自己的国家再一次变成外国帝国主义势力的玩物是何等的危险。

（新华社东北总分社特稿，之平译）

英国与美国

苏·泰金作　严蒙译

（一）英美关系的三个阶段

一般说来，自第二次世界大战开始以后，英美关系的历史可以划分为三个不同阶段。

第一阶段包括二次大战的初期——从德国进攻波兰到一九四一年六月二十二日。在这一时期中，特别自法国被灭亡以后，英国差不多完全依赖着美国，她既没有军队，又没有军备；她缺乏粮食与战略军需原料；她的工业也才开始转入到军需生产上去。可是美国呢，早就公开宣布了完全支持英国反对德国的战争，罗斯福并宣称：美国是"民主的兵工厂"。

一九四〇年夏天，英国从美国方面获得了一大批步枪（她那时连步枪都缺乏得很呢！），之后不久，美国又将五十艘驱逐舰移交给英国，来换取英国控制下的加勒比海与其他地区的基地。英国并从美国手里取得了原动机、机械工具、食粮与其他战争必需品。可是另一方面，英国必须用现款偿付美国（那时租界法案还未通过）。

实际上，这意味着英国在美投资之转入美国手中。

那时许多英国人都惴惴不安的说：“假如这样下去的话，到战争终了时她便会发现她在经济上已成了美国的‘附属国’。”然而，从法国失败以后，其悲惨境遇却迫使英国不得不转向到大西洋彼岸的列强美国方面去。不少美国人为着他们的本身利益公开嚷着：“大战结束之后，英国即成为英美‘同盟’的欧洲前哨，而以华盛顿为其中心。”

由于希特勒德国的进攻苏联，英美关系进入了第二阶段。希特勒在东边挑起的战争不仅大大地减弱了对英国的军事压力，而且也使她对美国的依赖性大大地减少了。现在她有了两个强大的盟国了。按照她的古老传统，她开始在这两个盟国中间活动起来。

一九四一年十二月七日美国也参加了大战，于是英国的地位更其改善了（不仅是从军事观点上说的），因为中立的美国与交战的英国之间的均势总不若交战的美国与交战的英国之间的均势来得对后者有利。

在大战的第二阶段中，英国将她军事上、工业上与经济上的潜在力量都发挥到了最大限度，终于得以大大加强了她的国际地位。到战争终了时，英国在三强会议中的地位就不亚于美苏的地位了。而且只有如此，才能允许她进行一种独立的外交政策。

德国与日本被击败以后，英美关系便进入了第三阶段。如今，全世界面临着战后和约的问题。由于战争，英国在经济上与政治上表现了衰颓，但她的衰颓还不至于达到足以影响到她的世界地位的程度。只要遵行一条正确的路线，英国仍还不难保持她在大战第二阶段中所获得的国际地位，而且也能执行其独立自主的外交政策。

可是实际适得其反。当大战结束的时候，英国的工党政府竟执行了盎格鲁·撒克逊集团的反苏政策。现在，美国既然在经济上与武力上占着优势，英国自然会成为，而且事实上成为了盎格鲁·撒克逊阵营中的“二等伙伴”。英国当时之所以一反其一九三九年至一九四〇年时期的情形，并非由于迫不得已，而是追随着丘吉尔及其一伙的工党政府在国际关系上自愿地采取了这种反动路线的缘故。英国之再度仰承美国，可以从不利于大不列颠的英美财政协定和战后外交谈判的过程中最明显不过地显示出来。这些情形在世界人士的记忆中是很新鲜的。

英美集团的基本目的是什么呢？关于这，丘吉尔之流及其在英美的同道是很坦白的：首先是建立她们在战后世界中的“领导”，换一句话来说，有势力的独占集团们计划建立他们对世界的联合统治。

事实说明了这个计划早已越过了准备的阶段，逐渐采取着一种固定政策的形式。这是不消说的，这种在外表上往往穿着反共产主义外衣的政策，实质上是在妨害不愿承担盎格鲁·撒克逊集团中统治国或保护国地位的所有大小各民族的独立自主。

由一个强国或几个强国来统治世界的计划常常是反动的、空想的，而当全世界由于二次世界大战的结果产生了根本变化的今天，这一点更是没有什么怀疑的了。不仅独立国家要求自由独立的觉醒提高了，而且在殖民地及附属国各民族中产生了一种迫切要求自由的巨大运动，他们坚决要为争取独立生存的基本条件而奋斗到底。

盎格鲁·撒克逊集团的英国支持者们认为：“在现

在的场合下，英国要去单独进行夺取世界霸权的角逐，其力量是不够的。”因此他们就满足于“二等伙伴”，而去仰承美国帝国主义者的鼻息。

这只是美国与大不列颠关系的一方面，而这一方面却把联系这两个国家的因素加强了。

可是另一方面呢，却暴露了这两个盎格鲁·萨克逊国家之间的往往被人们忽视的冲突因素。例如最近发生的几件事情：十一月五日的美国选举和许多工党议员的“骚动”，都是值得我们密切注意的。

（二）英美之间的经济矛盾

自十九世纪中叶以来，大不列颠的出入口贸易是不平衡的，输入超过输出。当英国成为“世界工厂”之后，就忽略了她的农业。她的上层阶级认为：从外面输入原料制成工业产品，再来换取别国的粮食，是更加有利可图的。

然而，她的入超被无形的输出如国外投资的盈利，外洋轮船公司的运费收入与国际贸易和经济业务上的经纪人用钱所弥补起来了。到第一次大战时，她的收入终于超过支出达一亿八千一百万英镑。

第一次大战以后，英国的经济状况开始恶劣起来，这立刻从她的支付的平衡上反映出来。在二十年代，她虽有着日益增长的困难，还能勉强做到收支的平衡，可是到三十年代——自一九二九年经济恐慌之后，其经济情况是每况愈下了。仅拿二次大战前（一九三四年到一九三八年）的五年中来说，英国平均每年要亏空一千九百万英镑。

二次世界大战使英国的经济情况更变得恶化了。一方面，她的商业入超不仅没有减少，而是相反地增加了；另一方面，她那无形的输出也急剧地下降了。

英国无形输出的收入主要是从国外投资和运输业上取得的。在一九三四年至一九三八年间，每年即达三亿二千八百万英镑，而其中投资收入占一亿九千二百万英镑，而货运收入占九千二百万英镑。可是在大战中，英国几乎消耗了国外投资的一半，现在和一九三八年的四十亿英镑比较起来，其国外投资的数字是不会超过二十亿英镑的。换言之，英国从这一方面的收入一定会减少到一半。至于货运的盈利呢，自二次世界大战以后，情况是极其糟糕的。

举几个显著的数字来说明吧。一九三九年，在资本主义各国的六千二百万吨商船中（指千吨和千吨以上的船只），英国即拥有一千七百万吨，占百分之二十七，美国则为一千一百万吨，占百分之十八，而其他各国仅有三千四百万吨。一九四五年，全世界商船吨数共为七千二百万吨强，英国拥有一千一百万吨，占百分之十五，美国却拥有四千三百万吨，几占百分之六十，而其他各国仅为一千八百万吨。这说明了在航业上美国今天已是英国的严重敌手了，其结果使英国在商运上遭到了重大的损失。

因此，英国在战后遇到了入不敷出的严重问题。假若这种情况继续下去的话，那么英国将永远陷进债务国的泥坑里了。正因为英国的对外贸易在其国家经济中起着主导作用，此种情况必将影响到她的整个经济生活，特别是币制的稳定。

怎样才能消除此种入不敷出的情况呢？

今天，在英国面前只摆着一条道路，那就是大量地减少输入，大量地增加输出。换一句话说，就是像战后那样把贸易入超大大地减少下来，减少到当她的无形输出足以弥补时为止。

如何减少输入呢？这只能由减少粮食和制成品的输入来达到。这两项输入在战前（一九三八年）即占英国全部输入的百分之七十以上。而减少原料输入的那种经济措施是会碰壁的，因为要制造外销的制成品原料是必需的，何况英国目下正迫切需要着原料呢。

怎样增加输出呢？这只能由输出大量制成品来达到。战前（一九三八年），这一次在英国的全部输出中即约占百分之七十七。

假若英国要改善她的收支状况的话，那么这是一个主要的条件——主观条件。

还有另一个相当重要的条件，即客观条件。英国倘要销售她的输出品，那么，市场——适应其需要的庞大市场是不可缺少的。英国经济学家们估计：为了改善收支状况，在一九四七年英国必须将她的输出增加到百分之五十，而一九四八年则必须增加到百分之七十五（和一九三八年时比较）。

从报章——例如一九四六年八月三日的伦敦《经

济学者》——上的报导观察：英国去年夏季的输出已经超过了战前的数量，而且还有继续增涨的趋势。因此，英国在今后二年中大概可以达到经济学者们所预期的情况的，因为在大战中英国的生产力提高了百分之二十五至百分之三十。但是为了销售其生产品，市场是需要的，那么她能找到吗？这便使我们发现了英美经济关系的一个症结。

在战前，英国的输出对象是哪些国家呢？

一九三八年，英国将近一半的输出品是运往大英帝国管辖下的国家去的，百分之三十三则运往欧洲各国，美洲大陆仅能吸收百分之十二，而亚洲各国则为百分之三多一点。因此，在战前对于英国最宝贵的市场便是她自己的国家和欧洲各国了。

现在的情形怎样呢？还是和过去一样。只是产生了一种变化，那就是英帝国市场的重要性在今天比起一九三八年时要大得多，因为那里受到战争的创伤比较小；至于欧洲呢，却达到了极端贫穷的地步。

因而，这是很明显的：英国为了改善她的收支状况，将必须为保持原有市场和获取新市场而进行顽强不屈的斗争。

可是，美国之需要市场并不亚于英国。在战争中，她的生产力差不多提高了两倍半。如果返回到战前生产水平的话，便会产生长期的经济恐慌与随之而来的大批工人的失业。

那么在战前美国的输出对象是谁呢？

在一九三八年，美国百分之四十三的输出品是运往欧洲去的，百分之三十四运往南北美洲，百分之十九运往亚洲与大洋洲，而百分之三是运往非洲。因此，其主要市场便是欧亚两大洲。

现在怎样呢？对于美国说来，目前的亚洲市场较之过去是更其重要了。虽然美国近来费了不小力量，去恢复并进一步扩张她在欧洲的原有地位，可是由于战争的缘故，欧洲市场的重要性是大为降低了。因此，美国的商业界正在竭力为他们的工业产品开辟新市场，而他们的目光特别转向着中国和大英帝国。

在中国，他们已把英国推到第二把交椅上了。至于在大英帝国呢，他们正在准备着一个具有决定性的打击。一九四五年英美财政协定中包含有这样一个条款，它规定:“使英国得以在帝国领土内销售出口品百分之五十的帝国自惠税率，假如不完全取消的话，至少要大大减低下来。”

但是，帝国自惠税率的取消，或者来一个大的减低，便会产生这样一种结果：那便是帝国市场对于英国工业产品的需求大大地缩减了，而这正是美国所企望的。现在，大家对于美国叫得极为响亮的“机会均等”口号的实际意义也就明白了。将来在国际贸易会议中英国一定会遇到这个问题的，现在她正为此而进行着准备。

随之而来的将是什么呢?

那便是英美之间严重的经济矛盾，主要的——虽然不是唯一的——是：市场的争夺，特别在英帝国领域内，和海上货运的竞争。

（三）英美之间的军事与政治矛盾

然而，英美之间的矛盾是不仅仅限于经济领域内的，在军事和政治方面也存在着矛盾。

当然，其中最重要的问题是关于海军问题。我们都知道，英国对于海军军备是极其关心的。这是没有什么奇怪的，英国的领土遍布世界的各个角落，要奠定和保持这个庞大的帝国，就有赖于对于海洋的控制。直到一九一四年，英国战略的基本原则依然是：保持相等于其他两个海军国家的海军力量。这个原则不仅是宣布了，而且也实践了。

一九一四年到一九一八年的世界大战却使情况发生了大的变化，而在一九二二年的华盛顿会议上英国被迫同意了英美海军力量相等的原则。这对于英国是一个严重的打击，虽然在两次大战之间美国在海军力量上没有能够和英国并驾齐驱。海军力量问题是一个足以牵涉到英帝国前途的问题，既然美国的海军力量已两倍于英国，她将对此采取什么态度呢？那是不难理解的。

关于空军力量的情况，同样如此。要用精密数字来说明英美空军力量的对比，那是困难的，但毫无疑义，美国的空军力量是数倍于英国，而其飞机生产力亦远较英国为大。由于军事和民用空中交通之日臻重要，这两个国家间的严重矛盾，将随着时间而加剧起来。无怪乎战后英美空中交通协定，竟费了九牛二虎之力才算签了字，而且一般印象认为，这个协定的寿命是不会太长久的。其次，英美之间还存在着另一个矛盾，即基地问题——陆军基地、海军基地、空军基地。在英国自己的遍布世界各地的领土上，有着成百个这样的基地。但是，美国也随着在世界范围内建立了密如蛛网的基地，而且正在继续扩大着，常常和英国的基地并行或者交叉起来。英国对此是不大愉快的，但是她有什么办法呢。

说到原子炸弹，英国同样是很可怜的，因为对于英国说来，原子炸弹仍然是一件秘密。这样，大家对于原子炸弹对将来英美关系有着什么危险性这一点也就不难理解了。

另一个危险圈便是殖民地问题和原料的来源问题。英国是今天殖民地强国中最大的一个国家，她占着拥有五万三千万人口的富饶的帝国领土。目前，美国正处在猛烈扩张的时期，在许多地方正向英帝国国境的前哨进行着对抗。虽然到现在还没有发生严重的冲突，但谁能保证将来不会发生呢?

如果再加上英美在拉丁美洲、欧洲、近东、印度、马来亚、日本与其他许多国家中继续不断，忽明忽暗的为争夺政治势力而进行的斗争，那么这幅表现英美之间军事、政治矛盾的图画更其鲜明了。

（四）是新阶段的开始吗？

上面说得很明白了，在错综复杂的英美关系中存在着两种因素，即：联合的因素和冲突的因素。在大战结束以前，由于两个主要的理由，前一种因素起着决定的作用：

第一个理由是：战争时期的传统精神。在这个时期中，为对共同敌人进行作战，英美两国想尽了一切办法，在主要问题上取得了协调。

第二个理由便是进行着的联合斗争。但是等到大战一结束，英美的反动分子为着建立他们的世界霸权，便反对起世界民主力量来了。丘吉尔在美国富尔顿的演说，便最明显地说明了这一点。

然而，近来却显示了另一种倾向。这个倾向是从英美利益的矛盾中产生出来的，因为英美两国间的矛盾并没有消除，只是暂时被压抑下去了。当战争的年代越离越远，反苏叫嚣越显得徒劳无益和民主力量对英美建立世界霸权计划的反抗越发厉害的时候，他们之间的利益分歧也就越发明显了。

不久以前的美国选举和英国会中工党议员的“骚动”，便是说明这一方面的最明显的兆征。这我们在上面已经提到过了。

在美国十一月五日的选举中，共和党人得到了胜利，参众两院便掌握到他们的手中去了。有许多理由相信：在一九四八年十一月的总统选举中，其结果将是同样如此的。共和党所奉行的政策既然是损人利己的，它公开反对其他国家，包括英国在内的利益，那就没有什么理由可以怀疑：行将到来的经济危机，定将使美国政策更倾向到此一路线上去。而在英国呢，这个经济危机也将产生同样的影响。

从对我们有利害关系的观点看来，英国国会中将近三分之一的工党议员的“骚动”同样是一个兆征。在对金氏演说的辩论中，他们批评了政府的外交政策。

不错，这种对政府的批评并非是新奇的，在英国下院的大厅中早就听到过几次了。因为从来反对贝文外交政策的人只是一些工党的左翼代表（齐里亚库斯、德里堡等），他们主张英苏间必须建立密切合作。

而现在呢，政府的反对派不仅仅是工党的左翼分子了，工党中那些更右派的代表，其中还有对苏联并不表示同情的人们（格罗斯曼、M. 福脱等）也都发出了猛烈的批评。“骚动”的领导者格罗斯曼提出了“英国必须从美国的保护下解放出来，恢复她的独立自主的外交政策”的主张，并且获得了其他人的支持。

在十一月二十二日于伦敦召开的大会上，格罗斯曼对他们自己的立场作了如下的说明：

> 我们不能同意于美国对“自由贸易”所作的解释。此种“自由贸易”使美国得以输出她的工业，控制世界市场，而令其他国家趋于毁灭，并利用借款来作为一种政治压力的手段。假若我们和美国或者和俄罗斯站在一起的话，那我们便将衰颓下去，假若我们保持自己的独立，并与美国和俄国共同合作的话，那我们便将强大起来。

这些话是说得很有意义的。我们知道，格罗斯曼并非在要求着与苏联的友谊，显然地他是主张看风转舵的英国传统政策的。但是，有一点他是明白的，即是英国应尽快的从美国的羁绊下解放出来。

另一个反对者便是：M.福脱，他曾经几次三番利用各种各样的理由来攻击苏联，特别在伊朗事件上他表示了相同的态度。他在《论坛》报上发表了一篇文章，说："要使所有外交政策的计划取得成功，那么有一个条件是必须具备的，这便是英国应作为一个独立自主的强国。"

他问道："假如我们一只手从唐宁街取得了东西，而另一只手却把它丢给了白宫或者丢给了华尔街，那么这对我们究竟有什么好处呢？"

当然，从一大批工党议员在国会中的"骚动"作出过高的结论是不确当的。可是，这一事实说明了群众对于艾德礼和贝文外交政策的警惕是日益提高了。广大群众正开始愈来愈清楚的理解到，今天摆在英国面前的重大问题是：英国在国际事件上保持其独立性呢，抑或成为美帝国主义者在欧洲的前哨？

在英国，反对选择后者的情绪正在增涨着，这便是工党国会议员“骚动”的背景。可是直到现在，英国政府用在反对欧洲民主力量上的力气，比起为其本身利益与独立政策所作的斗争来要大得多。外国报纸也纷纷指出了工党政府是在重复着保守党内阁时代极其错误的政策。难道这是没有理由的吗？群众情绪与统治集团政策之间的冲突，结果将会怎样呢？将来的事实自会说明的。

如果我们要得到民主和平的话，那么就必须恢复战时大国间基于平等原则的友好合作和杜绝这种敌对集团的政策。

（译自一九四七年一月《新时代》，载三月二十二、二十三日《东北日报》）

英美在华的矛盾

由于日本侵略和美国势力伸张的结果，英国在中国的势力大为削弱了，英国在中国的首要地位已为美国所夺取。美国资本依赖与国民党领导集团的勾结和大规模帮助中国反动派进行中国反民主的斗争，已积极取得在中国的经济政治地位。英国估计自身地位的薄弱，曾试图与美国求得经济上的协议，可是美国资本家拒绝英国的要求。不仅如此，他们在好些场合甚至挑唆中国阻碍英国为恢复其优越地位的行动。美国这种态度使得英国不能不多少改变其战后对华政策。一九四六年下半年英国在中国开始激烈的活动，此种行动大部分是对美国的，英国力求在中国对外贸易上恢复原有的居于首要的地位，英人欲使香港成为英国在华南伸张势力的根据地，为此目的英国已争取相当一部分买办资本到香港，利用他们的帮助在广东设立了好多公司。他们还筹划利用大英资本和英国技术上的帮助开设电力厂和纺织厂，作者指出：为对抗英国的计划，美国在华组成了所谓中美实业公司。在英国争取在华地位的斗争中，重要的一件事就是缔结商约问题，该约自四六年春季以来即在谈判之中。根据英报载称：谈判中，中英双方未存严重的分歧。据这些报纸说：蒋政府之拒绝接受英方条款，大部分为美国所策动。英美在华的矛盾尖锐性，虽然由于英国在某些问题上采取与美合作的政策而缓和一时，但是跟着美国势力侵入中国生活各方面之规模愈大时，这些矛盾今后亦愈趋于紧张。

（新华社延安七日电，载三月九日《东北日报》）

论美国在太平洋的野心

马尔柯夫　著　陈迺谦　译

对日战争过程中，美军占领了前日本代管岛屿——马绍尔、加罗林及马利亚纳。此三群岛包括一五〇〇余大小岛屿，占海面南北一九〇〇公里、东西四〇〇〇公里。这些岛屿都是重要的战略基地，可能威胁日本、中国、朝鲜、菲律宾、印度尼西亚及澳大利亚。

美军于一九四四年初占领了马绍尔群岛中之瓜加林岛，一九四四年七月占领马利亚纳群岛中之最大岛塞班；同年九月美军又在加罗林群岛上陆；并凭借此有力的基地，而占领了硫黄岛及冲绳岛。如此，至太平洋战争完结，不仅日本代管岛屿，即日本自己领土内之岛屿亦多数为美国所管制。

美国在太平洋上属于同盟国的某些岛屿及委任统治地，亦同样建立了海、陆、空军基地，比如在马奴斯（澳大利亚领）、新喀里多尼亚（法领）、新赫布里底（英法共管）、西萨摩亚（新西兰领）、瓜达康纳尔（英领）等岛及菲律宾，都建立了这样的基地。总计战争期间美国在太平洋共建立了一九五处基地（据美杂志《外国事情》一月号所载。）

战争期间，美国政府以罗斯福为首的许多官方人员，均曾屡次声明：美国无任何获得领土的野心，并且主张战后对保证和平及安全上必要之战略基地，应由联合国管理。

但当罗斯福还在世的时候，为美海军及陆军部支持的扩张分子，对太平洋问题就表现了特别的活动。他们违反维持太平洋和平与安全的国际合作原则，提出确立美国统治及变太平洋为“美利坚湖”的计划。

远在一九四四年，某些美国国会议员就表示要从速合并从日本手中所征服的岛屿。一九四五年四月美舰队总司令官海军大将金氏，公开采取了海军部合并太平洋诸岛屿的政策。陆军部代表也直接作了同样的表示。于是，联合国大会美代表团陆军部代表乔治·金尼在伦敦向新闻界代表声明了：“我们应合并对我们必要之所有日本岛屿。”

美海军部次长在一九四五年九月五日声明说：“美海军舰队希望最低限度在太平洋上保有下列几个重要基地：科的亚克及阿达克（阿留地安群岛）、巴利包亚（巴拿马运河流域）、关岛、塞班及地尼安（马利亚纳群岛）、马奴斯、硫黄岛（硫黄列岛）、小笠原群岛、琉球群岛及在菲律宾之诸基地。”

但这些绝没有满足了美军统帅部的野心。更深远的要求，在众议院海军委员会太平洋基地问题小组的专门报告中，有着详细记载。这一报告，为由该小组议员视察美军占领之岛屿后所制订，一九四五年八月公布。其中提出了三项要求：第一、建立美国对日本代管岛屿及硫黄、琉球诸岛的“统治的管理”；第二、对建有美国基地之同盟国领岛，应获得“特殊的及必要的”权利；第三、承认美国对其他同盟国的领岛及委任统治地之某些基地的“完全领有权”，因为——据报告的作者称——除美国外，任何国家都“没有能力保护这些基地的安全”。小组议员乔塞夫·福灵顿，在火奴鲁鲁演说时甚至称：应直接合并日本代管岛屿，并建议其中亦包括帛琉群岛，而在“太平洋领地”的名义下，作为美国之领土。

报告中指出：美国国防的中央线必须通过夏威夷群岛，前日本委任统治地及菲律宾。为了保卫这条中央线，所有南北沿此线之诸重要岛屿，都应成为美国之前哨堡垒。关于此点，报告作者们并不重视这些岛屿是否属于联合国之其他国家而认为这是“小事情”。如此，按其战略范围，苏联领千岛群岛也与阿留地安群岛同时将成为“美国国防中央线的北翼”；而不属于美国领有的新喀里多尼亚、阿德米拉特、新赫布里底各群岛及萨摩亚岛，恐怕就要成为“美国防的南翼”了吧。这个报告，公开的形成了美扩张分子的侵略计划，而在本年一月二日被众议院海军委员会通过。

据新闻界报导，除上述各岛外，美国还企图领有下列诸岛。即：现在英美共管之堪冬岛、英领圣诞岛及夫纳夫地岛、并厄瓜多尔领加拉波各群岛。并且将在神户（日本）建立巨大美军基地；计划“长期的租借”日本海军基地横须贺及在中国某些战略据点建筑海军基地。

一九四六年一月十五日杜鲁门总统向新闻界声明：美国希望托管由日本手中占领之岛屿。这一声明惹起了美国扩张分子间的愤慨，尤其是在反动的参院议员方面。参院议员——民主党党员贝尔德及衣斯特林德、共和党员托比及凯波哈尔特——对此声明加以锐烈的批评，他们绝对坚执合并政策。参院议员衣斯特林德公开的威胁称：“一切交予联合国管理诸岛屿的条约，不管以何种形式，均必遭参院之强硬反对。”

但事实说明了管理这些岛屿的仅是美国自己，所以美帝国主义集团的恐惧也完全烟消云散了。一九四六年十一月六日美国政府公布的，关于托管过去日本代管岛屿的协定草案，使美国将完全保有这块土地的主权，实际上和合并并无任何区别。所以说美国关于托管太平洋诸岛之协定草案，实质上就是最后通牒。在纽约联合国大会时期，美代表已明显的说明：即或草案不被联合国通过，但这些岛屿仍将为美国所管制。

本来，马绍尔、加罗林、马利亚纳诸岛之代管，是国际联盟在凡尔赛会议时，委任于日本的。所以这些岛屿的命运也只有决定于对日和约。但是美国既没参加国际联盟，反要单独继承日本代管的任务。

《纽约时报》说：“美国没用和约的形式而简单的接受了国联委于日本的权利。”

美国认为自己是日本代管岛屿的继承者，而破坏了关于托管国家必需同其他与此被托管土地直接关系国间谘商的规定。没有和其他国家谘议的托管协定草案，已在华盛顿作成了。

如美国及全世界新闻界所注意的，这一草案的后面掩蔽着的是，使美国事实上合并太平洋重要战略岛屿合法化，而使联合国方面没有可能对托管国的活动加以有效的监督。草案第三条写道：

> 管理当局在此地域上有行政、立法及司法的完全权利……就如同在美国领土的一部分上一样。

这一条款更扩大了美国的权利，在被托管的地域，美国可使用此地必要之任何美国法律，并可随意修改。如此，此地域公开的成了美国领土的一部分，而不顾联合国宪章中所宣布的，帮助此地域向自治和独立途径发展的原则。据科学箴言报驻华盛顿记者哈尔斯称："据目前关于托管的建议，太平洋岛屿就如南达科他州一样，亦将确实的属于美国。"

协定草案亦使美国有可能利用该地域从事于军事的目的。美国将获得在该地域的种种权利，如建立堡垒，建设海、陆、空军基地，驻军该地及其他军事措施。关于此点，第十三条中称：美国"为了保证安全"，有关闭此被保护地域中任何地区的权利，而在此地区联合国宪章则失去其效用。

草案中有许多条款，将使美国的实业贸易公司及企业家，较联合国中其他国家在此地域的公司及企业家，占有特权地位。第八条中有一项专门记载：禁止其他国家飞机于被托管岛屿中飞行。更由于第十五条中，规定美国享有对此修改、增补或废除之权，而使美国对此地域的统治毫无拘束。

美国协定草案与联合国托管原则相距过远，甚至连美国扩张政策最忠实的信徒也说：与其在联合国中以托管的旗帜掩盖其合并事实，倒不如就直接要求合并，还真实一些。如美国帝国主义公开的代言人李普曼，即力主合并太平洋岛屿，而斥在“实际上使之成为合并”的协定的基础上，托管该岛屿为伪善的行为。

美国对太平洋岛屿中这些少量土地及少数人民的态度，说明美国破坏了大西洋宪章、开罗宣言及其他经美国签字的反对领土扩张的外交文件的原则。好像是，华盛顿集团，可能以侵占巴拿马的手法，来侵占其他国家的这一面积不大、人口不多的领土。

但美国帝国主义分子，对自己在世界舆论上的印象，并未表示特别的关心。关于太平洋岛屿的命运问题，他们解决的很简单：“所有我们所需要的——他们声明——在我们不想交出之前，将永久控制。”

美国整个控制包括其他同盟国某些领土及委任统治地在内之太平洋所有重要战略岛屿之野心，惹起了英国的不安，英国认为这种趋势会将其驱逐于太平洋之外。为了抵制这一趋势，英自治领澳大利亚及新西兰间已于一九四四年一月签订一协定，规定："太平洋中任何一岛屿之主权或管理制度，除非经过有他们（澳大利亚和新西兰——作者注）参加的协定，或协定之条件为他们所接受者外，不能有任何之变更。"

英国、澳大利亚及新西兰官方代表曾屡次反对美国自称其为唯一负有维持太平洋和平责任的国家，及在此基础上侵占任何认为对其必要的地域的企图。特别是美对马奴斯岛的野心，遭到了强力的反对。

马奴斯——澳大利亚委任统治地阿德米拉特群岛中之最大者，为太平洋上优良船舶碇泊所之一——美海员称之为"南方的关岛"。外国报纸曾数次指出：这个岛屿对于澳大利亚及南部太平洋之防卫，较对于美国的安全更为重要。外国观察家亦同样指出：美国统治之琉球群岛，为掩护东海之门户，而对中国国防有重要意义。

建立美国统治太平洋的初步草案，已遭到美国进步舆论方面尖锐的斥责。一九四五年九月七日《华盛顿邮报》载称：

> 既然共同为支持国际和平而努力，当我们处理海军及陆军基地时，不应当忘记其他国家。为何不承认澳大利亚、英国及其他与此基地（指马奴斯岛——作者注）相关国家之基本利益，并为何不将此基地提交联合国管理？就以冲绳岛基地而言，该岛既为监督日本所必需，为何美国不分其责任予中国及其他同盟国呢？美国对这些基地采取的决定，可能考验其对新和平秩序的信心。

美国舆论界进步代表，尖锐的斥责国会所公布关于托管前日本代管岛屿的协定草案。著名广播评论员苏英声明：“美国在托管的伪装下对于合并的努力，违反了其自己的主义。美国在进行建立其对太平洋交通的独占。这是军国主义的行为，并抱有在全世界上大量的扩张美国势力的目的。这当然是背叛美国大多数人民的意志的。”

美国的托管前日本代管岛屿，目前还仅是草案。但美国巩固在这些岛屿中自己的势力，及在这些岛屿上建立永久强力的航空基地与船舶碇泊所则是事实。美国在此间，就好像关于这些岛屿的命运问题已经解决了一样，极广泛规模的进行着军事建筑工作。英记者维尔纳·列夫在佛尔特纳特里杂志上称："美国进行的建筑工作，更具体的证实美国政策对这些岛屿的企图。"

日本代管岛屿在美海军行政管理下，已二年之久。可是美国的统治给受过西班牙、德国和日本压迫的该岛屿当地人民带来些什么呢？

关于此点，美杂志记者恩布里在其题为《密克罗内西亚：海军舰队与民主》一文中，有着趣味的记载。作者一九四五年末访问了密克罗内西亚（太平洋中日本代管岛屿一带区域之总称）。因为在这一区域的进出和旅行都是由美海军部严格的监督着，所以他的旅行是比较方便的。

> 目前可能进入密克罗内西亚的唯一方法——恩布里写道——就是利用美国的军舰或飞机，但这种旅行手段又只限于有海军部批准者方能获得。

海军部官员不放杂志记者、学者甚至于传教师进入该岛屿中，他们的理由是这些人们过去曾“恶化了当地区的地方情况”，但实际上，则是为了避免他们所认为的“不速之客”。根据恩布里的证实，美国当局不仅反对“外来人士”，同时亦反对一切外来的影响，如杂志、电影等等。

很难想象美国在这样的条件下，如何能够按照美国协定草案第六章的规定，而促进当地人民文化的发展。

美海军行政一意致力于促成这些岛屿为其有力的基地，而不惜摧残人权。例如：所有塞班岛之土人及日人都被驱逐于收容所，以避免其妨害军事工作。岛屿中皆以美国军事法庭处理民间诉讼。居民完全呻吟于美国暴政之蹂躏下，而无自由。

恩布里写道：

密克罗内西亚人是无祖国的人。他们既不是美国公民，所以他们若于一九四六年在密克罗内西亚旅行，是较一九三六年更被限制了。密克罗内西亚人没有权利申诉其对自己生活安定问题的意见。若是美国为了在某珊瑚岛上实验炸弹威力，而命令该岛土人撤出时，则密克罗内西亚人没有任何方法加以反对……他们可以选出地方的村长，但如果当地美军当局对他不满意时，则即将其撤职。总而言之，密克罗内西亚人自内部旅行起至教育问题止，完全左右于专横的美海军舰队。换言之即他们没有公民的权利。

据恩布里所言，该岛屿经济形势还较政治形势稍佳。美行政方面仅着重于该岛屿之纯战略意义，而忽视发展此间之经济资源。塞班及地尼安之砂糖工业，战前每年生产品达六百万元，现在已消灭了。安加屋尔最丰富的磷矿采掘，还有干椰子的制造，亦都停止了。

现今，当地居民的基本职业就是为美海军行政官员做日工或从事于手工业生产。但美当局仍保守日本的工资率，一天付女人二角五，男人四角。手工业生产品悉由美政府商业公司以其随意所定之价格收买。此公司利用入口货物利润的独占，而严密的统治此地区所有经济活动，继承了以前日本南洋公司的衣钵。

如此，美国二年间管理前日本代管岛屿的事实，较公开的美托管协定草案更有力的证实了美国完全违背了托管的基本原则及蹂躏了当地人民的利益和权利。

由此可见，美国合并前日本代管岛屿的野心，无论借口什么国防的要求或什么当地人民的利益，都是不能遮饰的。这个野心有害于远东和平，它说明美帝国主义集团独占的企图。

（译自《新时代杂志》，载四月二十三、二十四日《东北日报》）

美国在北极地带的活动

格里宁著　施滨译

最近，美国对北极地带[1]的关怀，日益加强着。

[1] 北极地带，是地球上接近北极的一部分，包括北冰洋、白令海及其附近岛屿，和欧、亚、美三洲之北部，这些地方几乎有一半是在苏联境内，还有丹麦所属格陵兰、挪威及冰岛，其余则为美国所属岛屿（归阿拉斯加）和加拿大所属岛屿。

众所周知，战后美陆军部在广阔的北极地带首先采取的措施，便是巩固其在冰岛和格陵兰的基地。接着是航空母舰“中途岛”号的北极航行，“马斯克——奥克斯”的探险，超重轰炸机的横越大西洋，北极的潜水艇演习等。所有这些以及类似的措施，早已引起了不仅国外而且国内舆论界的异议。远在去年初，《基督教科学箴言报》批评美陆军部在北极地带的活动时称：“美国国会及舆论界应当判断：我们在北极的基地以及所采取的各种措施，是否会引起世人对于美国意图的疑虑。”而政治家们如华莱士、波贝尔、伊克斯等人对于这一问题的屡次警告，更是尽人皆知的。

但是，去年下半年，尤其是去年冬季，美陆军部在北极的活动却更趋积极。

去年十一月的《下午报》曾写道：“美国对加拿大加强压力之目的，是想取得在加拿大北极部分的驻兵权。”可是，这种压力并未获致结果。

不久以前，大约是去年初，加拿大对美军在北极的计划，向持怀疑，有时甚至是拒绝的态度。如美国派遣探险家至加拿大属麦尔维尔岛的建议，即曾为加拿大拒绝。而派遣美军至加拿大察赤尔港实施“北极训练”的计划，就干脆被制止了。

可是近来，对美国“北极训练”的建议，尤其是对美军使用察赤尔港口问题，加拿大却采取了另外的态度。据加拿大《马克林斯》杂志撰文称：察赤尔港，已经变成美军在北极各兵种联合作战的强大基地了。在这个港口驻有千余官兵，其中绝大多数是美军。他们的任务，是在低温的条件下，进行各种武器的广泛试验。而为美海军舰队建立基地的工作也正在进行中。总之，加拿大政府尽如所愿的，给美国军事当局各种便利，把察赤尔港建成美国在北极地带的纯军事试验中心之一。而在这种试验中，正如加拿大报纸《明星报》所明确指出的：“加拿大只能作客。”

美国的这种行径，当然会引起加拿大民主人士的不安。比如在正月间，电气、无线电以及机械工人各种工会，即决议反对美国在加拿大北极部分进行探查工作。其他类似的抗议，在加拿大也是屡见不鲜的。但社会舆论并未能支配政府的意见。关于加政府对美国行径的反应，是只能间接地，从《合众国新闻》周刊的某些报导中窥见一二。据最近一期该刊物的报导：第一，美国在加拿大北部已取得了前进基地；第二，美、加两国目前已制定了在北极地带的密切合作计划。

作为美国“控制北部”战略的一个重要措施，便是在阿拉斯加和阿留地安群岛训练特种部队。训练这种部队的准备工作，远在去年夏天就已开始，现在已完全展开并严守秘密。但关于美陆军部在阿拉斯加和阿留地安群岛的活动，终于在报端上有了某些透露。

加拿大杂志，如《世界新闻导报》、《旗帜》等，就曾报导说：阿拉斯加和阿留地安群岛上“维尔里·沃乌”和“福里特锐特”联队的训练，就是美国在北极地带军事措施总计划的一部分。一切最新的武器都拿去试验，阿拉斯加所有的大空军基地的修筑，也都是以便于空中堡垒以及其他类型重轰炸机的活动为着眼点。并正设计修建火箭弹试验装置。

据《纽约时报》报导：美军巨大军事演习的第一部分，于今年正月中旬，在阿拉斯加已举行过了。演习之后，阿拉斯加尤肯斯克区陆空指挥官艾维列斯特将军曾发表声明，他强调说：“为着便于配备大量‘战略空军’，我们必须建筑巨大的空军基地。”

对于冰岛和格陵兰，美陆军部依然特别重视。数日前，丹麦报《艾克斯特拉不拉杰特》刊载了一个文件，证明美陆军部计划于今年采取若干补充措施，以改善及扩充美国在北大西洋的军事基地。其中包括丹麦所属岛屿——格陵兰及冰岛。这一文件，把曾经流传的所谓美国同情丹麦要求取消一九四一年格陵兰条约——美国曾依据这一条约，将格陵兰置于自己的保护之下——的传说，完全否定了。同时，该报公布的这一文件又说明，所谓美国准备接受冰岛人民要求实行撤兵的消息，也是毫不可信的了。

最近，美陆军部在北极地带，正日益加强其活动，在该地所实行的一切措施，其直接目的就是美帝国主义集团希望在北大西洋占有统治地位，由此深入加拿大北极部分，并在那里巩固起来。我们如若根据美国军事代表们在加拿大察赤尔港的活动，在冰岛以及格陵兰的活动，那么，应当承认，他们已按预定计划获得了显著的结果。

美国在北极地带各种军事设施所追求的目的，是与世界各民族的利益背道而驰的。美国反动派显然了解这点，所以它在各国民众面前，便尽力掩饰这一目的。

（译自三月二十八日《俄语报》，载四月六日《东北日报》）

第四部分　欧洲

一　民主力量的生长

黄操良

各国联合政府中的共产党

世界各国的共产党，在这次反法西斯的正义战争中，领导该各国广大人民进行了英勇的斗争，在战后则坚决为和平民主和经济复兴而奋斗，因此得到了世界各国人民的拥戴，使共产党的力量获得了飞跃的发展。

截至目前为止，除苏联和中国外，世界上已有十八个国家的共产党，由战前的在野党甚至所谓“非法组织”，一跃而变成了各该国的执政党，领导或参加各该国的联合政府。这就是战后世界与战前世界不同的新面貌特征之一，也就是战后世界和平民主事业中的有力保证之一。

兹就现有零星材料介绍如下：

一、法国：法共成立于一九二〇年，总书记为多列士。战前法共拥有二十七万党员，去年七月增至七十万，至九月，更激增至一百万以上。根据一九四二年的估计，法国人口为三千八百万人，因此每三十八个法国人中，就有了一个共产党员。在今年五月二日第二届立宪议会的选举中，法共荣膺议会第二大党，在五七五议席中，获得一五〇席，法共书记之一的杜克洛与白劳恩夫人已荣任议会副议长，去年九月省议会选举中所获票数最多，计三百八十三万票，共三二八席。在最近组成的三党（人民共和运动党、共产党、社会党）联合新政府中，法共占七席，为全部阁员（计二十四席）之三分之一弱。法共领袖多列士任副总统，其他六席为军备部长（狄隆）、工业生产部长（保罗）、劳工部长（克洛伊）、卫生部长（阿尔少）、建设部长（比劳）、退伍军人及伤兵部长（卡塔诺喀）等。

二、意大利：在一九四五年五月米兰解放时，北意共产党党员仅二十余万人，但至今年一月，据意共党领袖爱尔科里在共产党代表大会上宣布，党员数量已突增至一百八十万人（其中三十万为女党员），成为欧洲除苏联以外的第一大党。在今年六月二日大选前的政府中，意共掌司法、农业、财政三部，意共领袖爱尔科里亲任司法部长之职。在六月二日的立宪议会的选举中，意共获得了总议席五五六席中的一〇五席，为议会的第三大党。目前，意新政府尚在酝酿中，据各方电讯所传，意新政府必须是三大党——基督民主党、共产党与社会党的联合内阁，因为只有如此，才能与目前意国内阶级力量的对比相适应。

三、南斯拉夫：南共战前为一小党，在抗德战争中，由于该党领袖铁托及党员坚决英勇领导抗战，影响激增。不久以前的大选中，南共获得绝对优势的胜利。铁托已任新联合政府的总理，共产党人卡特尔任副总理。共产党现在是南国政治生活中的领导力量，它团结广大的民主进步人士，为建设新南斯拉夫而奋斗。

四、捷克：战前捷克共产党有六万党员，至今年四月初，已变成具有百万党员的大党。在这次立宪议会选举中，捷共获得百分之四十六的选票。荣膺议会第一大党。目前，捷共总书记哥特瓦尔德已任新政府总理，领导该国的联合政府。在地方议会中，共产党议员占首席，计四七四席。

五、波兰：波共现有党员三十一万人，共产党员哥摩尔卡任副总理，与社会、民主两党合组联合政府。

六、保加利亚：在祖国战线（由共产党、人民联盟、社会民主工党、农民联盟组成）的联合政府内，共产党占有四重要阁席，保共书记之一哥托斯夫任保总理兼电力部长，内政部长为斯蒂芬诺夫，财政及卫生部长为安吉洛夫。

七、罗马尼亚：罗共参加格罗查的联合政府，罗共领袖巴特拉斯卡奴任司法部长。罗共已领导了罗国的整个职工运动；并组织了“劳动总同盟”，有一百五十万会员，为该国最强大的有组织工人团体。

八、匈牙利：现届内阁中，匈共已有四人参加，并充任内政部等要职，国会议席中，匈共占总数百分之二十。

九、奥地利：奥共与社会党实行联盟，与人民党合组联合政府，有一人任内阁部长，国民议会中有议员三席，其联盟之社会党有阁员五人，议员七十三席。奥共在去年九月即有党员二十二万人。

十、芬兰：芬共在内阁中充任内政部长等要职，国会议员有四十九席，占议员总数的四分之一。芬共与社会党、农民党合组联合政府；并领导芬兰人民民主联盟，该联盟有四百五十个地方组织，至今年三月，拥有会员十六万人。

十一、德国：德共最近已与社会党合并为统一社会党，在苏军占领区中任行政工作；携手为建设民主的德国而奋斗，在德境英美占领区内，德共虽受到占领当局的压制和摧残，但其力量仍猛增中，迄今年三月止，德共党员已由战前的三十五万人，发展到六十七万人，其联盟党社会党则有一百余万党员。

十二、挪威：挪共现有两人任内阁部长，国会议席有十三席，战前则无一席，市乡议会占六五二席，一九三七年时仅十七席。

十三、比利时：今年二月大选结果，比共在国会的众院议席（共二〇二席），已由一九三九年的九席增加到目前的二十四席，参院的一〇一席中，则有十一席（战前无一席），在省议会中，共产党拥有五十八席，较一九三六年的二八席激增一倍以上。在今年三月三十一日组成的新政府中，在阁员十九席中，比共占有四席，比共书记狄非任复兴部长，其他三席为粮食部（拉尔曼特）、公共事业部长（优列曼斯）、公共卫生部长（马尔多）。

十四、阿尔巴尼亚：共产党领袖霍查上将为阿国人民阵线主席，领导该国之联合政府。

十五、西班牙：今年四月初，西共一人参加西班牙流亡共和政府，担任内阁部长，现西境内有党员二万五千人。

十六、越南：越共领袖胡志明，于四四年夏组成越南临时政府，当时在其领导下的有一支数达五十万的大军——人民解放军，去年八月日寇投降后，正式成立越南人民共和国，由胡志明任主席。

十七、印度尼西亚：印尼共产党与民族主义者，联合领导印尼人民与英荷军进行民族独立的解放战争。今年三月，印尼共产党参加了共和国政府，分任劳工部正副部长及卫生保健部副部长。

十八、朝鲜：鲜共领袖金贻荪，在其领导下现已建立了中央委员会的组织，统一与加强鲜共的组织与领导，朝鲜北部于今年二月成立了朝鲜人民临时政府，民选金贻荪为临时政府主席。临时政府成立四个月以来，已进行了土地改革与许多经济的恢复工作，获得了人民的拥护。

上述十八个国家内参加或领导政府的共产党，在各该国政府内的比重与影响各有差别，其中南、波、捷、阿、罗、保、匈、奥八个国家与鲜北，在共产党的领导或推动下，已实行了全部或部分的土地改革和工业国有，使各该国人民的生活逐渐改善，困难的经济情况日益改善。

除以上参加或领导政权的这些国家的共产党外，世界其他各国未参加政府的共产党，如美共、英共（在议会中占二席）、日共（在议会中占五席）、希共及印共等，由于它们坚持着争取和平民主与自由独立的英勇斗争，因此日益获得广大人民信任与拥护，其力量亦正在与日俱增中。

（载七月一日《解放日报》）

欧洲各国民主力量的生长

苏联·《新时代》社论　陆西译

第二次世界大战后，欧洲各国进行的全民选举及国民投票的结束，足以证明各国人民已确定走向进步民主道路的意志。

在第二次世界大战中，被德法西斯抢占的国家，努力促进民主力量生长的有南斯拉夫、捷克、波兰及法国。这些国家人民的信任明显的是依托那些在战争中为保卫民族自由，坚忍不拔，勇敢牺牲的党派和他们的领袖。

在南斯拉夫前年十一月人民议会的选举上，拥护人民战线候选人的，有六七二五〇〇〇票，或者说是占全票的百分之九〇点五。在捷克去年五月人民立法大会上，共产党占二六九五〇〇〇票（在三〇〇席位中占了一一四席），人民社会党占一二九八〇〇〇票，人民党占一一一一〇〇〇票，斯拉夫民主党占九九九〇〇〇票和社会民主党占八五六〇〇〇票。

波兰国会的选举是在本年一月举行，可是代表新波兰的民主力量，于去年六月三十日国民投票中已彻底战胜了反动派，赞成国会一院制的占七八四五〇〇〇人，或是全数的百分之六八点一；赞成土地改革和国民经济基本部门国有化的，占八八九六〇〇〇人，或是全数百分之七七点二；赞成波兰国界的占一〇五三四〇〇〇人，或是全数的百分之九一点四。

在法国，本年十月在全国人民赞助下，制订了新的民主宪法，十一月十日国民大会的选举中，共产党得到了伟大的胜利，他占有五六九六〇〇〇票或是百分之二九点六和一八三席。如此在法国国会中共产党已是最强大的党派。

其他欧洲各国选举的结果，也表示了类似的发展方向。在战争年代，他们曾是德国法西斯的附庸。可是还在一九四四年，因为苏联军队的胜利，他们脱离了德法西斯的统治。迈入了民主建设道路。

在保加利亚一九四六年十月二十七日国民大会选举中，祖国战线得到伟大的胜利，他们得到三百万票，或者说百分之七十以上。保加利亚工党（共产党）得二二六五〇〇〇票，在国民大会上占完全优势的位置。反动派别的首脑们在两年的时期内，曾向盲信的外国人描绘他们才是保加利亚人民“真心”的信赖者。这次，欺骗宣传是被全部揭穿了，反动派算在一起的票数只不过百分之二十九。

在罗马尼亚国会选举大会上，民主党派的联盟也得到同样有决定意义的胜利。这个从一九四五年春季就掌握政权的联盟，在一九四六年十一月十九日的选举上得到四七六七〇〇〇票就是百分之七一点八，此外，曾加入民主派别联盟但支持他的政策的匈牙利人民同盟得到五七〇〇〇〇票，可是罗马尼亚的反动派“有历史意义的政党”却悲惨的落了选——民族保皇党得到百分之十二点六的选票，民族自由党百分之三点七的选票。

在匈牙利民族会议上，中立的小地主党占大多数位置，其次是社会民主党和共产党，而后二者是与他合作的。就是像在意大利这样的国家，在二十年之久遭受着法西斯专政的致命影响，现在强固的反法西斯民主力量也得到广大劳动者的支援。在宪法制定会的选举时，百万的意大利群众，赞助了社会党和共产党，前者四七四五〇〇〇票占百分之二〇点七，后者得四三四三〇〇〇票占百分之一八点九。

在比利时、荷兰以及斯堪的那维亚诸国的选举上变更较小，但最为特殊的是在全欧洲近年来有可能参加选举的国家里，没有一个国家反动营垒得到胜利。希腊也不是例外，因为在那里是利用英国的大炮禁止人民投票反对反动营垒，——虽然英国反动营垒本身在一九四五年选举中已经遭到了最大的失败。

不只希腊君主主义者，许多民主国家的反动派，也都是求救于外力，国内没有支柱，他们就去寻找盎格鲁撒克逊的反动营垒，丧失本国的独立和主权，换得他们的援助。真正民主主义的代表是保护自己国家经济政治的独立，打击英美干涉自己国家内政的企图，而英美则是努力于使这些政府顺从伦敦或华盛顿的指示的。

这样在每个国家民主与反动之间进行的斗争，就转变为争取自己国家民族独立，或者臣服于他人的斗争，愈来愈明显，民主战士必将占领爱国主义的阵地，而反动派则占领叛逆的反民族的阵地。

现代彻底的民主主义——这不只是爱国的概念，同时也是进步的政治方针。和世界上其他现象同样，民主主义也有变更，适宜于十九世纪的国会式的民主主义，已经不能满足现代的要求，二十世纪的民主主义是力图前进而不是简单的回复前一世纪的国会体制。在现代的条件下，报纸、无线电，及其他群众教育方法广泛的发达，劳动群众政治觉悟日益提高，按照旧宪法的规定，只在选举时期给人民以参加的机会，这是不够的了。将民主的形式与内容更加开展，已是现代国家生活上所必需的了。

我们可以看到：近来欧洲各国民主营垒，都在努力于进步宪法的树立，以发展民权。在有些国家，例如在法国，这样宪法的建设遭遇到有力的障碍，以至沉滞于半途；而在另些国家则比较顺利，南斯拉夫、保加利亚和阿尔巴尼亚，已宣布为人民共和国。南斯拉夫的新宪法，例如废除国家元首，代以对人民议会负责的集体组织，授权选举人可以罢免自己的代表，由议会选举最高法院，批准各民族的平等权，实现真正民主的地方自治等，所有这些都是为了保证人民的主权及人民监督管理国家的目的。

现代进步的民主之所以不同，还在于他渗透于经济领域和社会政治的立法的制订。首先，在欧洲某些国家里已施行了土地改革法，大工业和垄断资本的企业如托拉斯、康采恩、加特尔等都国有化，因为他们已成为生产力发展不可忍受的阻碍，同时他也是反动黑暗政治的堡垒。

最后现代进步民主主义之所以不同，还在于他的对外政策，是直接照顾到全世界巩固与持久的和平。在于他们阻止帝国主义侵略的倾向，在于他保卫各民族的劳动创造。这样一个与人民血肉相连的制度，必成为欧洲和平与完全的重要因素。他们深刻的照顾到大小民族平等的原则，这是非常聪明的。他们站在相互尊重主权与利益的原则上，主张国际合作与各国间的友好。

新的民主制度及进步民主主义的代表之赞助苏联在世界上所执行的彻底民主政策，这是自然的。苏联是世界上执行民主可靠的和权威的保护者。使代表现在人民政治经济趋向的二十世纪的民主主义，与社会主义的民主——最先进的民主主义国家取得一致，这是并不困难的。

无可怀疑，在欧洲，也不只欧洲，民主力量与反动之间尚有残酷的斗争，进步的和民主的信徒，必须征服前面的困难和障碍。但新的时代不属于开倒车的人们，而绝对属于代表人民利益推动历史前进的人们的。[1]

（载三月八日《东北日报》）

评东南欧土地改革的成果

莫斯科广播论东南欧土地改革的有成果称：东南欧许多国家已实行了有历史意义的土地改革，消灭了地主土地所有制，与封建制度的残余。在这些国家中，主要的经济历来是农业，从事农业的居民在匈牙利至少占人口百分之五十六，在保加利亚占百分之六十八。东南欧各国，直到最近仍保留下封建的土地占有制；阻碍了这些国家的经济与政治的发展。

在第二次世界大战的前夜，在匈牙利曾有几百万缺乏土地的农民，在保加利亚七十万农民没有土地，匈牙

[1] 此文载于苏联新《时代杂志》第二十三号，去年十二月出版。文内“去年”系指一九四五年，“今年”系指一九四六年。

利的一万二千封建土地主，占全体土地所有者仅百分之零点八，而其有土地七百七十万公亩，占全土地百分之八点五，而其他农民，仅有百分之不到二十的耕地。

在罗马尼亚也有二百五十万小农，占全体农民百分之七十，而只有百分之二十八的土地，每一农民平均只有二公亩土地，可是，每一个地主平均有四百五十公亩土地。

在保加利亚，小农农户占全体农户百分之六十三，同时，他们占有土地百分之三十。在这些国家内，封建地主反动势力进行对内的法西斯政策，对外则趋向希特勒德国的冒险企图。匈牙利法西斯主义的创造者霍尔第、萨利亚，保加利亚的唐科夫、国王鲍里斯，罗马尼亚的戈尔格、库萨、安多莱斯哥，都是最大的地主。因此当东南欧各国从德国法西斯制度之下解放出来，建立了新的民主政权之后，首初的设施之一，便是实现土地改革。

第一次世界大战之后，在这些国家内也进行过土地改革，可是，现在进行的改革与以前所进行的有根本区别，以前的改革，是由于地主统治阶级在广大农民逼迫之下采取办法，当时，地主只要有可能就会破坏这些办法，在保加利亚，根据一九二一年法令，没收了二十三万六千公亩土地，实际上，只没收了八万公亩，一九二三年，地主又重新恢复了自己的土地。现在保加利亚土地改革法令，将地主所有土地完全转交给农民。

匈牙利在一九二一年只分配了三十二万四千公亩土地，现时在匈牙利分配了三百六十万公亩土地，至少有七十万农民分得了土地。

罗马尼亚一九二〇年土地改革之后，有权领得土地百分之三十的农民，经过二十年后等于没有得到土地。现在，在罗马尼亚已分配完了一百七十万公亩土地。农民已获得土地作为私有财产，现在，这些国家最终的消灭了地主土地所有制，并且是用和平方法进行的，土地政策法不仅在国会上自由讨论，而且经过全体人民讨论，农民与自己的代表，实际实行土地改革法令。这一切设施其所以有可能，是因为在东南欧消灭了法西斯主义，建立了民主制度。

此外，在这些国家中，有一点也是重要的，譬如像保加利亚这样的国家，将土地分配于需要土地的三千万农民，则需要一千万公亩土地，可是无从取得这些土地，因此，在保加利亚将分配给单个农民的土地，在全国实行劳动协作社的经济，这个农民加入劳动协作社，获得大规模经营土地的优点，政府并帮助协作社建立机器拖拉机站，现在，东南欧各国已消灭了封建地主反动势力的经济基础，这种反动势力曾是希特勒德国在东南欧的巩固柱石，由于实行了土地改革，便为农业顺利发展造成先决条件，在东南欧建立民主政府造成了巩固的基础。

（载七月二日《东北日报》）

德境苏占领区的土地改革

鲍里雅科夫作

去年秋天，在德境苏占领区已实行了土地改革，把地分给了无地和少地的农民，以及农村雇工和外来移民。

如众所周知，在一九三三年占德国土地所有者四分之一的大地主，握有四倍于占百分之五十一的小农的土地。

这些地主同德国大工业资本家克鲁伯、冯·保林、费黑勒尔、蒂森等人，共同决定着德国的内政、外交政策。容克贵族，男爵、伯爵、公爵们，坐在参谋部里，并执掌外交大权（只要回忆一下巴本和舒林堡公爵就够了），他们控制银行，垄断企业，支配军火工业。他们都是法西斯专制政体的重要支柱。法西斯专制政体，不仅是德国帝国主义资产阶级的，而且也是容克贵族的国家机构。

土地改革剥夺了大地主的土地所有权，结束了容克贵族的统治，也就是消灭了德国法西斯侵略的主要反动势力的堡垒。而德国无地和少地农民关于自大地主手中收回土地的思想，已由土地改革实现了。曾经因希特勒的掠夺政策而失去土地、耕畜的千百万移难民，现在也正渴望着土地。

当德国共产党还是各个单独的小组时，德国共产党人就提出了土地改革的主张。这一主张，在乡村中、在城市里、在各区、各省、各农村集会上，到处得到人民的赞成和拥护。

为符合人民这一愿望，一九四五年九月三号，撒克逊尼亚省首先实行了土地改革。迨九月五号，麦克棱堡亦援例进行了这一政策，接踵而起的，九月六号有布兰登堡，九月十三日又有鸠陵根。

这一措施，首先是对战犯和纳粹首要分子，不论其财产多少完全没收其一切家产（包括牲畜、农具），和拥有土地在一百海克脱以上的地主的土地。

这些被没收的土地，再加上国家的一部分公地，一齐分给了少地（仅有不足五海克脱土地的）农民、无地农民、移难民、小佃农和经营五至十海克脱土地的农村工人。

在各省、区、村镇普遍建立了土地改革委员会，自去年九月开始分配土地，并给新的土地所有者发了地照。这次土地分配在许多村镇变成了广大人民的狂欢。

但实行土地改革并不是没有困难的。在第一个时期，两个资产阶级的政党——基督教民主联盟与自由民主党——的上层领导者，曾企图阻止，甚至破坏土地改革的进行；另一方面，土地改革还遇到了百般的威吓，农民的反动法西斯分子的顽抗。然而任何力量都不能阻止这个已经开始了的事业。

在一九四五年十一月，土地改革基本上已经完成了，约近七千个大采邑，即总面积为一百六十四万八千八百九十八海克脱的土地，其中包括三十五万海克脱森林均已分配完毕。

实行土地改革，通过农民互助委员会给新获得土地的农民以帮助，苏联军政府规定了农民缴纳公粮的新标准，每个农民只要交出自己产品的一小部分，其余得的自由交易——这些都给予一九四五——四六年的农村生产和保证苏联占领区的粮食状况以决定的影响。

实行土地改革是使德国真正民主化的一个最主要的步骤。但德境其他占领区，由于英美政府不愿使德国真正民主化，所以实行土地改革一事，两年来不过徒托空言而已。

（译自三月三十日《俄语报》，载四月四日《东北日报》）

新生的德国

德共领袖威廉·皮克作

编者按：目前德国显然存在两种完全不同的情形，在英美占领区的德国，纳粹残余大肆活动，民主势力反被压制。本文所述则是在苏军占领区内的德国情形，虽然是在德国共产党与社会党合并前写成的，但其中有许多重要论点，特别是经验教训部分，尤有现实意义。

旧政权的清算

在大部分的德国，在苏联占领区，经过了对农民，对全德国将来的发展有最大的历史意义的民主的土地改革，乡村所有权的关系已经发生完全的变化了。

德国农民几个世纪的奋斗未曾达到的愿望，魏玛共和国也不曾带给他们的东西，现在变成现实了。

封建贵族地主们已被清算了，他们在乡村的统治已经被粉碎了，农民们在自己的土地上变成了自由的人民，变成了乡村民主的最坚固的堡垒。

这种连根的变化对德国整个的未来亦有最伟大的意义。封建贵族地主的权利曾经操纵过国家政权，他们通过政权，封锁了一切进步和民主的发展，现在这种政权由于清算而最终的被粉碎了。

超过一百海克脱的封建领主、战争罪犯、纳粹领袖和纳粹主义的积极赞助人，通通给剥夺了土地，把土地交付给“土地公会”经过公会再分配给无地贫农、农业工人和佃户，创造了许多独立自主的农场，按照土地的性质，每个农场拥有五海克脱至十海克脱的土地。

这种适合农民和农业工人的需要而公平民主的土地分配，给德国的民主化与经济进步创造了重要的先决条件。

共产党的行动纲领

共产党把和饥饿、失业、住宅缺乏的斗争，把积极援助地方自治政府，把尽可能迅速地组织正常生活与生产，放在紧急任务的首位。这同时是职工会的首要任务。企业中的工人应该设法影响生产，利用一切可能以增加生产，一如应注意工资与工作条件等诸类问题。职工会应该增加其力量到最高限度，以巩固职工运动的团结。

战斗的民主必须在职工组织中发展，以便能担负起组织与增加生产的任务。重建民主德国消灭法西斯主义与黩武主义的领导机构。

无限伟大的任务面对着我们人民，这就是：清算纳粹主义与黩武主义，剥夺封建贵族大地主、大托拉斯财政资本的权势，清洗一切国家机构和地方自治政府中的纳粹分子，肃清教育和实业机关中的纳粹分子，惩办战争罪犯和纳粹领袖。在另一方面，推动与重建我国经济，经过土地改革而获得粮食供给，重建民主的德国，在民主与和平道路上完全改造我国人民，与各国建立谅解的友谊以湔雪希特勒带给德国的耻辱。

在这样一个困难的时期，即当德国成了废墟，希特勒把德国抢掠殆尽的时候，我国人民必须完成这些任务。虽然在战乱中寻找出路是困难的，但是胜利了的同盟国在有名的波茨顿会议的决定中已给了我国以一切机会，获得了决定未来与生活的完全自由。如果我国人民能够团结地肩负起这些责任，提供保证不为反动派进攻他国的工具，那么将会获得他国的崇敬和友谊。

工人阶级的进取团结

最首先的是克服工人阶级中致命的分裂，与全国内部的不团结，应该以工人阶级的进取性的团结起而代立，而这种团结由共产党与社会民主党工人以所有工人阶级政党结合成单一政党的眼光，而在当前的斗争中一致行动，就可以产生出来。工人阶级是深染着这种愿望的，因此工人运动中的活动者应该以实现这种愿望作为神圣的任务。

按：德国共产党和工人阶级的这种愿望已经实现了，德国社会民主党已与共产党团结成为德国统一社会党。

德工人阶级应有的责任

战罪责任问题的澄清是工作中重要的一个，把这个问题简单化起来，只说资产阶级应负战责，而工人阶级并不负责，这是对工人阶级有害的。这当然不是控告工人阶级，与给人民带来极大灾害的战犯列于同等地位。然而，如果作为人民全体中大多数工人阶级不担负任何部分的责任，希特勒统治如何能违背工人阶级的意志而把暴政加在他们的头上呢？如果不是存在着一些赞同此种政策的因素，希特勒如何能把人民驱进致命的战争中，而且能支持六年之久呢？

沉重的负担被希特勒所发动的战争加在工人阶级的身上，这当中包括赔偿和军事占领。我们要求工人阶级清楚地了解希特勒如何能建立其野蛮的政权，并且能进行战争直到使全国毁灭。这个理解是主要的，因为唯有这样始能获得结论。工人阶级的力量被希特勒的统治所束缚了，它的反法西斯的先锋队伍在反希特勒统治的英勇斗争中，付出了无数的牺牲代价。这些都是事实。然而把先锋队伍和工人阶级放在相同的水平上，这不是为工人阶级服务的看法。

从过去获得教训

为了要使今天必须回答的问题清楚起见，让我们回想一下一九三二年七月的事件，那时财政和托拉斯资本用巴本的苦迭打初次厉害地企图粉碎工人运动。共产党立即要求社会民主党与职工会动员彼此的力量，以总罢工来回答这次进攻，来击败独占资本的意图。

那时尚不在希特勒的统治下，工人阶级的力量尚未曾被束缚。虽然如此，共产党的建议却被社会民主党和职工会的领袖所拒绝了，他们的解释是要经过最高的法院来反抗巴本的苦迭打。我还记得社会民主党工人和职工会员反对这种消极的接受苦迭打，其浪潮之巨一如共产党员。如果他们的团结力量那时能够动员起来，我们德国人民一定会免除了希特勒的统治和战争。为了这次失败，德国工人所付的代价太大了。

同样的情形发生在一九三三年正月。即使到那时，如果工人阶级的团结力量发挥起来，也可以迅速的结束希特勒的独裁。社会民主党与职工会的领袖竟不此之图，拒绝了团结斗争，而且安抚自己的队伍，要他们等待，看希特勒是否尊重魏玛宪法，看希特勒所号召的选举到底是怎样的结果。

许多问题，许多事实的关键就在这里，从这里应该做出将来的教训。工人阶级的“战罪责任”问题，就在这个环节上可以找到。

我们共产党人从过去获得重要的教训，我们曾改正了我们的错误，这错误不在于责备工人的消极和等待，因而使自己无力抵抗反动，而是在于我们的要求太跑在工人的前面了，因为这些要求还不曾被工人认识到重要。我们同时被社会民主党领袖的反动政策所误引到责备社会民主党工人全体，因而迄今使团结益为困难。

共产党愿望与社会民主党工人建立完全的团结，结合成一个工人政党，作为反法西斯运动和重建一个新民主德国的先锋队伍。和其他两个反法西斯党派结成联合阵线，一定可以使全德国人民都参加到为自由新德国的斗争中来，创造职工会的团结，创造工人、农民和其他职业阶层的联盟，一定会使我们正义的主张得到胜利。

（载七月十三日《解放日报》）

新生的波兰

棕音

波兰复决即将揭晓，这标志着东欧一个新生的国家，向民主化的道路上迈进了重要的一步，而在复决之后，波兰无疑更将走上一个新的里程。

波兰是中欧东北部的一个小国家，面积三十八万八千方公里，人只三千二百万。她曾是欧洲著名的王国，但在一七七二至九八年间被普鲁士、奥地利及帝俄等国三次瓜分，饱尝亡国惨痛。一九一八年，苏联首先废止帝俄三次瓜分波兰的条约和特权。翌年的《凡尔赛和约》确定了波兰正式建立独立共和国，并以毕苏斯基将军为总统。毕氏上台后直到一九三九年德国占领波兰前，对内实行专制独裁，对外进行反苏。一九二〇年在各国反苏分子唆使下，波兰夺取了苏联西乌克兰及白俄罗斯的四万方英里领土。一九三三年毕氏复与德国签订“互不侵略公约”，以后又与日本缔结秘密军事协定，并准备继续向苏联扩张其领土。正如斯大林曾说的一样，“在过去二十五年至三十年的过程中，德帝国主义都顺利用了波兰领土作为东侵的走廊，并作为向苏联进攻的跳板。”一九三九年九月二日，希特勒进军波兰，不及六天，德军即直扑华沙，一百七十万波军像秋风扫落叶一样的崩溃了。从此波政府即亡命伦敦，弃置人民于不顾。

波兰沦亡后，该国人民即在波工人党（共产党）、社会党等领导下，全境展开游击战，不断予敌人严重打击。一九四三年底波兰各民主政党——工人党、农民党、社会党、民主党等代表三十人在华沙秘密集会，决定成立波兰国民会议，并通过了“政治行动纲领”。波兰国民会议团结了一切民主力量，统一了国内武装部队，并与苏联建立了外交关系。当四四年夏苏联在波兰领土上追击德寇时，波国民会议即于七月间成立了民族解放委员会，包括各民主党派代表十六人，实际上成为波兰人民的临时联合政府。接着宣布民主政纲，主要是土地改革，实现民主政治，严惩法西斯分子及卖国贼，没收占领者的全部财产，包括企业银行，由解委会接受。民族解委会不久即迁入卢布林。四五年初红军解放华沙后，解委会复归华沙。由于民族解委会日益增长的强大力量，迫使英美与苏联商谈波流亡政府与解委会合作问题，经过数度磋商，终于六月底根据克里米亚决定改组波兰临时政府，容纳流亡政府前总理米柯拉兹科为临时政府副总理。苏、英、美三国同时宣布承认。从此波兰大踏步走上新民主主义的道路。

波临时政府从成立之日起，即实行了彻底的民主改革。其最大的功绩为彻底实行了土地改革。土地改革法令规定没收地主、敌人及波奸之土地分配给贫农、小农、雇农及占地十公顷以下而家口繁多之中农，而贫、小、雇农分地以五公顷分配（约八十华亩）。地主被没收土地后，为其保留五公顷土地或由政府付以六级公务员之薪金，倘有功于祖国解放事业之地主则提高其薪俸等级。

土地问题在波兰是从未解决过的，农民中百分之五十八为小农而占地不及总面积百分之十八，平均每户得地不过二公顷余，地主仅占农民人口百分之一，而其所有土地却占百分之十九，平均每一地主占地一百八十七公顷，个别大地主有多到十万公顷的。自土地改革实施后一年，过去属于大地主的五百万公顷的土地全部移到人民手中，二百万农家已经分得了土地。受尽剥削的波兰农民，现在已开始尝到自己血汗得来的果实。

民主波兰的第二个功绩就是重工业与中等工业的国有化。实施国有化的结果，波兰工业已飞跃发展。煤的产量已由一九四五年三月的一百万吨增至今年二月的三百七十九万吨，钢铁工业产量一九四五年三月为二百三十五万吨，同年十一月已增到五百四十四万吨。今春铝的产量较去冬已增加百分之二十二；生铁增加百分之四十一，焦煤则增加百分之三十四以上。波兰并已制订三年农村电气化计划，各地电气化之农村，订有二百个以上。

民主波兰的第三个功绩是一开始就与民主国家保持友好关系，一反过去亲德仇苏的自杀政策。一九四五年四月，波临时政府与苏联签订了“二十年友好互助与战后合作条约”。今年五月二十六日苏波又建立了广泛的协定，规定苏联予波兰以经济、粮食及武器方面的帮助。苏联的帮助将加速波兰恢复工作，并保证了波兰的和平与安全。此外波兰于今年三月十八日又与南国缔结了二十年友好条约，并先后与苏、挪、丹、匈、罗、南、瑞士及瑞典订立了商业协定。

由于上述政策的实施，波兰政府获得了人民的拥护与爱戴，当复决正式宣布举行之时，在波兰各城，举行了无数群众大会，并发出了投赞成票的一致呼声。

但是另一方面，波兰国内外反动派疯狂的破坏活动，仍成为民主波兰进一步向前发展途上障碍。这次复决前夕，以米柯拉兹科为首的农民党右派则号召人民对第一个问题投反对票，第一个问题为废除战前保卫反动工业家与地主利益的机关——参议院。并对政府政策施以各种攻击。最近数日消息，显示英美反动派，正利用金镑与美元作为对波兰政治要挟的资本，而直接助长波兰反动派，但不论波兰反动派及外国干涉者怎样企图破坏波兰民主复决，波兰复决在波兰人民的拥护下，无疑会得到胜利的！

（载七月二日《解放日报》）

新民主的捷克在前进中

英共总书记　波立特

捷克斯洛伐克已经在再建中。希特勒纳粹党曾尽量掠夺捷克的工业机械和农产品。他们消耗了捷克的全部国民经济。虽然德国法西斯匪徒对捷克的工业在物质上所造成的损害未超过百分之十，但是捷克全国在经济上的损失却达到百分之五十的严重程度。捷克斯洛伐克境内捷克和斯洛伐克人民的财产损失总共达七十五万万镑。在这种情况下，唯有坚决和目光远大的步骤才能够恢复国家的经济生活。

国家工业化的法令

捷克斯洛伐克的全体人民都懂得，经济复兴和建设新民主的捷克必须依靠工业的国家化。他们坚决和大胆的推进了下列的急进步骤：第一，德国人，匈牙利人，民族叛徒和附敌分子的财产都归国家管理。各管理人都由各有关企业的工人进行民主选举。在一九四五年的十月间，有九千个大小企业已在国家的管理下。这种措施开辟了实行工业和各种大实业收归国营的道路。

第二，德人大地主，匈牙利人大地主和捷克与斯洛伐克民族叛徒的所有土地都实行充公。这些土地都根据实际的情形公平的分配给捷克国内各民族的广大农民。单是德人大地主被没收的土地就达六百四十万英亩。其中有一半是适于耕种的土地，以二十五英亩土地为一单位来计算，就已经有十三万个农民家庭获得足够的耕地。单单在斯洛伐克省就有八万至九万家农民获得这种耕地的分配。

第三，所有银行企业，私人的保险公司，各种的矿场和基本的工业也已经收归国有。矿业已经百分之百的收归国有，机器工业百分之八十五，而粮食工业百分之二十。就以捷克国内的全部工业来计算，已经百分之七十收归国有。（英国工党政府虽然在政纲上曾宣称准备将各种私人企业收归国有，但是一直到今天为止，它还只是计划着将百分之二十收归国有而已。）

民族战线的政府

竭力推动这个国营计划的正是捷克斯洛伐克政府。捷克政府由组成民族战线的六个政党共同组成，其中包括捷克省的共产党、社会民主党、民族社会党、天主教人民党和斯洛伐克省的共产党与民主党。新捷克的现存政治制度和战前的政治制度有许多不相同的地方。在战前，捷克国内总共有十六个政党，其中还包括代表捷克人、斯洛伐克人、匈牙利和德国人大地主和独占金融资本家的各反动政党。今天，新民主的捷克政府已封闭上述各反动政党并绝对禁止它们参加任何政治活动。对反动政党的这种严厉的限制，帮助了捷克民主力量的迅速发展和国家的进步。

捷克政府中最重要和最大的政党是捷克共产党。自从它在一九二一年成立以来，即成为捷克国内最强大的政党之一。在战前一九三五年最后一次的选举中，共产党在国会的三百议席中占三十席，成为全国第四个大政党。但是，当时党员的数量却只有几万人而已。今天共产党已经拥有一百万党员，已有一千二百个当地组织和工厂组织为党的骨干。共产党出版的各种日报每日的销数达一百万份以上。除了上述的一百万党员以外（全数是属于捷克民族的），还有二十万党员是属于斯洛伐克民族的。所以，捷克全国的共产党员总数实际上达一百二十万以上，占全国人口百分之十一点二。根据粮食的统计，捷克全国人口达一千零七十万。假如我们把儿童除外，则共产党员在全捷克的总人口中所占的百分比显然会更加高。

捷克党的机关报是《红旗日报》。编辑，印刷和发行《红旗日报》的工作都是在战前的农村党（是过去的一个相当强大的反动政党——编者）的出版机关进行的。除了莫斯科的《真理报》馆以外，我没有见过一间这样堂皇和漂亮的出版机关。

捷克共产党一共有八十所党校。所有校舍建筑都是相当宏伟的。捷克一直到今天为止，还来不及出版足够的教育小手册子来进行对党员的教育。

共产党是全国最积极的分子

共产党员在现捷克政府中占着几个相当重要的职位，包括副总理、内政部长、宣传部长、教育部长、社会福利部长、斯洛伐克省的副外交部长等重要职位。民族战线的政治纲领主要的是依靠共产党的重要领袖来领导执行的。全捷克的人民和其他各政党都公认共产党是民族战线和政府里最积极和活跃的因素。

在最近曾于捷克首都布拉格市召开的捷克共产党第八届全国代表大会的过程中，该党主席克里曼·哥德瓦特氏曾在大会结束时宣称："我们的政策将继续是拥护和支持民族战线。我们保持和进一步巩固民族战线的团结一致。为了更加巩固民族战线，我们将吸收代表广大人民的职工会，合作社和农民协会等来参加"。今天捷克的职工运动是团结一致和强大的。在一九三七年至一九三八年的期间内，捷克全国的十九个职工总部领导下的职工会总共达八个左右。那时，整个职工运动曾由于各政党政治路线的分歧而被弄成四分五裂。今天，全捷克的职工都已经是百分之一百的团结起来了。它们的会员总数达二百万以上，捷克的职工联合总会的主席是安南年雅巴多基氏。他是捷克共产党的重要领袖之一。

五月二十六日的大选

毫无疑问，捷克共产党是全国最大和最强的政党。五月二十六日举行的全国大选证明广大人民是如何满意和拥护捷克共产党的政策。[1]

共产党和社会党的团结

捷克共产党和社会民主党之间的紧密团结，保证捷克人民夺取政权的伟大斗争必然获得光荣的胜利。在民族战线以内，捷克的共产党、社会民主党与斯洛伐克民

[1] 大选结果，捷克共产党获得最大胜利，成为国会里最大政党，哥德瓦特已为捷克内阁的总理。——编者

族社会党[1]已经在城市和乡村里共同组织了“劳动者民族集团”。在一九四五年六月十日，它们之间[2]对政府的政策，在民族委员会方面[3]和关于共同建立统一的职工会、合作社、体育会和青年组织等问题已经签订了一个有历史意义的协定。由这三个组成的“民族集团”获得全国百分之九十的选举票。这个事实足以证明这个“民族集团”是决定一切的最强大的力量。

除苏联外捷克首先实行社会主义

请大家注意捷克斯洛伐克！她在迅速的向新民主主义的道路猛进中，而且除苏联之外，它将首先实现社会主义。

今天捷克的人民在许多方面都遭遇到相当的困难。但是他们却同时处在一个令人兴奋的新环境里面。他们正在团结一致，为重建他们的国家和生活而努力奋斗。他们深切的懂得：他们正在向那一条道路跑，而且已决

[1] 即战前捷克总统贝纳斯领导下的政党。——编者

[2] 即上述三个政党之间。——编者

[3] 捷克是一个多民族的国家。——编者

心在最短时期内跑完它。

例如：他们对国营的态度是特别令人兴奋的。为什么呢？因为他们懂得他们自己是这个国营计划的主要推动力。他们懂得：国营计划的彻底实现，不只是为了保证全民族的光荣前途，而且同时也是为了他们自己的幸福。我在访问捷克的过程中，发现了下述这几个令人鼓舞的例子。

劳动是光荣伟大的

布拉格区是捷克重工业的重要中心地。许多重要的铁厂、矿场，和各种轻工业都集中在这里。捷克的工人把它叫做黑色的卡拉诺。但是当你一踏入该城市后，你便会觉得该区的政治运动却是赤色的。它是维诺色氏的出生地。他是捷克政府的内政部长，同时也是捷共领袖之一。当你踏入该城时，就会有许多工人走上前来告诉你：“这是维诺色同志的家乡！”有一个工人曾要求我允许他带我去参观过去维诺色同志曾工作过的地方，其中有四千名是共产党员。捷克全国的钢铁工业已实行收归国营。当我踏入该制钢厂尚未满两分钟时，我已经发现了一些对我们英国具有特别重大意义的特殊事实。我觉得所有的工人对工作都具有特别的热情，而且他们都一致表示这个制钢工厂是他们的共同光荣。工人的无比热情通过以下的动人标语具体的反映出来了。“提高生产来回答伟大的国营计划”、“我们的共和国生产更多更好的钢铁”等标语，贴满了工厂的四周，这些标语不只是宣传和号召的花样，而且已被工人的积极劳动转变为实际行动。当德国法西斯匪徒们管辖这个制钢工厂时，他们雇用了三百五十个经理、工程师和监工。但是现在全厂只有八个经理、工程师和监工，而且工作的效率却能不断提高。

我曾经去参观一个现代化的制造电线的工厂。当该厂的经理引导我参观该厂的各种工作部门时，他很自信的对我说道：“我正在引导你参观新民主捷克最摩登的工厂。”这种积极、自信和快乐的情绪是到处可以看到的。

在规模宏大的贝纳斯矿，我也看到同样的情绪表现。在入门的地方竖立着一个简单而庄严的纪念碑。它是为了纪念在纳粹统治时代从这里抓去枪毙的二十三位优秀共产党员而建立的。纪念碑的周围种植了许多芬芳的鲜花。全矿场的工人将永远用实际行动来纪念他们这些牺牲了的工友和同志。

矿场的矿井口很像一个雅致的办公堂。机器房的宽敞和整洁程度是我从来所未见过的。我想，假如我们的矿工有机会看到贝纳斯矿场的工人在洗澡后前往那个精美的X光治疗室照射X光的情形时，他们一定会怀疑是否梦里的仙境或是一个矿场的真实情形。

工人和农民团结一致

在布城，我曾去参观兹布罗约卡工厂，有名的布连是在这里发明和制造的。这个工厂总共雇用九千个工人，其中有三千七百五十名是共产党员。现在，这间工厂正在大规模的制造牵引机。工人脸上表露出来的热情和自信心是令人感奋的，工厂的指导员曾详细告诉我，在该厂归国营后，工厂里的空气立即转向积极方面迅速发展。生产不断的增加，而且有许多大批的牵引机已被派到各地的农场去帮助推进增产运动了。工厂里的技术工人常常会告诉你怎样组织志愿的突击队在星期日到各地区的农场去义务帮助农民修理耕耘工具或牵引机。他们认为这是他们最光荣的一件工作。

在捷克，所有的银行，私人的保险公司，矿场和各种基本的重要工业都已实行收归国有。捷克的国营法令包括了国内各种重要工业和企业的百分之七十。捷克的工人大众对复兴工作非常积极和兴奋：因为他深切了解新捷克是建设在新民主主义的基础上。

捷克共产党和人民打成一片

在捷克共产党第八届全国代表大会里更加强烈的表现出这种新精神。为了庆祝捷共第八届全国代表大会的召开，奥士打拉瓦的矿工曾特派他们的代表团去面告大会道："在三月二十四日，一千二百个共产党矿工曾多做了八小时工作。他们多产了一万五千吨的煤送给共和国，同时把他们当天的工资全部献给党。卡拉诺区的矿工曾为了民主共和国无报酬的多做了两个工作日的工作。"同时该区的纺织工人曾多做了好几个工作日。他们一致把额外的工资交给农业部长去救济一个完全遭受破坏的农村。科尼夫工厂工人代表团曾向党的代表大会报告道："为了纪念国营计划的推行和预祝党的代表大会的胜利，我们全厂的工人兄弟，在这一日多制了八卡车的电报纸和各种机械。”制铁工业的工人在这一日多制了四百吨的各种铁具交给政府转送各受灾害的村镇居民。波尔狄纳钢铁工业全部工人已多做了两万个工作小时。他们把这些工作小时的总收获全部赠送给国家（我曾经亲眼看见他们为了达到这个目的而多做了一班工作）。为了加强工人和农民的联盟，兹布罗约卡厂的工人曾赠送两架牵引机给附近的农村。拔佳鞋厂的全部工人已决定在三月三十一日多做一班工，同时布伦区的矿工也把额外的十四万个工作小时全部收获赠送给政府。总之，这种令人兴奋的例子在全捷克各地区是算不完的。我看到了新民主捷克的再建。我深切的感觉到捷克人民对他们自己的光明前途具有无比的信心和热望。我毫不犹豫的肯定了只有存在着一个空前强大和有威信的共产党，才能够使这些奇迹成为铁的事实。

苦练成钢的捷克共产党

捷克共产党是全国最强大的政党。它对新捷克的建设起着主要的领导作用。它准备在五月间的大选过程中争取共产党和社会民主党获得全国选举票的绝大多数[1]。

捷共的主席是著名的克里曼·哥德瓦特同志。当他在党的代表大会出现时，喝彩和鼓掌的热烈情形是我自己所很少有机会看见的，他在大会上用优异的方法具体的阐明了党的政治纲领并扼要的说明了民族团结、复兴建设和增加生产的重大意义。他大声说我们党的口号是“为民主共和国而加紧生产”。这个口号已一再被证明并不是徒然的。

在检讨捷共这十年来的奋斗历史时，捷共的总书记斯兰士基同志向代表大会报告道：“在一九三六年的党中央委员会的五十个中委当中，有十八位已被纳粹枪杀，有十六位死在各处的集中营里面，而且还有四位被迫流亡国外。在第二次的党中央委员会的全部中委当中，有十四位在战斗过程中作了英勇的牺牲。希特勒法西斯匪徒曾总共枪杀了二万五千名各级的党员，而且还有六

[1] 这一点捷共已经胜利的达到大声疾呼的说。——编者

万名曾被捉进集中营里去。”

斯兰士基最后说：“过去我们曾付出了惨重的代价，洒了无限量的热血。现在，我们将尽所有的力量，为民主共和国的建设而积极工作。”

布拉格城的共产党集会

捷克共产党单单在布拉格区就拥有十万党员。当他们要召开一个群众大会时，他们必须在市礼堂附近的草场集合。在一九四五年五月间的起义，曾经在这个地方展开了许多次最猛烈的战斗。所以，这个大草场无形中已等于捷克人民将来的红场。

布拉格区的共产党曾决定在三月二十九日在这个大草场召开一个大会。召开群众大会的三个目的是：（一）听取关于扩大党运动的成绩报告。（二）欢迎出席捷共第八届全国代表大会的各地代表。（三）欢迎由英国、法国、西班牙、波兰、南斯拉夫、保加利亚、荷兰、比利时、瑞典和丹麦前来参加党第八届代表大会的各国兄弟党的代表。

在当天下午五点半的时候，布拉格城四面八方的街道，都可以看到在朝向大草场有秩序的前进的广大的工人队伍。雄壮的铜乐队前导着每一个绵长的工人队伍，而在队伍之行列间则飘扬着无数光明灿烂的捷克国旗、红旗和各职工团体的旗帜，捷共代表大会的各区代表，捷共中央委员会的全体委员和各国兄弟党代表也共同组成一个雄壮的队伍，向广大的草场集合。广大的草场一共有六个进口处。到处都能看见伟大的工人队伍有秩序和有纪律的走进草场，到事先已经有计划地分配好的地点去集中。

捷共中央委员会和各国兄弟党的代表到讲台上坐定了自己的席位。讲台的后面，飘扬着无数狭长的红旗。在这个时候，整个广大的草场，已经被无数工人群众塞得水泄不通。有人向台上报告说："外面还有一个长达一英里的工人队伍已经没有办法进入大草场。"

他们已准备将大会的经过情形向全布拉格城广播。布拉格城内的其他六个较小的草场也已经塞满了群众。我们听取露天的播音机对大会情形的详细报告。

这时候，天已经暗了。突然间，由大广场周围的建筑物发射出来的探照灯光包围了整个草场，那实在是一个无比拟的雄壮和美丽的场面。猛烈的探照灯光，照亮了“人脸的海”，照亮了几千面随风飘扬的鲜红旗帜。我一生从来未曾看过这样一个伟大和令人兴奋的场面。无数的捷克国旗和共产党的红旗都亲密的交叉着。这种情景象征着新民主捷克的伟大前途。

几十个铜乐队同时吹奏着捷克国歌。一刹那间，所有的人都迅速的脱下头上的帽。每一个人都以兴奋的心情和洪亮的嗓子唱着他们所尊敬和心爱的歌。唱完了捷克国歌，全场又立即肃静下来。立即跟着而来的是奏吹苏联国歌。十万群众的歌声，响彻了云霄，传播到遥远的四方。

唱完了苏联国歌后，十万群众立即开始一致向他们的共产党领袖不断有节奏地欢呼，好像怒吼的波涛一样。它使我记起威廉里士所写的这样一句话：好像暴风雨将要到来时海洋的怒潮奔腾！

演讲开始了。每个人的演讲都获得群众掌声如雷和热烈欢呼的回答。和法国的雅克斯杜克罗斯，希腊的雅查莱士，西班牙的安登，南斯拉夫的哥斯曼将军与一个保加利亚的同志在一起，我被邀请代表英国共产党和英国工农大众向大会演讲。我希望我未曾玷辱了党。情绪的确是愉快的，假如你了解我的意思的话；当我在结束我的演讲辞时，能够听到全场的群众欢呼着“波立特万岁”的时候，因为在过去同样性质的集会里，我曾经不时听见过别种的群众意见。

诺巴克同志负责结束了大会。苏联和捷克的国歌又立即通过千万群众的歌喉响彻了云霄。在一刹那的肃静之后，国际歌的声调又立即冲破了草场的四周，传播到全捷克，传播到每一个被压迫者的心灵。我从来没有听见过这样雄伟和壮丽的歌声，像我在这次所见到的一样。在两天后充分的事实证明布拉格的每个家庭和每条街道都曾经详细的聆听着大会的经过情形。

在唱完国际歌后，绵长的工人队伍又开始有秩序的向场外逐渐移动。游行的群众高举起整千整万支火把，照耀了四周。整个游行的情景的确是伟大动人的。尤其是当游行还没有开始的时候，群众曾高高举起斯大林和哥德瓦特的巨像直穿过大广场的中央，使每一个人都感觉到一阵真正的革命热情的激动。

这样伟大的一个集会反映出多么伟大的力量和钢铁般的团结！它证明了捷克共产党在捷克人民的生活中是一个无敌的势力。同时，对于那些还梦想反动力量会再在捷克抬头的反动分子，这是一个无比有力的回答。这真是一个永远不会忘记的伟大经验。

（沈思远译，载十月二十四、二十五、二十六、二十七日《解放日报》）

意社、共两党签订统一行动协定

据《世界新闻与评论》杂志载称：意大利共、社两党的团结益形密切，两党在国家政治生活中的地位愈益提高。去年十月二十七日，意大利共、社两党在罗马签订统一行动协定，协定包括如下八条：（一）肃清一切法西斯残余，反对一切恢复法西斯统治之企图。（二）保卫与巩固民主共和国和人民之各项自由。（三）在独占企业、大银行与公用事业的国有化基础上，进行工业的改革与重建，并组织工厂委员会。（四）在清除大地产的基础上，改革农业，并发展农业生产的合作形式。（五）支付与当时生活费用相适应的工资与养老金，以改善体力与智力劳动者的境遇。（六）以适当的保障工人工作的社会立法和固定的适当的最低工资，保护工人的地位。（七）稳定通货，以保护工人工资、养老金和小量投资的实际价值。此举将以严格征收富有者的所得税、资本税，税收改革与增加全国之总生产力等手段达成之。（八）实行能以重获意大利政治经济之独立，保卫国际集体安全以及世界各地人民及工人组织休戚与共之外交政策，以维护和平。

由社、共两党领袖之组成之社共两党共同中央机关，将在议会中采取共同行动。在两党书记参加的会议中，将使社、共两党的部长在内阁中采取一致行动。全国各地将成立两党联络委员会，以拟定下届大选的政纲，参加市选的名单，将由两党地方联络机关核准。

十月二十日，意大利某些地区举行市选的结果，显示社、共两党之共同行动已获有效之成果。此次市选中社、共两党共获一四八五席，其中一二二二席属社、共两党联合竞选名单。基督教民主党一一九三席，自由党获三〇六席，共和党获五五〇席，无党派者获七一四席，半法西斯的“普通人党”获一七三席。

（新华社陕北四日电，载四月六日《东北日报》）

苏《劳动报》评匈牙利内阁改组

据塔斯社莫斯科十三日电，《劳动报》评论匈牙利的局势发展情形称：被苏军从法西斯枷锁下解放的匈牙利人民正建立着他们自己的独立民主的国家。巩固匈牙利民主力量和国内公共与经济生活的民主建设的主要责任便落在两个工人阶级的政党——共产党和社会民主党的肩上。他们共同与全国农民党及职工会议组成了左翼集团。工人阶级的政党正领导人民参加恢复工业与农业及稳定货币的斗争。第一个成就准备了生长与加强匈牙利的经济与提高生活水平的先决条件。他们更能开始精心制定为匈牙利未来所大大依靠的三年经济发展计划。但是这一计划的讨论再度暴露了进步分子(一方面)与财政寡头拥护者(另一方面)之间的尖锐的争执。主要地是右翼的小地主党(该党与左翼集团政党共同组成联合政府)对银行国有化和其他民主改革发动的攻击。该党的这种态度可由这一事实说明，即在法西斯主义垮台后，工业与财政巨头及封建地主选择了小地主党为他们的合法的庇护者，而更进一步将进步分子排斥出去。终于在小地主党内形成一个非法的核心，在外面的帮助支持下把党变为反动的堡垒，削弱国家民主的基础，对执行各党派所同意的决议加以怠工。这个非法核心的重要计划是与匈牙利政府在半年前所破获的霍尔第代理人的计划有密切关联的。事实说明，有些小地主党的若干领导者，包括它的总书记在内，像已经证实了的，如小地主党主席与前总理纳基等就是政治阴谋的头目。可是反动派与他们的外国支持者是大大地估计错了，因暴露纳基为阴谋的同犯而引起的政治危机之迅速的解决特别证明了这一点。政治危机的解决，以小地主党领袖丁尼斯为首新内阁的形成，证明了匈牙利民主的生气蓬勃以及小地主党内的进步分子准备与左翼政党合作。符合于农民，尤其是土地改革中新获得土地的农民的要求，小地主党的新领导机关——民主分子——最近宣布他们的不移的决心，不仅清洗那些与阴谋者有某些联系的人们，而且也清洗那些曾帮助过阴谋者的人们。匈牙利各进步阶层郑重指出小地主党履行这一决定是符合于全匈牙利民主，特别是符合该党本身的利益，因为只有这样才能巩固它在匈牙利人民中间的影响。这就更使人惊异某些外国报纸对匈牙利事变的态度，他们把由于政治危机的解决而加强了匈牙利民主描写成为“小地主党崩溃的最后阶段”。一般地都知道新内阁是根据匈牙利共和国宪法，在前届联合政府基础上而组成的，各民主党派协议的结果，阁员的分配仍保持原状。非常清楚：某些外国方面因为匈牙利反动分子的失败而感到极深的焦虑。匈牙利反动分子的外国朋友们是明显地担忧从今以后匈牙利人民将更好地防卫自己，不使匈牙利成为他们的附庸。关于美国决定停止对匈牙利的贷款，匈牙利人民要问：这个决定是否意味着某些美国方面把“特别希望”放在作为其对匈牙利扩张政策代理人的纳基身上?

自美国报纸要求以有力措施反对“顽强的”匈牙利人民后，匈牙利民主人士的这个意见是更有根据了。但是据现有征象，干涉匈牙利内政及打击她的民主政体的叫嚣并不能产生这些恶意煽动的制作者们所期望的效果。匈牙利劳动人民无疑地不愿放弃他们的民主利益与民族独立去逢迎国内外的反动分子。

（新华社东北总分社十五日讯，丙杰译，载六月二十日《东北日报》）

附一：希腊现状

谢明

杜鲁门最近在美国会演说：希腊的政治与经济已处于总崩溃的危机，“共产党正用武力推翻政府”，而英国又无力保护希腊，美国有责任领导、“帮助”各自由民族保持其自由权利及国家的独立与完整，所以要求美国会拨款四亿美元“援助”希腊（包括土耳其）。杜鲁门这一极其反动的演说，激起了世界进步舆论的猛烈抨击，一致认为这是美帝国主义扩张政策的行动，是干涉希腊内政，而其结果只会消灭希腊独立。我们再把希腊的现状检讨一下，更有助于我们认识美帝国主义的本色。

希腊的反动派

正如《真理报》所说："希腊形势的特点是希腊的反动的保皇派和公开法西斯分子恐怖主义的狂流。"今天统治希腊政府的，正是五年前当德国侵入希腊时，不作抵抗而扔去了人民流亡到外国（埃及之开罗）的格来斯堡王朝，及保皇派和反动的官僚资本家，再勾结与服务于德国统治时期的伪政府官僚和希奸资本家及法西斯分子。这一帮人是在两年多以前（一九四四年），希腊人民解放军把德国匪徒赶出雅典及其大部国土后，在英国斯科比军队用武力压迫人民解放军退出雅典时由英国的武装保护下回到希腊的，他们回国后的首要工作，就是在英国支持下开始收编国内伪军，委任伪军官，武装保皇派和法西斯匪徒，随即开始了向人民解放军发动进攻，同时在全国实行法西斯的白色恐怖统治。在雅典及其统治区域，他们曾对坚持抗敌斗争的民族解放阵线线部及各民主党派机关和进步的报馆，实行袭击或搜查，逮捕了成千成万的爱国志士及游击队员和抵抗运动人员，处死了著名的抵抗英雄摩尼多斯、阿夫基利斯、布尔的斯等。去年三月二十五日希腊独立日那天，雅典解放阵线报纸登载了一九四一年三月二十一日德国进入雅典后不到一个月，两个大学生将亚克罗波利斯大厦的纳粹旗子撕下来，发出了希腊抵抗敌人第一个信号的故事，法西斯分子就将他们逮捕，而且残酷无情的鞭打他们。据民族解放阵线去年三月统计，有三万以上的爱国志士被关在监狱里，八个月的统计就有一万多人被逮捕（还有不知道的）。在监狱里的“犯人”，只得到很少且恶劣的饮食，常一两天喝不到水，很多人挤在一起，“犯人”常被严刑拷打与残杀。

这一小撮人，不仅夺取了希腊的政权，且在经济上残酷的剥削人民，他们控制了整个希腊的国民经济，握有全国银行所有股票的百分之五十一（其余百分之四十九握在英国两大银行公司之手），而全国大小企业又赖这些银行贷款来维持业务。而且还在国内抬高物价，制造黑市，来加紧对人民进行残酷的剥削，使广大人民处于饥饿之中，据去年的材料，一个普通工人每天工资是美金七角五分，熟练技术工人每天工资亦仅一元二角到二元之间，但物价在一个半月就涨了百分之一百二十三，一块面包要五角钱，橄榄油每海脱特（四分之一加仑）要一元四角，肉每磅七角，糖每磅二元，物价还在继续上涨，联合国善后救济总署对希腊人民的一切救济物资也被他们在黑市高价出卖。另外人民还要担负巨大的国防预算，而预算的三分之一是用在偿付英国银行公司掌握的新旧债，三分之一作军费，三分之一用作维持腐朽的官僚政治机构。最近从希腊返回英国的工党议员汤姆斯对外国记者关于希腊情况的谈话称："希腊周围的岛屿都拥挤着不满希政府而避往该地的希人，雅典的气象使任何民主人士作呕……战争结束业已两年多了，希腊毫无任何恢复善后的痕迹，道路仍极恶劣之极，一间新屋也没有建造起来，到处都是惊人的贫窟。"他在详诉希腊当局的暗杀与逮捕等情况之后，继称："希腊政府由其自己的政策制造了他所害怕的一切，希腊政府以暴虐与迫害将那些属于中派的人也驱使走向左派。"

英国在希干了些什么？

"很显然的，希腊的真正主宰是英国的军事统治。

英国政府不仅帮助保存并巩固了希腊国内反动的反民主力量，同时并极端露骨地帮助了曾经与德国积极合作的人物。”（苏《消息报》评论）“希腊反动派在最近许多时机内能够扰乱和平，与他们享有英国政府的支持有关。”（英国路透社外交访员报导）一九四四年英军登陆希腊（当时德军已被赶出了雅典），丘吉尔同时声称，“我们将毫不犹豫地使用刻在希腊大量军队以维持法律与秩序。”（这一政策为工党政府继承）英军在希腊开始做的第一件事，是用武力强迫人民解放军缴械，在拒绝缴械之后就用飞机、大炮、坦克、火箭等向人民解放军实行进攻与屠杀，把人民解放军赶到希腊北部。第二件事是在希腊成立在英国监督下的希腊卖国政府，并给予军事的和经济的“援助”，帮助组织反人民的法西斯军队，鼓励其发动内战，在全国实行法西斯的恐怖统治。第三件是制造与管制希腊的伪选。据报告：选举法是由英美两国驻希大使事先商定好了后，交反动政府强令其实行，并派员监视。共产党及其他民主党派等都拒绝参加这次选举。这次选举是在这样情形下举行的：三分之一选民不许投票，三分之一被恐吓不敢投票，留下的三分之一的选举结果是伪造的。在选举那天，反动派出动了所有的武装在各选区实行武装的恐怖监视。在选举后不久，在同样情形下又举行了希王乔治回国的投票。第四件是英美在安理会的代表不但积极的在会上反对乌克兰代表提出希腊问题讨论，并在去年联合国大会时唆使希腊代表在大会上控诉保加利亚、南斯拉夫、阿尔巴尼亚，说这些国家援助了希腊的游击队，干涉了希腊内政，企图转移世界舆论对英国和希腊反动派的抨击，英美代表则在会上发言予以支持。

美帝国主义者不仅参加制造了希腊的伪选及在联合国会上支持希反动派，而且在希腊的美国大使馆散发诬蔑希腊民族解放阵线的宣传品，在美国也进行反民族阵线的宣传与报导，阻止美在希进步记者关于解放军的公正报导。英国援助希腊的武器就是美国的租借物资。

英国在希腊所执行的英帝国主义政策，及对希腊反动派的“援助”，并没有挽救希反动派使免于政治的与经济的危机，相反的加深了英国的危机，使英国在经济上正面临严重的危机，在政治上遭到极大部分工党议员反对，引向工党内部的分裂危机。这个反对干涉希腊运动正在英国广泛展开，正迫使英政府在对希腊政策上不得不作新的考虑。

今天希腊正要换上一个新的“主子”——美国，他将在希腊干些什么已在杜鲁门演说中暴露出来了，他不会比英国好已经是确定的了，他将来的结果我们也可估计是会跟英国一样的，加速美国的经济的危机，在国内和国际上树立更多反对他的敌人，在政治上日益处于孤立。另一方面对希腊民主运动也不会因美国压迫而终止的，正如华莱士说的：“各地人民要求改变，美国为军事目的贷出的借款不能阻止这些改变。杜鲁门之不能阻止改变犹如他不能阻止潮水涌来与太阳的下落。”

民族解放阵线

希腊民族解放军（AEM）是在希腊共产党领导之下，成立于一九四一年德国侵占希腊之后的不久，它是一个反抗德寇侵略的希腊民族统一战线性质的组织，它是希腊人民利益的真正代表者与组织者。除共产党外，参加者尚有希腊农民党、激进共和党、社会党、人民民主同盟、希腊总工会等。在它领导下还有一支人民武装，叫做希腊人民解放军（ELAS），拥有人员十余万。在德寇统治希腊三年中，它曾对德军及伪军进行了英勇的与残酷的游击战争，解放与控制了几乎整个希腊国土，并建立了解放区人民民主政权，深得全国人民拥护。下面是美国记者鲍鲁斯在关于民族阵线报道中称："在许多希腊人看来，它是代表着革命的希望，且拥有广大的群众。在喜欢宗教的希腊人民心目中，民族解放阵线几乎是一种神秘的组织。民族解放阵线在抵抗斗争中的起义，与在解放区建立的自治政府，这些事实在希腊群众的心目中是燃烧得这么炽烈，这么强大……"（一九四五年十一月美《民族》杂志）

在今天，希腊民族解放阵线正为实现国家的独立，英军自希腊撤退，建立全国民主的联合政府而坚持奋斗着，广大人民要求成立有民族解放阵线参加的政府，希王乔治最近亦承认必须建立民族解放阵线参加的政府，才能得到人民的信任，要求英军撤退的运动正在广泛展开，雅典人民在去年庆祝民族解放阵线成立第五周年，举行了十万人的游行示威，希腊工人曾发动全国总罢工以支援人民解放军反抗英军进攻。人民解放军为了自卫与祖国的民主与独立，现正在希腊北部与卖国政府的“讨伐队”（由美租借英国的美式武器所武装，有英国军官参加指挥作战）胜利的作战中，下列引证两个最近的关于人民解放军的报导：苏少共《真理报》评希腊最近形势称：“某些有空军支援的希腊政府军队都已证实无力与民主军作战，其中一个原因是他们不愿与希腊爱国志士作战，而官兵都宁愿参加对方。希政府军未能占上风的另一个原因在于民主军队获得广大人民的拥护，而政府军则无。”最近从希腊返英的工党议员汤姆斯（他在游击区游历过），在告外国记者称：“希腊游击队控制了希腊全部山地，这些区域占希腊全境之半。在游击区人民生活是愉快坦白而自由。”“游击队的军火大炮均不错，这些都是缴获自政府军的战利品。”最近民族解放阵线中央委员会曾发表声明：“坚决反对美国干涉希腊内政，决为民族独立，民主自由斗争到底。”我们相信希腊人民一定会获得最后的胜利的。

附二：社会民主党右翼之政策

塔斯社莫斯科讯：《真理报》顷发表波诺玛列夫详

细分析右翼的社会民主党人之政策的长篇论文的第一部分。作者强调称：任何欧洲国家社会生活中主要问题之一，就是统一工人阶级行动的问题。在大多数大陆国家中，如果工人阶级团结起来，决心保卫劳动人民的基本利益，保卫民主、和平与安全，反动派就日益缺乏反对工人阶级及其意志与政策的力量和可能性。波诺玛列夫又强调指出：但是事实上走向孤立社会民主党，走向分裂工人阶级，与走向公开和工人阶级政党——共产党——斗争的路线，在许多社会民主党的首领中间变得越发清楚了。整整战后两年来，社会民主党右翼首领们一直在顽固的从事着分裂活动，其总部就是英国工党的执行委员会。特别是执行委员会的国际部（战时二党领导机关），利用一些社会民主党旧时领袖侨居伦敦的机会，便和他们建立了密切的接触。这些侨民回到他们国家后，就在他们的指导下结合了一切右翼社会民主党人，和日益发展的民主力量对抗。一九四四年至一九四六年开了四次社会民主党国际会议，这些会议全都是为了使许多由于实行反动政策而陷于破产状态的社会民主党复苏，并使它们反对共产党。这种分裂工人阶级运动的政策，是被欧洲社会民主党内英国工党右翼分子的追随者所进行的，他们就是法国的勃鲁姆、圭尼尔、梅耶和他们的朋友；比利时的德布鲁撒尔和其他的人；奥国的雪尔夫和波拉克杜威、特兰涅尔；丹麦的石坦宁党徒们；德国的舒马区和意大利的萨拉盖特。包括法、意、比、奥在内的几个国家的社会民主党右翼已使工人阶级与民主遭受巨大的灾难。英国工党领袖们最近特别集中注意于新民主主义国家，他们为了引起这些国家的分裂，由伦敦派代表团赴各该国去。工党在英国组阁不久，即在印度迫害共产党员；对共产党的并且也是对进步的职工联盟领袖之疯狂进攻，也在南非联邦进行着。在英国工党政府军队驻扎的希腊的数百个为国家自由与民主的战士已被残害，数千希腊男女正在监牢与山岛中受着苦难。罪恶昭彰的反动分子们，法西斯绞刑吏们，在他们逃避了奥国人民的惩罚后，又住于军营中正享受着奥国英占领当局的保护；而民主人士与共产党员首先就遭到迫害。在隶属工党政府的德境英占区，不仅共产党的团体，而且那些拥护工人阶级运动的团结，和共产党与社会民主党合并的人都遭到迫害。假如有组织的工人阶级运动的力量不及时制止社会民主党和工党右翼首领们的话，无疑的他们将继续其对民主势力之强暴镇压的路线。

（新华社陕北十日电，载六月十二日《东北日报》）

二　英法两国

英法盟约摘要

法新闻社讯：英法同盟互助条约全文已于四日在巴黎与伦敦同时公布。该条约序言内称："英法两国，愿意以同盟条约确定英法之间的诚挚友谊及密切利益关系，相信此种条约之缔结有利于本谅解之精神以解决两国间一切问题。决议遵照联合国宪章之规定，两国相互间及与其他联合国密切合作，以保持和平并抵抗德国侵略决心。在德国再有任何侵略之时共同合作，采取互助之措施。而且认为：与负有对德国采取行动以防止其再度威胁和平之责任的一切国家间缔结条约，实最所愿望。同时顾及两国以前与苏联所签订的同盟互助条约，且致力于加强两国经济关系，以谋两国之互利与普遍繁荣之利益。”该条约共分五条，有效期五十年。第一条内称：“为了防止德国对其解除军备及非军国主义化之义务有任何违犯，并一般地确保德国不再成为和平之威胁起见，缔约国双方在任何一方之安全发生威胁时，不论此威胁是德国采取侵略政策所引起，或由于德国攫取以便利此种政策为目的之行动，经双方互相协商，并在适当之时与负有对德行动责任之国家协商之后，采取能以消除此威胁的协议一致之行动。”第二条规定：“如缔约国任何一方再度与德国发生战争，另一缔约国对干涉入战争之缔约国，应尽其力之所及立即予以军事及其他一切支持与帮助。”第三条规定：“若因德国未能履行其经济义务，因而使缔约国之任何一方遭受损害时，缔约国双方将相互协商，并在适当之时与负有对德行动责任之国家协商，以便采取协议一致之行动以应付局势。”第四条规定：“两国经常相互协商有关双方经济关系事宜，采取一种可能的步骤以促进两国繁荣与经济安全。”第五条规定：“缔约国双方均不缔结反对另一方之任何同盟或参加任何联合，双方亦不承受与本条约规定相抵触之任何义务。”

（新华社延安六日电，载三月八日《东北日报》）

前进中的英国人民

程之平

毛主席远在战胜法西斯德国之前就说："人民将赢得战争，赢得和平，又赢得进步。"这一预言今天在世界各地普遍的证实了，人民的力量到处都获得空前的发展。人民进步最重要的标志就是各国共产党的壮大，谁都知道，无论在任何国家共产党都是最能为人民的利益而奋斗的，在东欧，在南美，在法国，在比利时共产党都有了飞跃的发展，在英国虽有反动势力顽强的阻挠，人民仍是大踏步地前进着，英国共产党也日益壮大起来。英共今天已成为群众性的大党，拥有四万以上的党员，组织遍于全国。党员的质量之高是英共最大的特点，它在知识分子中的影响极大，党员与同情分子中有许多著名的学者和专家：如名生物学家皇家学会会员海登教授，名政论家杜德，英国最好的历史、考古学家苟敦柴德，出色的物理学家皇家学会会员贝尔诺勒教授，坎特伯里大主教约翰森等。英共拥有大批优秀的文化人，党的出版物办得最好，极受人民的欢迎，党的小册子也都是写得最好，装帧得最漂亮的。英共机关报《工人日报》已成为英国最有影响的报纸之一，因受纸张配给的限制，销路虽只能有二十五万份，却是英国最好的报纸，它最能代表人民的意志，在每一个重要时期都能给人民指出斗争的方向，它的主张在事变的发展中都证明是正确的。它的记者遍及世界，常刊载各国最生动的报导。海登、坎特伯里大主教、爱尔兰名戏剧家和革命家欧卡西都是编辑委员，前《泰晤士报》名记者波特凯尔也加入了英共，成为工人日报的记者。英共除供给党员阅读的劳动月刊外，还有综合性的文化月刊《我们的时代》，及理论性的《近代》三月刊。关于政治、经济、哲学及自然科学各方面的论著都由名家执笔，故销行极广，影响极大。

英共在职工中的影响也日益增强，英共在各职工会中有广泛的影响，最有势力的职工会之一的全国工程师联合会，即直接在英共领导之下。英共加入工党的要求虽被工党上层反动分子所破坏，但工党下层群众欢迎英共参加的却日益增多，几次表决赞成票一直是递增的，英共相信在今后的努力中定能达到参加工党的目的。

英国是工业革命的策源地，是最老的工业国，社会主义思想在英国有了长久的历史，在动荡的年代里，英国人民已经普遍地要求进步的政治，工党之所以能当选就是因为他们标榜了进步的纲领和政策。可是工党的领导机关是操纵在社会民主分子贝文、摩里逊之流的手里，他们进步的纲领只是为了获取政权，并不准备真正实现，要想使工党政府履行它的诺言，还需要组织人民向他们做不懈的斗争。一年来的事实证明：在这种斗争中英共是起了核心作用，他们始终是坚定不移地站在人民的立场上。一年来英国已经实现了英格兰银行的国有和全国煤矿的国有，社会事业方面，普遍的社会保险及全国的保健制度即将付诸施行，在这方面虽然有一些贵族工人、富人及保守的医生的反抗，但他们终不能阻止人民的普遍要求。今天钢铁工业国有化的问题已经提上了议事日程，钢铁工业是英国一切工业的基础，是不列颠组织得最好的强大工业，大资本家们绝不情愿放弃这一强固的堡垒，他们正联合保守党和工党的反动派来搁置这一计划的执行，要跨过国有化中这一重要的步骤，英共正在组织力量进行斗争。住宅的建筑也是当前最迫切的问题，二次大战中英伦有上百万的房屋被毁了，多少人流落在街头，工党政府曾答应在几年内建筑住宅三百万所，可是只完成了一小部分。最近广大的群众有组织的突破警察的防线，强住了不少的空屋，可是没有房屋住的还是非常之多，英共正在准备组织一次大的游行示威，要求工党政府实践建造住宅的诺言。

英国人民当前的斗争是争取民主改善民生，可是内政与外交都有着不可分的关系，与在国内实现进步的纲领同时必须有进步的外交政策。我们知道英国是出口国家，要想繁荣英国的经济，改善人民的生活，就必须恢复出口，这样就需要和平，不能要战争，而苏联又是英国最好的市场；工党的竞选纲领上曾写着要对苏友好发展对苏贸易，他们显然没有这样做。英国也迫切需要中国的市场和货物，只有使中国实现和平民主才能做到，因此就需要采取积极的与进步的对华政策。住宅建筑计划的不能兑现，劳动力缺乏，财政拮据是极大的原因，可是英国却继续在印度、在中东、甚至还在希腊、荷印驻兵，这样就耗费了大量的金钱和人力，在这种情况下人民自然要求撤回国外的驻兵。所有这一切都要求工党政府采取进步的外交政策，不再做美帝国主义的尾巴。这种人民的要求，从最近的下院辩论清楚的看出来，那就是百分之四十以上的议员反对追随着美国的外交政策。

工党上层的反动分子一直与保守党携手，日益证明他们是背弃了自己的纲领，而人民也觉悟到只有靠斗争才能达到自己的要求，这给英共揭穿工党反动分子的欺骗，组织人民起来斗争以最有利的基础。一年前英共以极大的努力帮助了工党当选，今天他们相信也有力量改变工党的现行错误政策，当然这并不是轻而易举的事情；英共及英国人民当前奋斗的目标是建设对内民主与对外和平为基础的新英国，对中国则是援助我们的民主运动；他们知道达到这一目的还有一段路程，还要经过艰苦的斗争，然而他们是充满了信心，因为他们事业不仅是为了英国的人民，也是为了世界的人民。他们在战斗中有着各国人民和进步力量的声援。

（载十一月二十九日《东北日报》）

英国工党介绍

英国工党是目前英帝国的执政党，成立于一九〇六年组成的“劳工代表委员会”，工党从其成立之时起，按其阶级成分来说，便“不是一个工人阶级的政党，而是一个工人与城市小资产阶级联盟的一个政党”。

据一九二七年斯大林谈话：“第一次大战后由于许多自由党人的加入工党，使工党的性质发生了新变化，特别从一九一四年麦克唐纳第一届工党内阁组成以后，由于掌握该党大权的工人贵族官僚分子，一贯执行着妥协政策。使工党实际上变成英国大资产阶级的附庸，并为其利益而服务。”

工党的政治主张，表现在它一九一九年发表的正式纲领与《劳工报》“新社会秩序”中，该纲领一面标榜“社会主义”、一面则主张社会改良，而反对革命。已去世的工党领袖麦克唐纳，在其所著的一书《社会主义》中曾说过：“社会主义的势力不是斗争，而是依想象的道德观念和智慧排斥斗争。”工党所高唱的“社会主义”，曾蒙蔽了相当数量的劳工大众，曾获得了他们的拥护。

一九二〇年工党拥有党员四百三十七万余人，为工党的全盛时期。由于工党在政策上行动上不断背叛工人阶级的利益，使劳工大众逐渐消失了对它的幻想，而离开了它，使工党的力量逐渐削弱。从一九二〇年，至本届年会召开的二十六年中，工党党员不仅没有增加，相反却减少至二十八万九千人。

工党在英国曾四次执政；第一次在一九二四年一月十二日工党组织麦克唐纳内阁，工党所标榜的主要内政政策，包括铁路、矿山等国有化，商业资本税等，但均未实行，结果麦克唐纳内阁仅存在了九个月零十五天就倒台了。

第二次在一九二九年五月，当时英国国内失业问题严重，印度民族运动正在风起云涌，工党却以实现社会主义解决与救济失业，“允许印度独立”，作为竞选纲领，结果达成了以麦克唐纳为首的第二次工党内阁。麦氏再度上台后，即违背给印度独立的诺言，调兵遣将，镇压印度民族运动。同时，他所采取的一套改良办法，并不能解决当时严重的经济恐慌和失业的危机。一九三一年，麦克唐纳在保守党组织的国民内阁中，另组织“国民工党”以艾德礼、贝文、格林伍德等领导的所谓正统派工党，这时就站在在野党的地位，但是，在这一时期内，所谓在野党的工党的领导机关，仍极力支持政府，对政府的对西班牙不干涉政策，表示积极声援。一九三九年四月七日的下晚外交辩论中，工党领袖之一格林伍德称颂张伯伦“已在施行工党的‘集体安全’政策”。五月底工党代表大会，曾否决了总罢工和不与政府合作的建议。

第三次是一九四〇年五月十一日参加保守党占优势的丘吉尔战时联合内阁。这一时英政府虽一方面施行了反希特勒法西斯战争的进步政策，一方面则仍继续帝国主义的反动政策，在后一问题上丘吉尔同样是获得了与工党的合作。主要者如工党领袖之一的摩理荪内相。于一九四三年秋释放了英法西斯头子莫斯莱，四四年冬，工党领导机关又支持了政府对希腊的斯科比政策。但同年十二月工党年会对希腊问题辩论时，贝文竟公开为丘吉尔辩论称：“政府所采取之步骤，并非丘吉尔个人的决定，我与我的同僚皆参加此种辩论，故我们另外采取的任何决定是错误的。”

第四次是一九四五年七月二十六日所组成的，即目前的工党一党的艾德礼内阁。在这一时期内，特别在战争胜利结束时期，工党政府所实行的内外政策，与丘吉尔内阁一样，对外主张组织西欧集团，对殖民地则仍坚持帝国主义政策；在内政方面继续为大资产阶级利益服务的方针。从去年年底以来，工党政府鉴于英帝国的严重的经济困难，也采取一些稍与保守党不同的改良办法：如通过了银行、矿山等国有化法案，但这并非实行所谓“社会主义”，而是更增强大资产阶级的私有政权，英格兰银行国有计划即为一例。该银行过去的股份利息为百分之十二，同时该行过去就具有支配其他银行的潜在力，国有化后更把他的权力合法化了，而且该行的人事并未变动，董事仍由英皇任命，支配权仍掌握在大资产阶级手中，该行国有化后首任行长并表示说：“与其说这是革命，不如说是一种演化，英格兰银行在实行一种手术，我对实行这种手术的医生是信任的。”贝文的外交政策，仍遵循保守党的原定方针，因而获得保守党的头子丘吉尔的充分支持。本月五日，丘吉尔在下院外交辩论时发表演说称：“贝文是值得完全信赖的。”

尤其必须指出的，工党领导机关自一九二四年以来直到现在，一贯采取排共反共以及不与其他进步党派合作的政策。英共自一九二一年创立时起，即采取联合工党，和要求参加工党的政策，以便团结与统一工人的力量，并推动工党前进，英共已十二次向工党提出要加入，但均遭工党的领导机关顽固的拒绝，以致妨碍了英国有组织工人力量的进一步的团结与增强，但是由于英共的威信在工人中影响的扩大，在工党内部主张英共加入的团体，与个人的数量已日增。一九四三年六月工党的大会中，虽再一次否决了英共加入工党的提议，但两者投票的比例为一〇九五〇〇〇票，对七一二〇〇〇票，目前赞成英共加入工党的职工会计团体达一千零十六个之多，可见拥护英共加入工党的力量并不是小的。

由于工党长期固执这种违反工人阶级利益的倒退政策，不仅引起英国的广大人民的失望，而且引起党内左派领袖与广大党员的不满，远在一九二一年以后独立工党、工安党等均分离出去，个别党员与团体党员自动退出的日益增加，一九三七年与一九四三年，个别党员由四十四万七千人减至二十二万五千人，团体党员则由五十一个单位减至四十二个单位，现在工党内则存在着中、左、右三派，右派以艾德礼、摩里苏、贝文等为代表，中派以克理浦斯为代表，左派以辛威尔及下院内三十余位职员（他们被称为工党中的共产党）为代表，拉斯基大致上很可以说是左派工党的进步力量正在生长，但还不能改变右派领袖在党内的统治地位，这些右派领袖盘踞着各大职工会的领导机关和工党的全国执行委员会，（虽然该委员会主要是拉斯基）他们仍能在相当部分的英国工人中发生影响，然而随着历史的发展，当工党领导机关的现实政策不可避免的走不通，其阶级本质已予暴露出来的时候，英国广大工人群众必然觉醒过来！

（载八月二十九日《东北日报》）

战后英国经济

瓦尔加　著

据塔斯社莫斯科二十日电：瓦尔加于《真理报》著

文详细分析英国形势。渠提及英国经济机构的特点称：英国农业贫弱，食粮及原料主要依靠自外地之进口，为此英国则不得不以出口制造品及自殖民地所获得之高额利润，并由于对外投资或对世界贸易投资所取得之利润，付出其代价。瓦尔加继续指出：第二次世界大战中这些经济基础遭到了严重的损失（甚至在很早即开始衰退），这就是为什么英国经济制度遭受着不可补救危机的原因。英国工业竞争能力与美国比较是已经衰退多了，美国在抵制着英国制造品的出口贸易。英国工业目前不能以平等关系与美国工业竞争。

在一九四六年英国支出之不敷数额达四万万五千万镑，即占英国出口总值之百分之五十。为补救这一不足，英国在一九四七年得较一九四六年增加出口三万万镑。然为达到此目的，英国必须以外币购买外国原料，因此英国的出口货价值亦要比一九三八年增加百分之七十五。这一点英国是不能完成的。作者指出：英国希望以美国贷款克服困难，已告失败，且在各方面——在国外的航运业与金融业的活动，货物与资本的输出——遇到了美国强有力的抵制。作者称：英国经济制度的危机，主要的是影响劳动人民，他们不顾一切的牺牲，仅能恢复最不重要的、由战争所加于全国财富上的损害的一部分。瓦尔加结语称：英国在战后条件下，不可能重建其旧有基础的经济生活，她将被迫产生新的经济机构，其中农业部分应与德国或美国相同。英国不可能支持那种使成百万海克脱的土地荒芜不种，却用为狩猎与私人花园的情势。她不能容许英国统治阶级带着传统的奢侈，拥有无数地产。英国统治阶级在英国失去其世界工业家、世界银行家、世界商人的旧有地位以后，已失去其经济基础。且英国当她是殖民国家时，其地位亦处于经常与日益增加的危险之中。

（新华社东北总分社二十一日讯，载四月二十四日《东北日报》）

斯大林拒绝英苏交换军官提议

巴黎电台息：斯大林已拒绝蒙哥马利关于苏英两国

交换军官的建议。关于此项消息，塔斯社自有资格方面人士获得情报如下：蒙哥马利元帅在与斯大林会谈时，曾提出苏英两国交换军校学员的问题。斯大林答复道：交换军官是很好的，但是在现时，这样作是不适当的。斯大林解释道：在平时进行训练与武器的标准一致或交换军官，不管其有何种意义，这种措施可能被解释为准备战争。然而根据列强的倡议，联合国组织已通过普遍缩减武装的决议，这在社会舆论中间已产生了完全不同的情绪。交换军官与此项社会舆论的情绪相反。斯大林还指出说：各种报纸都在骂英美，说他们在准备战争，交换军官，训练与武器标准一致。苏联不愿意人们也来骂他。如果苏联同样走上这条道路，有可能发生一种印象，不管这种办法是好是坏，但是各大列强会在社会舆论中造成一定见，即是没有根据可以防止战争。交换军官是不适合于爱好和平的意愿的。

（塔斯社莫斯科二十四日电，载一月二十六日《解放日报》）

斯大林与贝文关于英苏关系的换文

去年十二月二十二日贝文答复工党议员对他的外交政策的抨击，说了下列一段话："英国除了联合国宪章外，不对任何国家担负义务。我相信，我对于我们政策所讲的已显示我们是独立精神及自己的目标。"贝文这一声明恰巧和英美秘密交换军官，武器标准化等活动同时出现，这自然就引起各方人士对于英国的动向发生怀疑。一月十五日苏联《真理报》发表了一篇文章，批评贝文的圣诞演说抛弃了英苏互助条约，不尊重本国所担负的义务，并指出贝文虽然建议过英苏条约应由二十年延长到五十年，但这也并不表示真正加强对苏关系的愿望。

《真理报》对贝文的两面政策这样的揭露，立刻引起英国当政者的恐慌，英外交部乃于十九号一方面声明英苏同盟条约有效，并致函斯大林，说明英国并不认为联合国已代替了英苏条约。另一方面又抗议《真理报》的批评是曲解了贝文的演说，《真理报》于是又著文驳斥，直至一月二十二号斯大林向英外长发出复文，对这一争论做了很明确的答复与批评。

据莫斯科上月二十五日广播：关于英苏同盟条约通知：一月二十三日,《真理报》曾发表英国政府声明一文，答复《真理报》一月十五日题为《贝文已放弃英苏同盟条约》一文，同时英国外长贝文经过英国驻苏大使向苏联内阁主席斯大林发出照会，其内容如下：

> 我很高兴阁下在莫斯科友好招待帝国参谋总长蒙哥马利元帅，并且使我高兴的是我研究了蒙哥马利元帅交给我关于他和阁下谈话的报告。但是我感到不安的是阁下所发生的印象，说“在伦敦已把英苏同盟条约视为停留在空中”，或说“英苏同盟条约已被认为可以由联合国所代替”。一月十五日《真理报》所登载的论文，使我更为惊异的是认定这是我的观点。指出我于十二月二十二日在无线电广播中所讲的一句话：“英国除对联合国宪章担负义务外，未对任何人担负义务。”从彼此有联系的话中，断章取义经常是不正确的，至于讲到其

他联盟国的那些话，是因为他们在自己政策中是以联合国宪章为基础。我不了解的是这次谈论中包含着什么意思，特别使我奇怪的是《真理报》的论文，因为根据蒙哥马利元帅所说的话，我知道这不是阁下本人对于英苏同盟条约的观点，因为《真理报》刊载此文，我认为除发表声明外，再没有别的办法，我想使阁下预先看到这一声明，重新解说英政府关于这一问题的观点，我准备于一月二十日发表这一声明。

一月二十二日斯大林向英国外长贝文发出复文，内称：我已获悉阁下一月十八日照会，应当承认阁下的声明，说："英国除对联合国宪章以外，无论对谁也未担负义务。"使我莫明其妙，我认为这一声明能够为英苏友谊的敌人所利用。我明白解说：英苏同盟条约，不管有哪些附带保留，不管这些保留怎样减弱了本条约——英苏同盟条约的存在，对我两国担负相当义务。在一九四六年九月十七日，我与亚历山大（当时英国的海军大臣）谈话时，说明苏联在反对德国侵略中与英国相互联系，提出对于英国在战后还担负相当的义务。但是阁下的照会与英政府的声明已把问题完全解释明白了。并且没有留下发生误会的余地。现时，我很清楚地阐明了我个人对于英苏同盟条约的观点。至于讲到英国政府声明，特别提出英苏同盟条约延期的问题，假使认真进行此种延期的话，那么在这一条约尚未延期前，首先应当把它修改，取消减弱这一条约的保留，实行这种手续后，才能认真地讨论条约延期。[1]

（载二月二十日《东北日报》）

法国新宪法要点

十三日被法国公民复决所批准之法兰西第四共和国新宪法的基本特点有五：（一）保证人民的充分自由权

[1] 编者按：英苏同盟条约签订于一九四二年五月，有效时间为二十年，其中保留条件之一为有效期限直至一方决定一国际组织足以保证其安全时为止。

利；（二）国家基本大权操之国民议会；（三）承认法国本部与法国各殖民地民族一律平等；（四）废除大企业的私人垄断；（五）关于法国主权的规定。

关于法国的社会纲领，新宪法规定："每一公民无分种族，宗教或信仰，均有根本与神圣之权利。""男女公民在法律上一律平等，任何人为伸张自由之故，而遭虐害，有在共和国境内受庇护之权利。""人人有工作之义务与受雇之权利，任何人不能因其身世意见或信仰之不同，而在工作及雇用方面受歧视。"人人有加入公会和工会与罢工之权，工人不仅有集体决定其工作条件的权利，而且可参加"事业的管理"。此外，宪法并保障儿童、母亲及老年工人以及失去工作能力者的"社会供养"、"健康与休息"以及全体儿童与成人的"教育平等"，"公共之组织与学术之绝对自由乃为国家之义务"。

宪法宣布的法国经济纲领说："一切财产及一切事业，其发展具有公用或垄断性质者，应成为公共财产。"

新法律政权的组织规定如下：国会由国民议会及共和国参院组成，国民议会有"完全的立法权"由"直接平等、秘密而普遍的选举"产生议会六百十七名组成。

共和国参议院有议员二百五十到三百二十名，一部分由国民议会任命，一部分由选民团（该团由各镇各省选出的人员组成）选举。参院可以草拟法案，交由国民议会决定，国民议会的立法，可以征询参院意见，参院如有修正或否决，则国民议会须以绝大多数重新表决之。此外设立“经济委员会”及“法国联邦大会”作为谘议立法机关。

总统由国会两院秘密投票选举之，任期七年，只许连任一次，其任何法令之颁布，须由总理与一名阁员副署。总统无法律否决权，仅有质询议会立法本质之权。

总理及其阁员与行政纲领由总统提荐，但须经议会多数的通过与信任后始得授命与批准。总理实掌行政职权，为部长会议主席，得处理武装部队及国防的调协组织。总理及其内阁可创议法律，惟须经国民议会决定，政府只向国民议会负责。

宪法对法国殖民地的地位规定在“自决”原则下组成“法国联邦”，“联邦全体人民，不分男女，平等参加一切公开活动，且确保个人或全体享受宪法所确认与宣布之各项权利与自由”。“法国总统为法国联邦之最高元首”。

新宪法对于法国主权的规定中，明确地说："法国将不作任何征服侵略性质之战争"并"承诺限制其主权在组织与保卫和平所必需的限度之内"。

第四共和国宪法与一八七五年宪法不同者，除其他方面外，在政权方面主要为：旧宪规定立法权属于参众两院及总统，政府向两院负责。而前次于五月五日被否决的宪草则规定为一院制（废除参院），一切权力属于一院国会。

此次新宪基本上为前次被否决宪草之修正案，有限地提高了总统权力与恢复了参院。但在其他方面，大致保持草案的精神，这就是戴高乐及其一派反对它的理由。

（新华社延安十六日电，载十月十八日《东北日报》）

法国人民的胜利
——《解放日报》社论

战后法国第一届国民议会的选举结束了。据接近最后统计显示，法国共产党已争得首席，计得四百四十七万票，一百六十八席，连接近共产党的抵抗运动五席，合计一百七十三席，超过了一年前第一届立宪议会时该党的席位，也超过过去两届临时议会中任何一党所获得的席位。这是法国人民空前的胜利，也是世界民主运动的新的捷音。

法国共产党为什么当选为第一党呢，这是因为法国共产党多年来为人民利益奋斗不懈，在战争中是坚持抗德运动的最勇最有组织的先锋队，在战后不屈不挠地坚持民主化的新宪法，主张大企业国有，并对经济恢复作了重大贡献，从而获得了广大人民的爱戴。在过去十年中，法国共产党员增至今天的一百二十万，选民从一百五十万增至五百四十七万。法国三大群众团体——拥有五百万会员的劳工总同盟，一百万会员的妇女联盟，以及三十万会员的青年共和主义团，均在其领导之下，他的机关报《人道报》及各地方报纸日销二百万份。对于这样一个全心全意为人民服务坚强的群众性的党，反动派在竞选中曾尽力造谣诽谤，企图减弱法共的威信。但是这些企图都失败了，法共的力量和其在人民中的威信天天增长。过去一年中的三次选举，充分的证明了：法国共产党站在法国人民民主运动的最前列，紧紧的依靠人民，迈步前进，绝不是任何反动派所能阻止住的。

与法共相反，在这次选举中，其他两大党的席位都比上届减少了。社会党减少最多，从一二五席跌至九十三席。这是由于该党领导机关在右派把持之下，动摇不定，并与大资产阶级右翼各党互通声气，从而引起了社会党内部的分化，使选民中的左翼分子反而投法共的票。而若干保守分子则去投右派各党的票。至于人民共和运动党，该党在政治中未能解决严重的财政困难，并主张修改新宪，还与戴高乐派勾结，故不少选民在这次选举中抛弃了该党。该党虽有保守分子的全力支持，然亦比上届失去五十五万余票。这些事实表明，上述两党虽曾在上两届议会中占有相当多的议席，但是一旦他们的政策不能满足群众的要求，以至于违反法国人民利益时，即往下降了。

在此次法国选举运动中，法国内部反动派与国际上反动势力想尽办法企图阻挠法国民主运动的发展。法国各右翼党派曾拟结成联盟，打击法国共产党及民主进步力量。美帝国主义分子甚至以取消对法贷款来威胁法国人民不要左倾。但是法国人民并没有被吓倒。一年来法国政局波澜起伏，迂回曲折，三次选举，两次复决，终于这次法共重获议会首席党而告一段落。这不仅给法国反动派的一个大的打击，而且也给美帝国主义在世界各地扶植反动势力压迫民主势力的干涉政策的一个有力的打击。这不仅对于今后五年中法国的民主建设与经济复兴大有裨益，而且各大强国的关系，亦将受法国左倾的影响。自然，这并不是说法国政局的前途从此便一帆风顺了。应当指出，反动派还要拼命进行破坏活动，右翼各派在这次选举中有某些增长，法国的进一步的民主化尚有不少的困难，但是，只要法国人民，以法共及社会党内进步人士为首，加强团结合作，再接再厉，胜利是完全有把握的。

法国大选再一次的证实毛主席在世界反法西斯战争尚未结束的时候所作的预言："人民将赢得战争，赢得和平，又赢得进步。"法国人民已经"赢得战争，赢得和平"，他必然要"赢得进步"，这是毫无疑义的。法国人民在大选中的胜利，再次表现世界在进步中，这大大鼓舞了我国人民反对内战，反对独裁，反对卖国的斗争。我们相信蒋介石反动派必然将像法国反动派一样，抵抗不住中国人民向独立自由民主的目标迈步前进。美国帝国主义之援助蒋介石独裁内战的政策，也必然像它干涉法国大选一样，是注定要失败的。

（十月十五日）

政权不归戴高乐
——《解放日报》社论

难产的法兰西第四共和国的首届正式政府，终于经过长时间艰辛复杂的斗争之后产生了。一月十六日法国议会两院联合选举正式总统，社会党的奥勒尔氏在法共支持下当选。二十二日以社会党拉马第为总理的各党派联合内阁正式组成，由法共领袖多列士为副总理，共产党员比劳、狄隆、克洛伊札和马拉尼四，分掌国防、建设、劳工及公共卫生与人口部长，社共两党阁员的过半数，其余包括人民共和党和激进社会党等。这一新内阁的构成虽然还和今日法国各种实际政治力量的对比很不相称（法共是第一大党），但毫无疑问，新政府的成立，是法国人民继去年公民投票与国会选举之后的又一次大胜利，也是以戴高乐为首的法国反动派的又一次大失败。它对法国今后的建设以及欧洲和全世界的和平，都将发生极其重大的影响。

戴高乐以曾做过法国抗战统帅的履历，如能依从民意，顺应潮流，努力奉公，那他岂不是新法兰西一位建国的领袖？但他终由其极端自私的阶级成见所局限，一心一意当法国二百独占家族的狗腿子，特别受了罗斯契尔德银团的直接豢养，组织所谓戴高乐联盟，并阴谋拉拢由财阀为后台的天主教人民共和运动党和大托拉斯、大银行和大地主支持的共和自由党，放肆地进行反共反民主的活动，拼命反对新宪法，破坏和阻挠国家的重建工作。他还提出了所谓“政权归于戴高乐”的口号，企图僭夺法国人民四年流血斗争的果实，造成卖国独裁的统治。对外他勾结英国的特别是美国的反动派，企图通过人民共和运动党的苏曼之流，将十三亿七千万美元或更多的美国借款，套住自己的脖子，大叫其“美国人有原子弹啊！”（戴高乐）“美国人不能离开欧洲啊！”（苏曼）作种种出卖祖国的勾当。

但是，戴高乐及其反动集团终究再次受到了严重的打击。在日益觉悟与强大的法国人民面前，政权并没有归于戴高乐。戴高乐并没有当成总统或总理。反动派梦想组织共产党在外的反动联合政府，或不让共产党担任内阁中最重要的位置国防部长的阴谋，都一概落了空。法国人民对于英勇坚强的法国共产党与工人阶级是决然忘不掉的。谁不知道法共在战时始终站在抵抗运动的最前线，著名共产党员贝利的鲜血曾唤醒了法兰西；一九四二年八月二十三日一位共产党的英雄在巴黎打死了一个德国军官，才真正开始了法国人民的爱国战争；法共在各地特别是巴黎、萨伏衣、玛西夫、阿尔卑斯，掀起了抗德游击战，他们在纳粹匪军的残酷扫荡下，牺牲了同志七万五千人。他们在战后，便埋头于祖国的和平重建工作，并为通过民主的新宪法作了艰苦的奋斗。他们对于全国生产的恢复起了巨大的作用，他们在罗亚尔省、霍特维也纳省、来莱姆、吐伦和南特等城镇的地方行政中，表现了卓越的政绩。特别值得指出，法国的农民与工人阶级的合作已迈开了历史性的一大步，农民已经在抗战和恢复工作中，真正认识了共产党和工人，其中很大一部分且已团结在共产党的周围，为其自身和祖国的利益而奋斗。正因为这样，共产党在去年选举中就一跃而为全国第一大党，而工人的政党共产党和社会党这番就能团结合作，领导这一正式政府的建立。如果说，法兰西的第三共和国是在巴黎公社失败的废墟上诞生的，那么法兰西第四共和国便完全不同了，它是在法共和法国工人阶级等民主进步力量空前壮大的基础上诞生的，这就保证了它必然有壮阔健全的发展前途。

当然，法国的反动派现在还有力量。在外国反动派特别是美帝国主义者暗中支持之下，戴高乐辈还会像釜底游魂一样，作临死的挣扎。他们还想乞灵于上帝与教会，乞灵于金融寡头盗匪斯达维司基等的卑污传统，继续玷辱和出卖法兰西。人民共和运动党和其他右派的代表一定会在新政府中拆台捣蛋，社会党的某些上层领袖还会摇摆。但是，法兰西的庄严意志却已经由第四共和国的宪法表示出来了，已经由共产党人和其他民主人士在抗战与恢复工作中的英勇业迹表现出来了。这一坚强意志是任何反动力量所阻挠不住的。法国人民面前虽然还有许多困难，他们的道路也还有许多曲折，但是新法兰西航行的方向却是确定不移的了。它在争取世界和平与安全的国际舞台上将扮演极其重要的角色，也是确定无疑的了。法国共产党人和一切先进分子，将更好的加强工人阶级的团结，更加提高广大农民与小资产阶级的觉悟，并把他们更加团结在自己的周围，这样反动派就黔驴技穷，美帝国主义的走狗戴高乐辈也就只能和他们叛卖祖国的罪行一起，最后地被埋葬掉。这对于一切卖国反动派头子将不失为一个殷鉴。

（载一月二十八日《解放日报》）

第五部分　殖民地问题及日本朝鲜问题

一　殖民地问题与被压迫民族的解放运动

南洋殖民地人民的胜利

本月中旬，东方殖民地发生了两件具有重大历史意义的事件：其一是越南国民议会通过民主的新宪法，成立了包容极广泛阶层的代表的民主联合政府；其二是印尼与荷兰成立协定，确定了印尼共和国政府在爪哇、马都拉、苏门答腊三岛的实际主权。

大家知道，越南民主政府于今年三月六日与法国签订的协定及九月间签订的临时协定中，已被确定在安南、东京、交趾支那三邦（占全越领土面积五分之三）的实际主权，这三邦内，住有一千八百万人，占全越人口四分之三。而印尼政府被确定的地区面积，亦占整个前荷属东印度的几乎一半，其人口则占全印尼七千二百万人口中的五千五百万。以上地区，都是越南和印尼经济、政治、文化最重要最繁荣的地区。这就是说，越南、印尼人民的独立运动，已在两地的绝大部分取得了胜利。这是殖民地人民的伟大胜利，是他们力量空前壮大的表示。

法国和荷兰的帝国主义分子，在日寇投降以后，仍想抄袭其在十九世纪及一次大战后的老办法，以血腥屠杀压服殖民地人民。但当前的情势已与二次大战以前大为不同，殖民地人民在反日战争中已空前觉悟与强大起来。各地都建立了革命的武装。越南军队在消灭拒绝缴械的日军后，又英勇地击败了法英联军的多次进攻，其后，又打败了受蒋介石支持的越南国民党叛军，使人民的政府巩固起来，迫使法国右翼分子企图推翻三月六日协定亦办不到。

印尼共和国武装也屡次挫败荷英联军的进攻。荷方虽多次借所谓“和平谈判”，骗取时间，进行增兵，但印尼爱国军士气的高昂，及另方面，荷英军士兵厌战及兵力分散，使得荷方的欺骗无济于事。经过十四阅月的时间，七打七谈，终于迫使荷兰从不承认印尼政府的存在到承认其存在，从只答应承认爪哇一地到承认爪哇、马都拉、苏门答腊三岛为印尼共和国的范围。

越南、印尼两国独立运动的成就，又一次证明了人民的力量是不可战胜的。越南、印尼民众为了反对帝国主义的锁链重新套在自己头上，他们的斗争表现得无比的坚决。泗水战斗中，印尼军民以步枪和刀矛抗击荷英军舰、飞机、坦克、大炮、伞兵与步兵的会攻达数日之久，予进犯者重大杀伤，便是一个明显例子。美国的军火、英国的军队以及未解除武装的日军，都未能消灭或减弱人民的力量，相反地，更加锻炼了他们。而当侵略者打得精疲力竭的时候，他们便不能不承认被压迫者的所谓“既成事实了”。同时，被压迫民族的独立斗争，不是孤立无援的。世界各地工人的罢工，拒绝为侵略者的船只卸货；苏联代表在联合国大会上对进犯者的谴责；荷英法等国人民的示威抗议；前线士兵的反战，都给了越南印尼人民以有力的声援。

越南、印尼两国独立运动的成就，给东方各被压迫民族的解放运动一个好榜样，大大鼓舞他们为独立而斗争。“向印尼人民学习”的口号已在马来亚人民中提出。在美国附庸的菲律宾，约五万游击队在吕宋岛中部打击着美国在菲的代理人。其他地方，如印度、缅甸及荷兰统治的其他岛屿，如西里伯斯、摩鹿加、峇里等岛，民族运动亦正以空前蓬勃的姿势发展着，与越南印尼的斗争相呼应。越南印尼的既得成就，必然更加提高他们的斗争信心，加强他们的斗争行动。

殖民地国家的独立运动及其胜利，是世界进步的一个重要的因素。它不仅在政治上，打击帝国主义反动势力，而且在经济上，瓦解着帝国主义的基础。荷兰的保守派及军人，法国的戴高乐党徒现在千方百计地企图推翻过去的协定，并保存其在印尼越南的残余势力，正反映他们对自己命运的恐惧。然而这些阴谋诡计必将破产。越南、印尼人民不管前途还有不少曲折和困难，必将完全胜利无疑。

越南、印尼以及目前整个东方的殖民地半殖民地人民的汹涌澎湃的民族解放运动，表明在这次反法西斯战争以后，帝国主义列强平安无事的压迫剥削东方殖民地的时代已一去不复返了，十万万的东方殖民地人民翻身的日子已经开始到来了。

（载十二月六日《解放日报》）

新生的越南

越南是和菲律宾完全不同的一个新生的独立国家，它的独立，不是帝国主义国家的“恩赐”，而是越南人民在越南共产党领导之下用自己的力量建立起来的。

越南人民政府主席胡志明，是越南共产党的领袖。他所领导的越南人民政府系由越共领导的越南独立同盟，越南民主党，越南革命同盟及无党无派人士组成。这一政府控制了越南五邦中的三个最富庶的邦，就是：东京，安南的全部和交趾支那的绝大部（乡村和中小城市）。人口约占全越二千四百万人中的四分之三。越南的五十万华侨，大部就住在这地区。越南的绝大部分城市，包括首都河内，都在人民政府手里（法军暂时驻有一部分）；全部铁路线也在他们管理之下。

远在一九四〇年日本侵略越南以后，越南人民就在共产党领导下，对日寇进行了整整四年的残酷的游击战争，创造了广大的解放区和民主政权；建立了一支拥有三十万人的解放军和百余万人的民兵队伍。

日本投降后，法国的野心家戴高乐也曾经和蒋介石一样，命令日军不要向人民的军队缴械，还要日军配合英法军队攻打解放军。但越南解放区军民，经过数月奋战，消灭了一切顽抗的日军，又挡住了进入解放区的英法军队。

在这种情况下，三月六日，法政府与越南政府签订了停战协定，答应停止军事进攻：承认胡志明政府及其在上述三邦中的领导地位称为“自由邦”。另外两邦——老挝和东浦寨的地位，以后再作决定。这样，越南人民的斗争，便获得了初步胜利。

今年六月，以人民共和运动党为首的法国政府，企图推翻越南人民已得胜利，想夺回交趾支那邦，并在河内海防二地扩大占领区，迫使越南政府接受许多苛刻条件。这些企图，都被越南人民胜利的自卫作战所粉碎。被蒋介石豢养的越南国民党武装配合法军推翻胡志明政府的企图，亦被击破。在这些胜利之下，法政府于九月间与越政府签订临时协定，重新承认越南政府在交趾支那的地位。这样，越南人民便巩固了他们的胜利，并在越南大部分国土上，成为自己的主人。

（载十二月十三日《东北日报》）

印尼介绍

杨永平

印度尼西亚（简称印尼）就是以前荷属东印度群岛，包括爪哇、苏门答腊、婆罗洲及一些小岛，人口约七千万，该地主要出产的橡皮、锡、煤油都由荷兰人经营，在荷兰资本家的榨取剥削下，使印尼人陷入贫困，丧失了受教育的机会，文化落后，语言极其复杂，仅爪哇一地，就有二十五种不同的语言，二百五十种方言，印尼人民在荷兰奴役下有三百年之久，在一九四二年日本法西斯进攻印度尼西亚时，荷兰帝国主义分子毫无抵抗能力，不久就向日寇投降了，使日寇占领了全部印尼地区。英勇的印尼人民，既不愿做荷兰的奴隶，也不愿受日寇奴役，很快的就展开了游击战，在敌人刺刀铁蹄之下奋起抗战，这时荷兰女皇威廉明娜为了进一步收买和欺骗印尼人民，曾开了一张空头支票，允诺“印尼及时独立”。

一九四五年八月十七日，印尼人民从日本帝国主义手中解放出来，正式成立了印度尼西亚共和国并宣布独立，苏加诺被推为共和国第一任总统，组织了国会（共和国委员会）。这个政府是民主的，它包括了各阶级各党派，有社会党、马斯如米党、共产党参加。也团结了国内工人、农民、知识分子及一切进步力量。特别是一九二一年产生的为印尼人民而战斗的印尼共产党，当她参加民主新政府后，极力改善工农大众生活的经济政策，更受全国人民的拥护与爱戴。特别是在日寇投降后，印尼人民武装曾解救了以前日军集中营里的荷籍（包括过去投降和被俘的荷军在内）和欧亚人，据美外交公报十二月二十六日公布约近二十万人。今年印度粮荒严重，印尼共和国虽处在战争灾难中，仍以五十万吨米赠送给印度，全国公民又自愿捐送二十万吨米拯救印度饥民。这些国际友爱的精神和行动，曾得到爱好和平民主人士的一致赞扬。

按情理法规讲荷兰到了实践自己诺言的时候了，在印尼共和国成立以后，荷兰军队在英军配合下，以解除日寇武装为借口在印尼登陆了。一月间荷兰派遣二万八千军队前往印尼，英军驻印尼有七师之多，携有大炮、坦克、飞机并有毒瓦斯。英荷军队并未真正解除七万至十五万日寇武装，据报载相反的有五万日军被收编参加对印尼作战。

荷兰反动派起初幻想不费很大本钱的恢复其奴役统治，他们利用前日本帝国谍报部人员苏巴佐、荷兰特务犹苏夫、陈马六甲，筹划好秘密政府，喊出激烈漂亮的口号，并绑架了印尼共和国总理沙利尔，企图举行政变。与此同时，荷兰人又召集印尼卖国投敌分子的马利诺会议，提出建立“印度尼西亚合众国”。可是印尼人民提高了警惕性，逮捕了阴谋政变的罪犯们，共和国全国委员会（新政府的国会）授权给苏加诺处理此紧急事件。荷兰的阴谋破产了，“印度尼西亚合众国”这漂亮的名词印尼人当然不感兴趣，因为印尼总督穆克号召的“合众国”，规定五十年以上还嫌不够的过渡期，在过渡期内不谈独立问题。已经用自己的鲜血苦斗换来的独立自由印度尼西亚共和国的人民，哪肯将果实重交给荷兰反动派，他们没有那么大的耐性，也没有奴隶瘾，再去重度五十年的奴隶生活。

荷兰反动派的假面被撕破了，露出狰狞的帝国主义面貌，开始直接武装进攻，收编了五万日寇，在英军统帅部的指挥下全力向印尼共和国进攻，在爪哇展开了四个主要战场，西部在巴达维亚周围，万隆、三宝珑及东部的泗水。为抗击英荷军的武装进攻印尼共产党迅即发表了“为独立、繁荣、坚强的印度尼西亚而奋斗”的宣言，号召共产党员与全国男女同胞携起手来，为保卫印尼共和国政府，巩固反法西斯人民战线。而全国各党派各阶层亦更加团结，英勇展开自卫战争。结果在使一月间运来的两万八千荷兰军受到惨痛的打击，最后英军也无耻的公然卷入武装干涉，残酷的屠杀无辜的印尼平民。荷兰军队不断海运增加，英荷日联军达到十五万到二十万的数目，用现代化的装备向印尼人民作战十四个月。英国在印尼的军事行动花费了五百万英镑，但换来的不是印尼共和国的毁灭，而是他们自己的庞大损失。印尼共和国并在十月二日组成了第三届沙利尔内阁。

在战争当中，荷兰与印尼也曾进行过多次谈判，谈谈打打，打打谈谈，而英国政府也正像美国之在中国一样，充当所谓调停人。在八月间，据比利时一家自由主义的报纸曾透露荷兰国会对印尼问题的决议，决议中计划设立印尼事务委员会，职务是草拟印尼新立法案，特别处理下列问题：

一、荷兰参加印尼财经建设。

二、荷军在印尼有“恢复与维持法律秩序”之任务。

三、控制荷军军需及对侨民之财政援助。

四、恢复印尼之“荷兰文化及教育”之方法。

根据以上条件，印尼共和国的财政经济是完全由荷兰操纵，荷兰可以借“恢复与维持法律秩序”任意屠杀印尼人民，印尼人民连学习民族文化教育的自由都没有。这和印尼人民要求独立的要求简直是开玩笑，印尼共和国当然不能接受这些条件。

印尼七千万共和国人民英勇的十四个月自卫战的

胜利，十月十四日使英荷双方被迫接受了印尼的停战要求，三方一致同意下签订停战协议，在协议中荷方保证不继续增加军队，规定政治澄清双方军队复员计划，并希望停战协议作为和平解决目前政治冲突的第一步。经过一个月的磋商，十一月十五日荷兰与印尼两国关系又成立协议，荷兰承认印尼共和国政府在爪哇、马都拉（爪哇东北端）与苏门答腊三岛的事实掌权者。印尼共和国将包括在印尼合众国范围之内，包括前荷属东印度全部岛屿（包括婆罗洲、西里伯、摩鹿加、新几内亚等岛），印尼合众国与荷兰合组一荷兰印尼联邦，其范围尚将包括苏利南（即南美荷属圭亚那）及库拉萨俄（苏利南以北之荷属岛屿），联邦将于一九四九年元旦成立。协定附注：印尼合众国内任何一地人民如不愿参加印尼合众国，可借民主手续建立与印尼合众国和荷兰王国的关系。

荷兰与印尼共和国成立停战协议与两国关系的协定，荷方对签了字的协定只有遵守的义务，何况在停战协议中其监护人英国也签了字，但就在这协议期间，荷兰争取到时间后，仍陆续运兵往印尼。据最近美联社消息，自十一月底荷兰军队又向印尼各岛发动进攻，在印尼各地发生激烈战争，荷兰帝国主义这种违约弃义的行为，使印尼人民必更加认清荷兰帝国主义的真正面目，印尼共和国人民会更知道对帝国主义分子，是没有什么协议的和平，只有武装的抗击，增强人民的力量，才有独立和平。

（载十二月十一日《东北日报》）

印尼共和国一年

A. 克里格著　白光译

一九四五年八月十七日，印度尼西亚人民摆脱荷兰和日本帝国主义的统治，宣布他们的独立，成立了印度尼西亚共和国。共和国一诞生立即遭受到荷兰、日本与英国武装部队的进攻，面遇着帝国主义的各种阴谋诡计；然而，它终于活着，庆祝它存在的一周年。印度尼西亚共和国万岁！

三百年来饱受外国剥削，因而丧失教育机会，贫困了的印度尼西亚人民，今天是站在为民主而战斗的最前线。亚洲殖民地的目光都注视着他们；全世界一切民主人士都支持他们打断长久束缚他们的贫困与压迫的锁链。

橡皮、锡与煤油大王、壳牌汽油公司的老板们——这些从印尼的附庸地位与贫困中吸吮富裕岁入的财阀看来，印尼的民主，是一个必须用武力和欺诈来粉碎的威胁。他们提出了一个“建议”又一个“建议”，图谋欺蒙世界，利用圆滑的话语掩盖其重新安排的压迫与独裁。可是，一个又一个的“建议”都湮没无闻了，共和国依然屹立着。

荷兰的阴谋诡计

荷兰反动派想尽种种新办法要摧毁共和国并不费很大本钱重获其主权，最近打算把共和国的分裂和马利诺会议结合起来。

前日本帝国谍报部人员苏巴佐，二十年前叛徒而现在仍然假装作共产党人的陈马六甲，以及冒充共产党的荷兰特务犹苏夫及其他一些人，都打起激烈的口号，欺骗患幼稚病的人，这一群就是荷兰帝国主义挑选来毁灭共和国及其军队的特务。于是，沙利尔总统被绑架了，荷兰特务们筹划好一个秘密“政府”，企图举行政变。可是，共和国是警觉的，罪犯们逮捕起来了，共和国全国委员会——新国家的国会——授全权给苏加诺处理此紧急事件。荷兰的阴谋可怜的流产了，马利诺会议一开始就失败了。

马利诺滑稽戏

但是，滑稽戏得继续演下去，于是便召集了一些吉斯林分子，叫他们施展其绝技。穆克开了一炮，号召建立“印度尼西亚合众国”——好漂亮的名词——实际上却是分裂共和国为四个单独部分——爪哇、苏门达腊、婆罗洲及一些小岛称为大东方——在“过渡时期”不谈有关独立的任何问题，而“过渡时期”，据穆克谈，五年十年还“太短”了。这就是分而强治之的办法。这办法甚至对于那些至少名义上要共和国的人，也是过于强硬了一点。

马利诺会议现在已经解散了。其中一些可怜的残余分子最可能设法到荷兰去，在那里他们无疑会大受款待与吹嘘，但这对实际情况毫无影响。

荷兰人毁灭食粮

滑稽戏只是帝国主义的一面；另一面是武功。然而，如果滑稽戏没有成功，武力会成功吗？

爪哇现在有四个战场；西部的巴达维亚周围，万隆、三宝珑及东部的泗水。很久以前，印度尼西亚便建议休战，俾承认共和国的谈判能顺利进行。数周前，沙利尔又向荷兰与英军统帅部重提此建议，仍被置之不理，让英荷军事攻势继续下去。

这攻势的中心目前是米，爪哇今年米的丰收在它的历史上堪称空前，远超过本地所需的四百万吨。所以，共和国赠送了五十万吨给饥馑的印度。此刻，全国公民又在秘密收集二十万吨米，作另一批礼物。印度得到共和国馈赠粮食，荷兰大为愤怒，决心予以破坏，他们的军队从巴达维亚和万隆冲进乡村、在最富庶地区毁灭未收割的谷子，他们的飞机轰炸办理米粮出口的印尼港口，海军袭击印尼渔船，竭力企图隔断印尼食鱼的供应。

上述事实对于那些嘴里高喊怜悯印度或其他国家的饥荒，而在荷兰放肆毁灭粮食的时候却袖手旁观的人们，是一个深刻的嘲笑。这主要应归咎于英国，因为爪哇和苏门答腊的荷兰军队到今日还在英军统帅部指挥之下。

一切为了共和国

尽管有种种困难，共和国建立起来了。人民学习着这教训：印尼人不打印度尼西亚人；民主团结及全体人民的积极活动就是共和国力量的泉源；全国团结，时刻准备为共和国而牺牲一切，及不断努力增强力量与改善普通人民的情况就是走上独立的唯一的一系列政策。沙利尔总理领导的新政府业已成立；全国委员会将重新选举；全国中央受到人民有力的支持；新安全委员会——政府、军队及各党派的代表——增强着一切力量的团结。共产党，在沙佐诺、苏莱曼和魏楠塔领导下，清洗如像犹苏夫之流的荷兰特务，采取增强共和国与改善工农情况的政策，现在，继社会党与马斯如米党之后，成为共和国的第三党。

回教徒与基督教徒，社会党和共产党人，农民、知识分子和工人——所有印度尼西亚人都在为拯救他们的国家而效力。

（原文载八月三日《世界新闻与评论》，载十月七日、九日《解放日报》）

印荷谈判经过

王唯真

去年九月下旬，英荷军在遭到印尼爱国军坚强抵抗以后，被迫开始与印尼当局谈判和平。在此以前，荷兰根本不承认印尼共和政府为谈判的合法对象。在英当局“斡旋”下的荷印谈判，前后举行了五次。前四次未达协议，第五次也正接近失败。兹将五次谈判的经过，综合报导如下：

第一次谈判于去年九月下旬在巴达维亚（下简称巴

城）举行。由印尼总统苏加诺、荷印副总督穆克与爪哇英军司令斯蒂芬克参加。当时的形势是：英印荷军已自日军手中接收巴城之大部。城内英荷军正与印尼军激战。而泗水、三宝垅两城，印尼军正与奉英方之命镇守的日军激战。英印荷军为确保巴城及准备占领泗水、三宝垅，需一暂时的休战时间，对谈判并无诚意。此时荷兰的提案甚为强硬，系根据一九四二年（荷军自印尼败退之时）荷女皇对印尼的宣言，即战后予爪哇以若干自治权利。爪哇政府除增加若干印尼人外，乃由荷人参加与领导，为荷兰联邦下之一部分。印尼对案的主要内容为：印尼人要有完全的自决权。坚持此议最力者为当时的国防部长慕斯托波（后撞车毙命）。双方因未获协议基础，遂告破裂。

第二次谈判在沙利尔任总理后之第三日开始（去年十一月十七日）。印尼代表为沙利尔。时英军占泗水，正攻三宝垅，虽损失甚大，但气焰未消。印尼方面战事暂告失利，内阁方告改组。政府内部不够健全，一部分温和派慑于英荷的重武器，对战事表露悲观。沙利尔本人亦未有坚定的政策。英荷乃图压迫印尼接受其第一次谈判之提案，但因印尼内部斗争中抗战派获胜，谈判不数日乃告停顿。

第三次谈判于今年二月十二日开始。时英荷军虽已占领三宝垅，然战事已呈胶着，英印荷军死伤数目浩大，士兵开始厌战。英自知武力解决印尼问题困难，同时，乌克兰代表已在联合国安理会上控告英军进行屠杀印尼人民的战争。英政府在军事困难及内外谴责下，乃派卡尔大使赴爪哇，主持穆克与沙利尔之间的谈判，希望能获妥协解决。此次荷代表在原则上答应了印尼的自决要求，使谈判获得共同基础。但涉及具体问题时，则原形毕露。荷提案共十五点，主要为：印尼在荷联邦内可实行自治，但需一过渡期（其期长短提案未决定，惟据穆克在记者会上表示，需时二十五至三十年）。提案虽承认沙利尔政府，但对印尼将来政府之外交国防权力，要求由荷掌管。印尼民族主义者对荷提案引起极大愤怒，斥其“殖民地精神犹在”。沙利尔在卡尔寓所与穆克交谈二次后，即被印尼总统召回。

此时，印尼内部发生了决定性的发展：沙利尔内阁改组，容纳更广泛代表参加，组成了包括共产党员三名的联合内阁。新阁制定了明确方针:(一)与荷兰之谈判，须以承认印尼共和国为基础。(二)在政治及经济上作防御共和国之准备。(三)在民主基础上完成省及地方行政机构之改组。(四)发展最大可能之生产，粮食及衣服作公平分配。在此政策下，共和国力量在短期内获惊人发展。共和国威信大增。荷兰延缓印尼独立的企图所得之答复为:“百分之百”的与“刻不容缓”的独立。并且，除非立即承认共和政府，印尼拒绝继续谈判。此后，沙利尔坚持此议不变，卡尔斡旋月余无效，乃闭门称病。

第四次谈判于四月中旬在荷京海牙举行。印尼代表以苏万迪博士为首。穆克自伦敦请示的新计划为：承认沙利尔政府及爪哇可速获内政自治，但外交国防仍由荷人指导。同时，印尼政权范围只许限于爪哇一岛。印尼对此加以拒绝，称其为“旧阴谋之新花样”。并坚持如下两点：(一)印尼完全独立自主。(二)共和国范围尚包括苏门答腊、西里伯斯等岛。谈判破裂，苏万迪等于四月底返爪哇。

与海牙谈判同时，荷军源源东开。其目的有二:(一)

以武力压迫印尼政府对荷屈服；（二）如此一目的不遂，即占领爪哇以外之印尼各岛，免落入共和政府之手。五月上旬，东南亚盟军高级将领会议在新加坡召开，即布置此种军事行动。但是，这一企图遇到东印人民的坚决反对，印尼全国更加团结起来，各岛民众声言拥护共和政府。五月十五日，“民族联盟”在爪哇成立，在共同纲领下团结了一切政党。妇女动员起来，青年、学生团体自动请缨杀敌。印尼政府及各舆论机关，对荷表示了坚决不屈的态度。在实行的军事行动中，荷军因兵力分散、训练不足，在各地均无重要进展。英国也由于在印尼数月所耗较整个缅甸战争尤大，苦于经济力不足，加以英国军民之谴责，暂时不敢贸然再大动干戈相助。故荷兰颇形窘迫。

穆克于五月中返抵爪哇，欲恢复据他所称的最后一次谈判。穆克此次之提案内容未悉，但从印尼的对案及荷方对该对案的反映观察，大致与海牙谈判的提案无甚差别。印尼对案为：（一）承认爪哇、苏门答腊共和国当局。（一讯包括西里伯斯岛在内）（二）停止敌对战事，一切部队留于原阵地不得前进，且不得增援。（三）印尼其他各岛可自由决定加入印尼共和国与否。荷当局对印尼对案仍顽固地表示“不能接受”。且欲造成一种印象，即苏门答腊岛目前并非共和政府所控制。关于此点，印尼方面已有评论（见二十七日本报）。

荷印几次谈判失败，表示殖民主义者对其政策的顽固不变，不顾联合国宪章，而欲苟延其垂死的命运。另方面也表示了殖民地人民伟大的力量，这力量是由于正确的民族主义政策及内部的团结一致而来的。

（载七月九日《解放日报》）

印尼共产党宣言

一九四二年日本法西斯侵略印度尼西亚，使印度尼西亚已经颓丧的政治形势更为严重，荷兰帝国主义分子，惊惶失措地很快投降了，让整个印度尼西亚落在日本法西斯手中，任其摆布。

印度尼西亚的反法西斯运动，由于荷兰实施的极端的反动政策，而不能蓬勃开展；当日本法西斯分子代替荷兰统治印度尼西亚时，他们发现对反法西斯运动的镇压并不很费劲，在日本的迫害、酷刑、暗杀下，我们共产党人曾不得不付出极大的代价，可是，我们还是继续着地下活动。

日本法西斯投降，印度尼西亚共和国诞生，各政党又重新活动而且走向公开（包括印度尼西亚共产党在内），因此，我们现在就来陈述我们迫切要做的工作。

民主主义与法西斯主义斗争的第二次世界大战，已经展开了新的历史的一页，在这里记载着殖民地半殖民地的独立革命斗争：这就是说，进步的民主势力与反动的法西斯势力间的战争，已经进入一个新的局面了。印度尼西亚解放运动，是进步的尼西亚人民的势力与反动的英荷法西斯帝国主义联合力量之间的一个战争。印度尼西亚共和政府是个民主政府，它包括印度尼西亚各个阶级与党派，也团结了人民的一切进步势力。

从一九二一年我们党产生以来，我们一直不间断地为印度尼西亚无产阶级——印度尼西亚人民的基干部队的利益而战斗，我们共产党人，在这个战斗中，曾遭受了无以形容的困难、牺牲与迫害。可是，尽管在这样情况下，尽管荷兰帝国主义分子在一九二六与一九二七年间发动过最大的镇压浪潮，他们并没有消灭我们，也没有把我们击溃，在以后的几年中，我们党被迫而进行地下活动，一直继续到最近。我们党是无产阶级的政党，是信奉马列主义的。我们党的每一个党员都不是为个人而是为党工作着。

敌人常常诽谤共产党人为恐怖分子，说他们的活动，就只是为了私人利益。我们共产党人是唯物辩证法的信仰者，我们是坚决的，同时也是自觉的投身在全世界争取自由幸福的斗争中，准备为实现我们的信仰牺牲一切。我们用马克思、列宁、斯大林的学说作指导，来分析我们所处的形势，计划我们的工作，加强我们的决心，决不逃避我们肩负的责任。

我们党最终目标是实现社会主义。

然而在目前，我们的迫切工作是卫护印度尼西亚共和政府。我们的政府应该是一个坚强、民主的政府，应该巩固反法西斯人民战线。

全印度尼西亚的男女同胞们，在下列口号下与共产党携起手来：“为独立、繁荣、坚强的印度尼西亚而奋斗！”“自由与民主的印度尼西亚万岁！”

印度尼西亚共产党中央委员会一九四六年五月十日

（佩译自七月十三日《世界新闻与评论》，载十月二十二日《解放日报》）

印度和巴基斯坦

杜　德

本文作者杜德，是英国《劳工月刊》的编者，英共领袖之一，一个政论的权威，著有《世界政治》、《今日的印度》等书，本文对印度政局的内部问题（主要是国回关系与国共关系）有详尽而深刻的分析。

从选举说起

由于内阁访印团的发表声明，许多关系重大的问题已经提到世界注意力的面前来了。这些问题对于印度是有着决定性的意义的。

为印度自由进行的斗争还在前面，目前的选举还只不过是一个开端。联合政府时代计划，虽然已被所有印度各政治组织反对，依然被工党政府所继承了下来。依照这个计划，在印度四月间的选举完成后，即将由印督连同内阁访印团和印度各政党举行谈判。谈判内容将包括他们在新行政会议中的代表问题以及建立早已提出来的草拟印度新宪法的“制宪机构”问题。

英政府采取这些步骤的结果，并不能够使问题得到真正的解决。选举的结果和目前的英国做法一样，是不能够做到代表民意的。绝大多数的印度人民并没有获得选举权利。在印度各土邦统治下的人民，占全印人口四分之一，在这些地区，选举制度并没有办法实行。加之，为数有限的选民团体，又因为宗教的和经济的种种关系，被分成复杂的集团。参加中央立法会议，选举的选民团，其人数还不足全印人口百分之一。参加临时议会选举的选民团仅占全印人口的百分之十。

两大政治集团

虽然限制有这么多，选举这一事对于印度现在的政治发展仍然有一些用处的（合理的选举自然仍待于将来）。从印度政治的发展的种种情形看来，各种小政治集团的力量正在显著的缩小，选民团已逐渐集中在两个主要的争取独立的政治组织的周围。这两个政治组织即国民大会党和回教同盟。国民大会党是目前印度民族运动中的一个主要的组织，从整个印度来讲它拥有最多的席次。回教同盟则在特殊的回教席次中拥有决定性的多数。

在中央的立法会议的选举中，国民大会党取得了五十六席（从前是三十六席），占总席数的百分之九十一，占总票数的百分之五十九点六。回教同盟取得三十席（从前二十五席），占回教投票数的百分之八十六，占总票数的百分之二十七点六。

临时选举的统计在本文草写时，还没有获得完全的结束。初步的结果已显出一些更为多样的情形，在有些地方，国民大会的回教候选人赢得了回教的席次，击败了回教同盟，比如在回人占多数的信德省，国民大会党和它的支持者们就很容易掌握到多数的地位。但是总的趋势表明了国民大会党是一个占领导地位的有决定性的党，而回教同盟则支配着回教的席数。

这一些结果，它的价值除掉可以表明印度人民的情感以外，还有着额外的重要性，因为属于英国政府的“制宪机构”就是希望以由选举中所产生之代表为基础的。

国民大会党和回教同盟都宣告他们的目标是求印度独立。但国民大会党主张印度要统一，在宪法下达成高度自治。回教同盟要求印度分成两个独立的国家，即巴基斯坦（以回教人占多数的各省为基础）和印度斯坦，并坚持国民大会党首先同意其实现，或者在英国准许印度独立及有任何宪法措施以前，英国政府应保证其实现。

这是一个国回两党之间始终未获得解决的矛盾。英国帝国主义利用这一矛盾，说印度政见决不一致，在这一借口下，安排它自己的宪法，说那是唯一的解决办法。

因之，目前重要的是，英国民主舆论应当先对这些问题提出警告并发动攻击，不让这些分化政策用来作为拒绝印度独立的借口。

回教同盟

回教同盟在印度回教民族当中生长为广泛的群众运动是近十年来发展的结果。在一九三七年的选举中，在全部回民七三一九四四五票当中，回教同盟只获得三二一七七二票，即占全部回民选票的百分之四点六。回教同盟最初建立在一九〇六年，它是在英国官方鼓励之下建立起来的。它建立的时候是被当作一种和印度教对立的地方组织，和国民大会不同，它所依靠的是村镇选民团。英国希望回教同盟建立起来以后，即可用以分化印度民族运动，并削弱日益壮大的国民大会的力量。

在回教同盟成立以后的三十年间，它和国民大会还是在一定程度上合作，领导回教同盟的主要的是大地主。到一九三七年选举的时候，它的弱点即开始暴露出来。

什么原因又能够使得它在最近的几年中成为一个真正的群众组织呢?

第一，过去十年来的政治骚乱吸收了许多新的群众……包括落后的阶层——进入政治组织中去。国民大会党和回教同盟都有了很大的发展。广大的新近觉悟起来的回民群众参加了回教同盟，他们把回教同盟看成是他们的组织。他们并没有被国民大会党宣传、特别是其领导者国民大会党右派的宣传说服，尽管国民大会党有动听的纲领，并有有名的四人爱国志士。

第二，国民大会党的领导在如何和回教同盟相处这一问题上，犯了各种策略上的错误。战争爆发以前和战争期间，国内外的局势是相当复杂的。国民大会党这时对于群众的政治领导游移不定，内部冲突，以及忽视了在战时经济困难与饥荒的社会群众领导，这就减弱了怎样团结这一时期团结民族运动的呼吁。（上述领导错误中，具体的事实有：选举博斯作主席后又将他赶走；在帝国主义战争阶段中默不作声；采取既不帮助也不反对作战努力，实行甘地主义，在日本进攻之初的不祥的八月决定，随着领导人物被逮捕；最初拒绝发动全国性运动，以后又号召全国性运动。）

第三，由于回教同盟内部少壮派力量的增长。他们提出民主纲领，抵抗上层的旧的反动领导。在某些地区如旁遮普和孟加拉省等地，他们指导人民大众的社会和经济问题，在贫苦回民当中获得了群众的支持。

第四，民族运动的进一步的开展，跟着也就带来了反映印度民族各种组成部分的新的民族觉醒。在印度各民族组成中，特别是在印度西北部，那里的人民都是信奉回教的，巴基斯坦这一口号反映和推进了这一新近发展的民族觉醒，随着民族运动的进展，印度人民已担负起了重要的民族任务。

巴基斯坦

那么，巴基斯坦纲领是怎样的呢？我们对巴基斯坦又该有怎样的看法呢？

回教同盟第一次采用“巴基斯坦”这一要求是在一九四〇年。在这以前，有个特别人物曾经在四十年代提出来过（诗人尼伯尔在一九三〇年提出过这种主张，一些留学剑桥的学生在一九三三年提出过这种主张，他们并把这种主张作成建议，于一九三三年时提交宪法改革联合委员会，用交回教同盟各政治领袖，当时却被拒绝了，说这是“一个学生的梦”、是“幻想的”、“不能实现的”）。至一九三七年，回教同盟代表大会才宣布了下列目标，即“使完全独立之印度建立成为各自由民主国联盟”。但正式采用巴基斯坦还是在一九四〇年，那年举行的代表大会有这样的决议：

> 本次全印回教同盟大会决议采取下一重要观点，即任何宪法计划，如果不以下列基本原则为基础，都不能在印度生效，回教人民都无法接受。此等基本原则为：在地理彼此毗连之各单位应划成数区，并在领土上作必要调整。在此区域中，人口如以回民人数居多者，如印度西北部及东疆即系如此，应许其集合组成独立国家。而此等国家内的选举单位应有权自主。

不过，这个纲领无论就其所提出来的领土问题上讲或从宪法要求上讲，还不是很明确的（如“独立国家”、“主权”、“选举单位”等含义都不清楚）。但金纳先生近期在这一些声明当中已有了更为明确的定义。如他在一九四五年十二月十日接见路透社记者的一次谈话当中，他就明确的提出了回教同盟的要求如下：

印度的僵局并不仅在于印英两国之间，还存在于国民大会党和回教同盟之间……在巴基斯坦获得承认以前，一切问题都不可能也无法获得解决。……制宪组织不能是一个，必须是两个——一个起草并决定印度斯坦的宪法，另一个起草并决定巴基斯坦的宪法。……

我们可以在十分钟内解决印度问题。如果甘地先生这么说“我同意巴基斯坦，我同意面积占全印度四分之一的信德、巴鲁基斯坦、旁遮普、西北边疆省、孟加拉和阿萨密等六省，依其现有疆界组成巴基斯坦国”。

如果这样一个巴基斯坦国家完全建立在自愿的基础上，很有可能的，要实行人口交换办法。无疑问的，边界的划分也会要有所调整。此外，一定还有许多其他必须解决的问题也会要跟着来。但首先必须解决的是与巴基斯坦相邻各省的省界。我们的巴基斯坦政府大概将是一种由各省实行自给的联邦政府。……

我个人并不怀疑英国政府的诚意，但有一部分人专门在拒绝巴基斯坦以外去寻求解决的希望。对于这一部分人，我是怀疑的。

这个声明是对于目前回教同盟主张最具有权威的声明。从这里我们可以得出下列三点认识：

（一）回教同盟把主要的敌人看成是国民大会党而不是英帝国主义；

（二）回教同盟的要求巴基斯坦独立国应包括曰英国所划分信德、巴鲁基斯坦、旁遮普、西北边疆省、孟加拉和阿萨密等六省，并依其现有疆界；

（三）把这六个省从全印度其余划成为一个独立国的工作，应由现有统治权处理，即是说由英帝国主义处理。

不必先依各该省人民意愿协商。

我们应当注意的是在这计划“依其现有疆界”组成巴基斯坦的六个省中，其人口达一万万零七百万人．就中回民人口占五千九百万人或者说百分之五十五，非回民人口四千八百万人亦即百分之四十五。因之在这“回教国”中的非回民人口差不多占了一半，而全印中另外的三千五百万回民，即约占全印五分之二的回民，则将继续留在“回教国”的门墙以外。这说明印回两教人如此密切混杂的问题，任何在以武断的领土基础上来解决这一问题的企图都有着显明的限制。旁遮普本部回民并不占多数，锡克人业已强烈地表示反对被并入回教国家；包括加尔各答的孟加拉西部也是回民并不占多数的地方，阿萨密回民并非多数，信德省回民虽然占多数，但他们大部分都支持国民大会党在选举中反对回盟。西北边疆省，回民虽占绝对优势，但它却是国民大会党的坚强据点。

是不是有任何证据说明在这些土地上的人民希望建立一个独立国的愿望强于建立全印联邦呢？没有，在不曾举行全印投票或类似方法使这些区域人民能申述其愿望之前也不可能有。在一九四四年夏季甘地和金纳的会谈中，甘地的建议并不是没有理由的。但是，在这些区域内举行全民投票或类似的表明当地人民愿望的方式，金纳又表示反对。他要求成立巴基斯坦独立国的工作由英国政府进行而不必和当地人民协商。他更进一步要求，任何全民投票都必须只限制于占当地人口百分之五十五的回民中举行。这是说百分之二十八的人口（百分之五十五的百分之五十一）即可决定关系于全部居民的问题。

很明显的，没有一个民主人士会支持这些主张的。究竟巴基斯坦不是必要依靠有关系人民的意志来决定。回教同盟把巴基斯坦提出来作为他们代表主张，并不顾人民愿望，抗拒任何民主的决定，这事实上成了一个反动的策略，适足被帝国主义者用以迟延印度的独立并使得印度问题不能作民主的解决。

不过，这并不能够使我们看不清隐藏在巴基斯坦背后的全国人民的真正要求。

印度共产党

印度共产党于一九四二年首先观察出隐藏在巴基斯坦要求中的全国人民的真正需要，它并提出了在全部回民当中来支持这一需要的办法。一九四二年秋季的亚第克利报告书提供了认识印度新兴问题的有价值的学理。

在这报告书以前，印度共产党和其他进步意见相似，主要地都承认巴基斯坦纲领的反动性质。因之，印度共产党总书记 P.C. 约希曾于一九四二年二月写过一本小册子，题名叫做《印度共产党》，他在这本小册子中说：

> 金纳先生梦想的巴基斯坦（独立的回教国）除掉引导到僵局以外，是不会有什么结果的。

亚第克利的报告书第一次指出了印度人民双倍的民族任务。其发展趋势必然是使得民族运动，特别是在农民当中，获得更多的群众。他曾经说：

> 印度人民的每一部分，由于土地的毗连，他们有共同的历史传统，共同的语言、文化、心理的结构和经济生活。他们应当在自由的印度联邦中，被承认为印度的国民。他们也有权自治，如果他们愿意，他们也有权脱离。……

所以，明日的自由印度应当是由各个民族之自治单位组成联邦。这些民族有巴山、西旁遮普人（主要系回族）、锡克人、信德人、印度人、拉伽新尼人、古吉拉提人、孟加拉人、阿萨密人、比哈利人、奥理亚人、安德斯人。……

同时，这个报告书和决定也使得下一问题更为清楚，即自决权并不意味着分裂，而是以“比我们过去所已见到的印度更高级的团结”作为基础。这个报告书又进一步强调指出了和反动的巴基斯坦纲领的不同之点。它强调需要“最坚决的反对那些利用现存的不平等情况，在巴基斯坦旗帜之下，来号召群众在旧宗教成见之下来加深大伊斯兰教的感情，不让群众离开共同的自由运动……对于回教群众我们必须注意解释，使他们认清巴基斯坦的本质。”

这里应当说明的是此一报告书之以后翻版，已将这个论断修正过了。最近以来，印度共产党已没有那么尖锐地去把他们的纲领和巴基斯坦纲领对照，他们更注意强调的是：

> 巴基斯坦要求的民主精神也是回教群众所真正要求的民主精神是各回教民族的自决权。（亚第克利报告一九四四年版）

同样地，P.C. 约希在他的小册子（一九四四年十月出版，是时已在甘地金纳会议破裂以后）中说：

> 在我们当中，还生息得有如信德人、印度人、锡克人、拉加新尼人、古吉拉提人、孟加拉人……等民族，他们有成为个别民族的必要条件……联盟的旗帜之下，巴基斯坦运动是这些民族的全民运动。

这是为了策略上的理由是很容易理解的。因为他们在回教群众当中和巴基斯坦的支持者靠近，以便争取他们支持团结的全印民族战线。但是这是有危险性的，因为，巴基斯坦事实上是回教同盟的正式纲领，它基本上是反对共产党所主张的全印度民族自治纲领的，不加解释极易使人误解共产党亦为巴基斯坦的支持者。而且，这种危险性很可能由于最近一些发展而增加，比如在国民大会党中获有领导地位的左翼分子对巴基斯坦表示拥护，并辞去他们的职位去参加回教同盟（这很容易使人误解成为国民大会党是印度人据为己有的组织，回教同盟则是回人据为己有的组织）。又如当共产党在国民大会党中被右翼攻击，而决定以团体会员的资格退出时，即积极参加回教同盟等（这又很容易使人误解成为国民大会党在民族运动中则是一个比较进步的团体）。在印度有很大的一部分群众，他们把国民大会党看成是争取全印独立的一个传统的主要组织，上述危险性还可能引导到和这一部分群众脱离。

因此，目前很重要的是应该清楚的承认印度共产党对于促成印度团结完成印度人民双倍民族任务已有的主张，并把这和回教同盟的反动的巴基斯坦纲领区别开来。

第一，巴基斯坦纲领中并没有提到共产党纲领中所承认的各个民族都应有自决权。巴基斯坦纲领是一个回教国的纲领。共产党不同根据印度有十七个的民族要求要有十七个制宪会议，巴基斯坦纲领只要求有两个制宪会议，一个在印度人占多数的区域，另一个在回民占多数的区域。

第二，巴基斯坦运动并不是承认各民族权利的全民运动联盟。它是一个要求独立回教国的回教同盟，决定的因素是宗教不是民族。

第三，说西班牙、意大利、法国和奥地利是“天主教民族”是很不正确的，究竟在印度说“回教各民族”是不是正确呢？是值得怀疑的。宗教的手段和民族的手段是并不一致的（例如在孟加拉，所有印回两族人民就同样的反对划分），而其一致者则为掉入大伊斯兰教手掌的危险而已。

第四，回教同盟并不是一个代表占据印度某一地区一定民族的民族运动。它只是一个社团组织，正如印度大乘教会把全印人组成一个社团一样，它只是一个组织回教人的回教组织。这种社团的组织是政治落后的标志，它带来了分化的显明的危险性。但是，这应说并不就等于抹杀了应当争取追随在回教同盟后面的广大阶层进入全印统一民族战线的重要性。共产党在努力不懈争取国回团结的方面已经有了成绩，由于它靠近回教同盟，它了解了回民群众的需要，它没有抹杀巴基斯坦背面真正的民族要求，并提出了国回团结的基础。

国回平等

为了使得印度人民能够结成一条民族统一战线，并击败帝国主义分化各组织的种种企图，国回团结在现阶段是更有其重要性的。不幸得很，由于帝国主义的阴谋诡计，使得目前的分化仍然屹然不动，帝国主义的种种企图至此已算成功了。

去年夏季，国回两党的国会领袖们达成协议，同意以“印督行政会议”作骨干，并以国回平等作基础成立临时国民政府。这一协议曾迫使魏菲尔爵士赴伦敦听取指示。印度事务部很巧妙地改变了这一方案，可是他所接受的和原方案却有一点不同，原来的是“国回平等”，他所接受的则是“印回平等”。因此，这一问题又被拉回来以社会的分化作基础。于是，国民大会党一方面既不能不撤回参加这一政府的回籍主席，接受其仅限于“印度人”组织的地位（完全和非社会的原则相反），另一方面它又不能不争回教席位，而这就将要毁坏国回两党同意的两党平等的基础。这个阴谋是成功了！国回两组织的领袖们，从此以后所争的不是如何团结在一条战线上，拒绝阿梅立方案并坚持他们的协议条款，而是努力于解释阿梅利方案如何才合于自己的利益；他们双方面都跌下了陷阱。于是，西姆拉会议破裂，于是，印度的选举在国回两党冲突加深的情况之下进行。

尽管目前的形势有种种困难，很明显地，在民族运动总目标下的每一种努力都应当在建立统一民族战线这一总方针之下来进行。这民族战线所应包括的不仅是应包括作为争取印度独立的两大政治组织国民大会和回教同盟，而且应包括工人阶级，农民组织，共产党，职工大会和基山（即农民之意）协会在内。

国共关系

目前在印度又产生了另一新的困难，这即是国民大会党和共产党之间的分裂。这一事实充分反映了现阶段印度阶级矛盾的尖锐化。这一矛盾是随着争取民族独立斗争的进展而产生出来的。

共产党是印度工人阶级及有组织的农民运动的不

可忽视的领袖。它今天有三万党员（一九四二年只五千人），它是印度第三大党，它是在各政党组织内团结印回两教群众唯一有成绩的政党。它在职工大会及其各主要工会的领导组织中获有多数的席位。职工大会在共产党的指导下面，已由一九四三年初的十九万六千人发展到今天的六十万人；农民协会会员则已由一九四二年的二十二万六千人发展成为一九四四年的八十三万人。

另一方面，印度大资本家的地位也加强了。他们从战争当中累积起了巨大的利润，他们这些利润不是从增加生产来的（如果一九三八——三九的工业生产指数作为一〇〇，那么一九四二——四三年已跌到九七点九），而是从战时的金融活动和生产合同，物资短缺和抬高物价，通货膨胀和黑市等方面来的。他们看准了在战后阶段中削弱英帝国主义的机会，在战后英美两国的资本极可能互相敌对不下，他们准备借此打破英国垄断统治，争取自己的领导地位。并在民族运动之下，进入有利可图的大规模的工业发展的过程。

国民大会党，虽然在现在这个时期已有了宽广的群众会员，但是从它的历史发展来看，它目前已经成了印度上升的资本家阶级的机关。在它的上层领导组织中，印度资本家们已经建立起了最强有力的最大势力。而这种势力由于在战争当中的新发展加强了，并已反映在领导上的右翼支配地位的增进，反映在右翼对共产党的发动攻势。

从前国民大会党的右翼分子们尚能容忍在党内的少数共产党所起的作用，而且在民族运动中的左翼群众的代表们尚可以作为压迫政府的平衡力，现在，在这些新情况下面，国民大会党估计到他们自己已有了组织政府的前途，他们看见共产党逐渐地发展成为一个群众的党，工人阶级和农民组织在共产党的影响下面，都有了新发展，他们直把共产党看成是他们的眼中刺了。他们企图组织独立的国大党职工会和国大党农民组织，并通过这些组织，散布他们的教义，要工人对雇主驯良，及要农民服从地主。下面就是明证：

> 一个有文化的工人，过一生简单纯洁的生活，汗从他们的额上流下来，他的生命比他任何工厂或富人要快乐到不知多少倍。（V. 巴

特尔语，录自一九四三年一月十二日《经济学家》）

工人们和农民们应当看作是未成年之人，应当看作是受保护者。富有的地主们和工厂老板们应当看成是他们的保护人和信托者。（国民大会党总书记A. 克里巴干尼一九四五年十二月五日对国民大会党工人组织孟和拉支部演词）

国民大会党右翼领导的发动反共攻势开始于去年夏季，他们对共产党在战时所采取的政策提出了一连串的极其放肆和有成见的指控，他们以此作为他们反共的基础。共产党为了回答这些指控曾出版过由约希执笔的小册子，题为《共产党对于国民大会党行动委员会控诉之回答》，这本书对印度的战时政治作了深刻的分析，对于国大党的那些控诉作了极能使人信服的激烈的回答。

于是，国民大会党全印委员会即于去年十月决定剥夺共产党在国大党担任重要职位的权利，同时，仍让共产党可以取得会员资格。

共产党对着这一攻势，为了保持他们发表独立观点的自由，遂决定要他们党员退出国民大会党。

从未来时期中，民族团结的至高无上的重要性而言，这种分裂是应当希望在最早的一刻予以克服的。国民大会党在团结全印所有各阶层进步民族主义者方面是一个主要的团体，它是有着长期的传统的。占压倒多数的印度人民都把国民大会党看成是为他们自由而斗争的领导者，因之，目前最为重要的是国民大会党和其他新起政治力量间，如工人运动、农民运动以及共产党等，在共同的民族斗争中应当建立起有效的合作。

英国人民的任务

“分而治之”正是旧式帝国主义的统治方法。印度人民的内部问题，以及未来政府的形式究竟是巴基斯坦好呢，还是其他，这都是印度人民自己会去解决的问题。英国人民用不着去越俎代庖，正如同苏格兰人需要苏格兰自治政府一样，解决印度问题只有印度人民最适宜，任何其他的，都是多余的。我们的任务是在让印度能够由民主方式生出来的制宪会议的基础上，有机会完全自由的决定他们自己的前途。

官方的辩护人常常说艾德礼先生和魏菲尔爵士现在的提案（实际上亦即丘吉尔——阿梅利——克利浦斯一九四二年的提案），“如果印度人能互相取得同意的话”。正等于一个允许印度可以完全抉择独立与自由的提案。这是不正确的，目前的计划并没有给印度人民以机会，让他们可以民主的选举他们自己的代表来决定他们自己的前途。目前的计划只是那不足信任的圆桌会议方式再版，把各部分的代表在足以证明他们互相对立的数目下，召集拢来，用此以“证明”确实需要英国统治者来作为他们的公断人并代他们决定问题。帝国主义者意见当中的势力部分如考普兰教授者，在他的官方报告书《印度之将来》中，即在准备分化印度以便有利于英国计划，主张将印度分成印度教“区”、回教“区”和一个另立门户的土邦自治领，在这三者以上设立一个统一的机构。这个计划足以代表英帝国主义最后的计划，她希望由此保持英国在印度的最高权威。

我们必须提醒英国的民主舆论，它必须警觉英国的官方政策，这一政策仍然是否认印度可以自治的民族权利，并虚伪地责备印度的分化。当我们以同情眼光注意印度人民在争取自由的苦痛进展中的种种新发展和新问题时，我们不要把我们自己当作居于这些问题之上的法官，我们的任务是改变我们政府的政策，争取英国在印度的帝国主义统治的结束并承认印度的独立。我们必须看见政府采取承认印度独立的有效而具体的步骤。这些具体步骤应包括：

（一）充分实现人民自由并释放政治犯；

（二）选出至高无上的制宪会议：

1. 建立普选制；2. 在英属印度及土邦治下各地同等实行民主选举；3. 在决定印度未来政府和宪法以及规划英印关系等方面具有最高权力。

在召集制宪会议时，我们不要对一个或一个以上的制宪会议问题予作决定，这一问题让国回两党共同去考虑，在他们互相同意的基础上才能够是自动的接受。如果国回两党还未取得同意以前，英国统治者即作出影响印度人民后果的决定或对疆界问题亦竟予处理，那是不民主的。因之，在目前的情况下面，我们对于印度问题上主要的要求必须是完全承认印度独立，民主选举具有最高权威的制宪会议，使印度人民能够决定他们自己的前途。[1]

（载九月九、十、十一、十二日《解放日报》）

菲律宾的“独立”

唯真

今天，菲律宾被宣布给予“独立”了。在近代世界的日益繁杂的词汇里“独立”可以说有许多解释。一七八九年美国宣布脱离英国，是一种独立。今年三月，当外约旦王公把本国国土献给外国当军事基地时，也宣布“独立”。还有，萨拉瓦克国王以一百万金镑的代价，把

[1] 必须记住印度大资本家是极端狭隘的集中的，有着金融寡头的性质："统治方式已在实行，不仅是少数托拉斯实行，亦有不少人实行。……五百个主要工厂由两千名董事管理，其中一千名则握在七十个人的手里面，站在金字塔端的只有十个人，他们手中握有三百个董事位置，这种工业寡头统制由父亲再传给儿子。"（见 Wadia 及 Merchant 西氏合著:《我们的经济问题》一九四三年孟买版。

萨拉瓦克卖给英国以前，它也曾经号称“独立”。这次菲律宾的“独立”，究竟是什么呢？

四十七年前的事

本来，菲律宾的独立问题，来历已久。早在一八九八年以前，菲律宾人民在向当时统治他们的西班牙人进行独立革命时，其革命先烈黎萨氏，曾以为富于民主传统的美利坚是可以帮助菲岛独立的。他曾奔走呼号，吁请美国援菲。一八九八年，美国果然对西班牙宣战，菲律宾的人民以为美国真的帮助他们独立了。但是，同年十二月，美国签订巴黎和约时，急于追求殖民地的美国帝国主义者，却把菲律宾的独立要求忘得干干净净，而用两千万美金把菲律宾买为自己的殖民地，并且此后十一个月内，残暴地把菲律宾向美国宣布的独立战争，镇压下去。

一八九九年，美国第五十六届国会辩论占领菲律宾问题时，共和党议员薛伯利说：“东方是销纳美国每一磅剩余面粉、玉米和棉花的市场……现在已不难预料，马尼拉即可成为美国在东方的商业首府。今后我们应在中国进行最大量的贸易。中国是我们天然的顾客，太平洋是我们的海洋，菲律宾是我们东方的据点，可成为东方贸易的枢纽……”寥寥数语，把美国对菲政策全盘托出，而且四十七年后的今日，依然代表着美国的政策。

太平洋战争中

太平洋战争爆发后，美军很快的就从菲岛撤退了。菲岛人民遂沦入日寇的铁蹄下。菲律宾人民不甘奴役，他们挺身起来反抗。他们组织了人民抗日军，为菲律宾独立解放事业战斗了三年。这支武装是一九四二年三月，由一些工人领袖、共产党人、社会主义者及农民领袖组织起来的，在中部吕宋的农业区发动游击战争。它拥有三万正规军及五万名后备队。在三年战争期间，它与敌伪作战一千二百次，毙伤敌人估计有二万五千名之多。此外，它没收了与日本合作的地主的土地，把它分配给农民。民选的地方议会建立起来了，地方政权也形成了，在奥斯敏纳政府回到菲律宾以前，它管理着人民抗日军所解放的地区。美国部队在仁牙因湾登陆以后，所以能容易地南向马尼拉推进，也是由于它的行动主要是在人民抗日军的解放区内。美第六军的克鲁克将军论及人民抗日军的功绩时称赞道：“我所知的队伍中间，人民抗日军是一个最好的战斗部队。”

美军重临菲岛后

一九四四年十月，美军在菲律宾登陆。菲律宾人以为他们的光明时期已到临，他们以鲜花和热泪来欢迎他们。人民抗日军积极配合作战，使美军减少许多牺牲。

但是，美国反动派怎样报答菲律宾人民的鲜花、热泪和战斗呢？去年十一月《美亚杂志》说道：“美军进来后，所采取的第一个步骤，便是遣散人民抗日军，要他们缴出武装，哪怕当时对日战争尚在进行中。”人民抗日军解放区的绝大多数民选地方官员被横加撤职，人民抗日军的正副指挥官达拉克与安里安蒂诺于一九四五年七月美国《民众杂志》发表一文，坦率地说：“美国与菲律宾指挥官以人民抗日军是共产党控制的并图推翻现政府为借口，坚决地要摧毁人民抗日军的活动。某美国指挥官明白表示，这种镇压的动机是由于恐惧人民抗日军所主张的土地改革。”

菲人民期望，美军来后，在日本统治时期无耻出卖祖国，帮助日本残害他们的菲奸、法西斯分子能得到清算，但美国反动派对菲奸的态度是什么呢？上述《美亚杂志》说："当美军抵达菲岛后，罗哈斯从日本统治下被'解放'出来了，并且，在麦克阿瑟个人担保下，他卸却了与日本合作所应负的责任。随着，他被委任为麦克阿瑟部下的旅长。在这种有力的支持下，罗哈斯就任菲律宾参院议长，并成为掌握大权的参院任命委员会的主席。罗哈斯的助手朱烈达也被选为众院议长。"

附敌分子的天堂

麦克阿瑟还帮助罗哈斯，积极清洗政府中的抗日分子。罗哈斯在政府中仅有的敌人，便是两个抗日领袖：内政部长康费斯与国防部长加比里，康费斯反对合作分子在任何政权机构内任职，同时提出改革土地的广大计划，包括由政府购买大地主的土地，转售给农民。作为菲律宾军队的一个指挥官，加比里也发布一道清洗军队中曾替日本服务的分子的命令，这命令势将使罗哈斯及其高级指挥官都被驱逐出去……罗哈斯便以其任命委员会主席之权力，迫使康、加二人去职。奥斯敏纳总统屈服了，显然，这是由于麦克阿瑟劝告的结果。这样一来，菲政府便成了清一色的菲奸和法西斯分子的政府。而菲国会的九十五个议员中，落水分子便占了七十个。投降日寇的猪仔议员在被重新认为合法后，第一件工作便是补领过去三年议员的津贴，一时全菲哗然。

《美亚杂志》说:“由菲律宾解放以来，在那里所发生的每一件事，都显示着美国的权势，是被用来加强旧的统治集团，以便致力于镇压人民的力量。”这句话确切的道出了菲律宾的实际情况。无怪乎菲进步议员比利美夏斯沉痛地说:“解放以后的菲律宾，是附敌分子的天堂。”

罗哈斯的罪行

今年四月菲奸罗哈斯由参院议长一跃而为总统，这是旷古未闻的怪事，颇出一般人意料之外。因为罗哈斯这人投敌证据确凿。根据美国报章杂志列举的罪状，主要有下列数点:（一）战争初期即投降日军，并帮助日本进攻菲律宾;（二）写信劝游击队投降，前奥斯敏纳政府国防部长加比里接到过他的信；（三）任伪“独立预备会议委员”，起草傀儡政府宪法；（四）一九四四年任罗列尔傀儡政府的经济计划局主席，不久又任不管部长；（五）搜刮粮食，供给日寇，并破坏游击队对粮食的封锁。这次当选为副总统的季里诺，也是个头等菲奸分子。在巴坦半岛血战方酣时，他曾自缮降书，以后又出任伪国务委员。罗哈斯的罪迹至为明显，但他还是当选总统了。

罗哈斯当选总统后，美驻菲高级专员麦克纳特立赴其私邸拜访，嘉贺备至。旋邀他赴美参见美总统杜鲁门。五月上旬路经东京时，麦克阿瑟待为上宾，并复替他洗刷菲奸罪名，以个人人格担保罗哈斯为“爱国者”。五月十日，杜鲁门于接见罗哈斯后立即发表声明说：“罗哈斯将军一如奥斯敏纳总统，将获美政府在美菲关系上的全力合作。”

美国统治人士何以待菲奸如此亲切？早在今年一月间马尼拉举行的复员群众大会上，菲民主领袖之一哥洛宾即告诉一千听众说：美国“强力”把罗哈斯扶植上台，硬压在菲律宾人民头上，其目的是由于麦克纳特图拖延时间，不给菲律宾人民真正的独立。如罗哈斯成功，他是会报答美国所赠恩惠的。

“独立”的枷锁

美国所要罗哈斯报答的是什么呢？这就是接收所谓卑尔法案和泰丁菲岛独立修正法案。这些法案的主要内容为：在经济上，菲律宾应给美国以若干贸易上的独占权（按：类似英国的帝国优先权），菲律宾运美的主要货物：糖、椰干、椰油、苎麻、烟类等，超过一定限额，则须抽税。美国商人可以在菲购地置产，经营一切工商业，享受与菲人同等的权利，菲律宾商人在美国则不能享有同等的权利。在军事上，应允许美国在菲保有军事基地。

菲律宾人民当然反对这种法案。马尼拉各报纸把这些法案，称为“菲律宾独立的笑话”。

据美记者史诺报导：美当局对菲律宾人的反对采取压迫手段。他说：“美国会曾竭力减少答应给菲律宾的协助……使战后的菲律宾经济无法活动与改善。”

五月下旬，罗哈斯自美返菲时，与美国签订了四万万美元贷款协定，同时，麦克纳特称：“菲岛在七月四日独立以后，将继续为美国国防安全体系中的一个完整的部分”。这说明被美国反动派扶植的奸人罗哈斯，已满足了其对于菲律宾的要求。

太平洋上的外约旦

综合上面所说，美国反对派在菲律宾被赋予所谓“独立”以前，已在政治上为自己造成了在菲律宾的可靠代理人，在经济上使菲律宾固封于殖民地的地位；在军事上使菲律宾变成美国在远东的“外约旦”。这就是今天菲律宾被给予“独立”的全部内容。这和菲律宾广大人民多年奋斗流血流汗所要求的独立，毫无相似之点。

当去年，《西行漫记》的作者史诺到达菲律宾时，一个菲人对他说：“美国在四十五年前征服我们，现在它正在‘解放’我们。从经济观点来说：我们现在和当时的情况并无两样。”还有一位气愤的说：“美国人在一九〇〇年阻止了一次民族革命，现在你们的军队回来，又恰巧阻止了另一次革命，我们这一次革命，为的是清除我们自己那些法西斯分子。”菲岛人民的独立斗争并未停止，他们的独立斗争是和反奸反法西斯分子联系在一起的！

今天菲律宾的“独立”，应该成为中国人民的严重警惕，因为那些美国的帝国主义分子，正准备把中国改造为菲律宾，并且公开叫中国人向菲律宾的地位看齐。

中国人民应当警惕，因为中国的寡头统治者，正在响应美国反动派的号召，准备把中国变为殖民地。而且，在国民党政府统治下的一部分中国领土，已经开始走向菲律宾的道路。那里的民族工业正在倒闭，汉奸和法西斯分子仍然自由横行。那部分地区已允许美军驻扎多时，且正准备让他们继续驻扎下去。

中国人民是坚决反对走菲律宾的道路的。中国人民和菲律宾人民，坚决反对美国帝国主义分子的殖民地政策，坚决反对那些卖国求荣的中菲吉斯林分子。

（载七月四日《解放日报》）

独立斗争中的埃及

埃及英勇的民族独立斗争有很长的历史，主要是反对一八四〇年以来英国在埃及的统治。一八八二年人民起义，结果英军侵占了埃及。其后，英国的统治力量日增，到一九一八年埃及遂沦为英国的保护国。以后，在华夫脱党（资产阶级的国民党）领导下发动了坚强的民族运动，影响普遍到各阶层人民。斗争结果，英国乃于一九二二年名义上承认埃及独立。但仍保留四点以保障英国的利益：英国依然控制埃及国防；控制军事交通线及苏彝士运河；控制国外的利益与苏丹的大部分。此外英国的顾问和官员仍留任政府与警察机关中，至于英国对埃及全国经济财政的控制则未损丝毫。

一九三六年的国际局势，迫使英国不能不订立英埃条约。一面给埃及以次要的让步，一面英国依然保有优越地位，在某些地区驻扎英军，而在战时则握有广泛的控制权。这次大战期间，英国在埃及拥有绝对优势的兵力；社会矛盾已大大加深；由于英国的大量战时开支，巨大的财富与日益增长的贫困愈见对立，加之埃及逐渐工业化，使工人阶级在数量上和组织上都已经加强。

战争告终，英军已再无留驻埃及的理由，然而英军仍未撤退。英国今日正以各种办法把埃及保留在自己的掌握之中。第一、在埃及许多地区，尤其是在苏彝士运河地带与苏丹保持强大兵力。第二、利用四万万镑的债款，使英国财政资本得以控制埃及商务。据悉这笔债款中，仅有极小一部分能用以购买美国货。由于英国无力供给埃及的需要，由于英国不愿埃及更工业化，埃及的发展已因之停滞。英国财政资本控制着埃及的许多大企业与银行——例如与未思尔集团有联系的英国纺织公司和国民银行。第三、英国官员还在国家机关、警察、新闻检查所、军队、广播事业、教育、棉产、财政等部门中据有重要地位。第四、英国政策操纵着埃及政府的进退，一九四四年十月华夫脱党政府之被摈斥即其一例。

由于人民的强烈情绪，埃及一切政党都迫不得已将争取民族独立列为政纲的第一条，但借此作为幌子的亦复不少。站在埃王背后的是那些资产阶级、大地主（自由立宪党）、宗教势力和军队中最反动分子代表。与英国财政资本有勾结的工商业利益则以过去执政的“沙德”党和席德基氏为代表。席德基现任政府总理，系外国所控制之埃及工业联合会主席，又是该党总裁。席德基的劣迹已是人所素知的了。一九二四年他曾创设直接投票制，企图以此控制选举；结果为华夫脱党人所败，而华夫脱党的政府却在当天就被埃及国王罢免。一九三〇年他曾邀请英国干涉埃及内政曾解散议会，镇压一切政治活动，连华夫脱党的出版物亦在被禁之列，并颁布了一个比一九二三年宪法更为反动的宪法。

自一九二二年的人民运动以来，华夫脱党已形成民族独立斗争中进步的运动。但内部仍有大地主，而且还有缺点。华夫脱党虽反对国王，并对产业工人让步，但其主要缺点在于没有维护农民（占人口百分之八十）的利益。纵然如此，华夫脱党仍不失为群众表示其独立要求的传统途径。

这次战争期间，在华夫脱党政府之下，迅速增长中的工人阶级曾赢得组织工会的权利，曾进行了大规模的经济罢工，改善了生活与工作条件，并已成为值得注意的力量。埃及的工人阶级，由于具有不断增长的积极性，具有集中以及还没有那些被用作分裂之工具的工人贵族出现等特性，所以正在强有力的认识到它自身必须领导争取民族解放与民主的斗争。

今天埃及的要求是：修改英埃条约；撤退英军；政治经济独立；取得发展埃及本身资源的可能。而人民则要求一个能替他们争得民族彻底独立的民主的人民的埃及政府。显而易见的，近来埃及的事态，仅仅是民族运动新高潮的开端，这运动是无法抑制的，越镇压就越紧张。

英国工人和进步人士必须保证英军立即完全撤出埃及。要保证埃及成为世界各国中真正平等的成员之一，这是唯一的途径。

（希明译自三月九日《世界新闻与评论》，载八月十七日《解放日报》）

英美在巴勒斯坦的“烟幕”

巴什基洛夫著　施滨译

巴勒斯坦是英帝国主义在近东的堡垒，在二十四个巴勒斯坦居民中便有一个英国兵士，这个国家是被英国高级专员统治着，它变成了英国统治东部地中海的强固基地。

巴勒斯坦是一九一七年被英国占领，当地居民大多数是阿拉伯人，英国允许他们在一九一七——一九一八年于战争结束之后，可以独立，可以实行民族自决。但就在那同一年，针对着阿拉伯人的民族运动英国便在巴勒斯坦着手组织"犹太民族的家园"。

为协助英国移民，犹太的"齐翁主义派"，反动资产阶级商人组织了驻巴勒斯坦代办处作为机关。这一组织的主脑——本·古里昂曾在齐翁主义者[1]大会上规定："一切反对大不列颠的人，即是反齐翁主义者。"

在巴勒斯坦的英国当局，给予这些齐翁主义者反动资产阶级很多便利，去掠夺阿拉伯和犹太居民。齐翁主义者依仗着英国对犹太资产阶级的经济的与政治的援助，强占了阿拉伯人的上等土地，利用犹太农民有着仰

[1] 齐翁主义是犹太反动资产阶级的民族主义。其目的在于在巴勒斯坦组织犹太资产阶级的国家。且极力转移犹太劳动群众斗争的锋芒去反对阿拉伯民族。

赖“犹太移民基金”的弱点，把巴勒斯坦的犹太居民置于自己的控制之下。利用犹太工人、农民的要求，而使他们成为其种族仇恨的沙文主义的义务宣传员。在英国的指使下，齐翁资产阶级还组织了军事性的恐怖团体，和形形色色的政治派别。因而形成了将阿拉伯人逐出巴勒斯坦的实际威胁。

基于英国在巴勒斯坦的挑拨民族纠纷的殖民政策，引起了一九三六年阿拉伯人的反英起义，这一运动到了一九三九年，曾发展成为游击战争。再加以当时德意法西斯的威胁，英国被迫让步，宣布在十年之后，英政府将取消其委任统治，而允许巴勒斯坦独立。犹太移民也有所限制，并规定到一九四四年三月即应停止移民。同时还限制了犹太人的地权。

第二次世界大战以后，在阿拉伯诸国所发生的重大的事件，即是民族解放运动的积极化，而巴勒斯坦则在这一运动中，占据了首要的地位。

巴勒斯坦问题的趋于复杂，不仅是因为巴勒斯坦居民同英国军队的冲突日益扩大，阿拉伯人同犹太人的摩擦日益频繁，阿拉伯人要求英国实践其允许阿拉伯人独立的诺言。而且因为美国参与了巴勒斯坦的权利斗争，并提出了建立齐翁主义者的犹太国的新课题。

在第二次大战时，美国在近东大量地扩张地盘。英美两国签订了条约，美国石油公司可以把它的油管，从沙特阿拉伯经巴勒斯坦而达中部地中海。在巴勒斯坦的对外贸易方面，美国据有极其重要的地位。美国的资本还伸入了巴勒斯坦的工业部门。在向巴勒斯坦移民问题上，以及对齐翁派的运动，美国也是给予极大的支持的。因此，在巴勒斯坦便出现了同美国帝国主义分子勾结着的犹太大资产阶级。

美国的立场引起了一切阿拉伯国家中反美运动。他们把美国看作新的殖民国家新的敌人。

虽然英美两国有着利害冲突，可是为着镇压殖民地人民的民族解放运动，和巩固自己的阵地，这两大帝国主义国家是一鼻孔出气的。一九四五年十一月，曾组织了一个英美巴勒斯坦委员会，但没有巴勒斯坦各民族代表的参加，又违反国际组织的精神，它只是把巴勒斯坦问题作为委任统治国来处理。著名学者爱斯汀把这一委员会叫作掩蔽英国巴勒斯坦政策的“烟幕”。

一九四六年四月，该委员会结束了，建议立即把十万犹太人移入巴勒斯坦，并将它变成在英国保护下的大不列颠联邦之一。

英美委员会的这一建议，使得巴勒斯坦内部阿拉伯人和犹太人的冲突尖锐化了，也使近东诸阿拉伯国家和英国的冲突更加剧烈。

阿拉伯舆论界对英美委员会的建议，评之为：第一、是为着维持委任统治的状况，并进而巩固英美的统治。第二、是为着符合齐翁主义者的愿望，拒绝阿拉伯建立自己的国家。

为表示对该委员会这一建议的抗议，在许多阿拉伯国内掀起了罢工示威的浪潮。五月三日，巴勒斯坦有五万人举行罢工。在耶路撒冷的示威，提出了“打倒英美”的口号。在七八月间，在开罗、巴格达、叙利亚、黎巴嫩都举行了抗议性的大罢工。

巴勒斯坦的犹太人和阿拉伯人，都正在为实现国家独立而努力，但英国当局却尽一切力量阻止与破坏这两民族民主力量的团结。比如，它们曾破坏了阿犹职工运动，使他们各自组成敌对的团体。为着挑起种族仇恨，英国曾利用了在犹太工农中间有某些影响的齐翁主义者资产阶级，而对由阿拉伯封建势力所领导的极端褊狭的民族主义的组织却不加遏止。但是，为使阿拉伯民族主义者，懂得将齐翁主义者们的利益同犹太民族的利益分别开，为着使阿拉伯民族主义者，不再反对犹太人，并保证他们在自由民主巴勒斯坦内的一切平等权利，最后，为着巴勒斯坦能摆脱帝国主义的统治而获得解放，为着给巴勒斯坦的阿拉伯人和犹太人以完全的独立，阿拉伯民主团体和犹太民主团体，都正在斗争着。

巴勒斯坦问题已吸引了全世界舆论界的注意。甚至如《泰晤士报》也认为英美的政策，是挑起巴勒斯坦内战的政策。英美帝国主义之侵略巴勒斯坦与近东阿拉伯诸国，不仅是对于近东的威胁，而且是对于世界和平的威胁。

（载三月七日《东北日报》）

二　日本问题与朝鲜问题

日本独占资本一年来的活动

尹光

去年九月三日，重光葵代表日皇，在东京湾的密苏里号战舰上正式签订降书。

日本法西斯被打垮已满一年了，但在美国当局庇护之下，日本独占资本还是占有统治地位。日本独占资本由三大体系：国家资本、金融资本和产业资本构成。一年来三大体系都发生了变化和相互转化，极五光十色的大观。

国家资本

先说国家资本，这是过去军部官僚所掌握的经济武器；是由掠夺殖民地和对人民税捐剥削所积累起来的资本。在八年的侵略战争中，它领导了日本战争经济的编组。日本投降后，由于殖民地的丧失，和战争经济的解体，而受到严重的打击。其资产总值在投降前，计有二十亿美金（以日元对美金二十比一折算），在投降后保存于日本国内的，尚有十亿美金。

对这些资产，日本民主阵线曾主予以没收，以充作对外一部分赔偿，和从事社会救济及抚恤遗孤之用。但这一主张，既为日本政府所猛烈反对，也引起美代表艾其森的严厉呵斥。因而一年来日本国家资本得能在各种形式的掩盖下保存下来。

在日本投降后币原内阁时期，军需省虽被废除了，但在内阁中却设置所谓“战争调查委员会”，其收罗的“委员”，均为国家资本各大公司的经理，和一部分参谋部的将校。其任务之一，便是保存国家资本。直到最近，由于苏联代表在对日委员会中一再抗议，吉田茂才解散这一机构。然而，日本国家资本却已经在下面的三种形式下保存下来了：

第一，以军部官僚资本家化的形式，保存国家资本。

因为麦克阿瑟总部曾三令五申，保护“个人私有财产神圣不可侵犯”，日本国家资本也就利用麦氏这一指令，将所属企业中如“帝国燃料国策会社”一类投资公司，将股票和资产分散给当任这些公司理事的退役将校，以“私人财产”的幌子保留国家资本。而这些退役将校——过去的军部官僚，就摇身一变而为资本家了。用这种形式保存的国家资本有四亿美金，而这些新兴的官僚资本家，有著名的小林中将、井上中将等等。这些官僚资本家，今天还制造大批御用政党，力图在政治舞台上伸展势力，在日本目前一百二十多个政党中，受他们资助的便有十二个，如日本民党、新日本青年同盟等。

第二，利用尚潜伏在美国和拉丁美洲的军部御用团体黑龙会的干部，以移出资本来保存国家资本。一年来，已秘密移出的国家资本，据日本民主阵线报纸《民报》的材料，已达五千万美金。过去在巴西的黑龙会首领大彬，今天已成为海外投资家。而巴西的圣保罗省，则成了日本国家资本的移植园地。此外在阿根廷乃至美国的东部，也有了日本国家资本的足迹。

第三，由移交金融财阀管理的形式，来保存国家资本。过去国家资本与金融资本合伙的辛迪加组织如“日本制铁国策会社”等所属的企业，今天在改头换面下变成金融财阀的私产。国家资本在这些企业中的投资，则分散给各大财阀。但明定所有权仍属“国家”所有；而资本的运营，金融财阀可以自由支配。并规定每年利润百分之六十给财阀作报酬；百分之四十则归“国家”。这种用移交金融财阀保有的国家资本，计有五亿五千万美金。这一结果，无疑的是加强了金融资本的势力。

金融资本

现在我们来看金融资本一年来的变化，日本经过八年的战争，资本的集中是更迅速和更高度的发展了。仅仅在三井、三菱、住友和安田四大财阀所控制的资本便有三百亿美元，较“七七事变”前，几增三倍。在投降后，日本金融资本所受的损失，在一年来已完全取得了补偿。因为军部的瓦解，金融财阀在政治上成了直接的支配者。除国家资本中四亿五千万美金转给金融财阀保管外，一年来由国库支给金融财阀充作殖民地投资与军需生产的补偿金，就有五十亿美金。而所谓“战灾复兴”、“金融复兴”、“工业复兴”、“贸易复兴”一切战后财政经济的复员工作，更是由金融财阀一手包办。他们通过所谓经济复员工作，保存对全国财政与工商业的垄断和控制。

美日资本朋比为奸

过去金融财阀与美国独占资本家曾有国际卡特尔的联系，其中如美国摩根财团与三井、三菱、住友和安田，福特与三菱的关系，乃至美孚油老板与三井等等，都是公开的秘密。因而金融财阀受到美国反动派的青睐就更优厚了。今天在东京任麦克阿瑟政治顾问的格鲁和杜曼，即在一九四五年初，当战争尚未结束时，便主张战后日本应由金融财阀统治。这一年来，美国当局便是采取支持金融财阀的统治，并通过其政权来管制日本；将日本充作美国的东亚警犬。

麦克阿瑟为敷衍盟国人民的指责，曾颁发“解散财阀独占体系”的指令，而且也成立了清算委员会清理财阀的财产。可是指令的本身，便替金融财阀保存势力留了后路。指令中规定被解散与被废除的独占公司，其股票交由经济法庭拍卖，各该公司的理事与职员有收买的优先权。如众通知，这些理事与高级职员，正是财阀本人或其亲属。还不只如此，所谓经济法庭与清算委员会，今天所提出的名单，除了麦氏总部派出的几位官员外，其余均为财阀分子。这样组成的经济法庭与清算委员会，自然成了巩固财阀势力的机构了。又何况据法国新闻处所传的麦氏总部的不少高级官员，均受到财阀赠送的股票呢？

实际上，麦氏还扶植日本金融财阀势力的扩展。当三井三菱在投降后扩漫纺织业时，麦氏对过去用日本纺织业赔偿中国的计划，便绝口不提了。而且，还牺牲中国民族资本家的利益，和打击印度与澳洲的纺织业，允许日本纺织品向我国与西南太平洋各地倾销。同时，麦氏以邻为壑，竟又允许日本侵犯中国主权，在中国领海捕鱼；并且怂恿三菱与英国、挪威捕鲸业竞争。至于帮助三井、三菱振兴贸易业的垄断权，更无微不至，不仅美国摩根公司与三井、三菱银行有着汇兑协定；而且美国的三大家托拉斯与三井康采仑间也缔结了美棉输入（在七月份便有四万六千多包供给日本）与日丝出口的协定。通过三井、三菱经手，日本于四月份以来，每月已出超一千万美元，而据法新闻处估计，七月后将突破每月出超两千万美元。

尤有进者，美国独占资本正与日本金融资本相结合，开始恢复国际卡特尔的活动。一方面是日本金融财阀今天吸收美国资本，并帮助美国资本并吞日本军需产业资本家的企业；另一方面是美国独占资本家掩护三井、三菱等在美国支行（有二亿美金投资）继续牟利。同时，日本金融资本将可能跟随美国资本之后，在中国和台湾、朝鲜南部重觅市场。

产业资本

至于产业资本，除了与三井、三菱金融资本有密切联系的一部分产业资本，如浅野、津田、池贝、大隈等今天还能保持利益之外：另一部分过去主要依靠军部订货与补助而起家的军需产业资本家，或殖民地产业资本家因侵略战争的失败，和军部的塌台，受到严重的打击。过去煊赫一时的所谓军需景气“宠儿”如中岛、鲇川（久原）、森、野口、石川等十六个军需产业资本家，一年来已濒于破产。他们的许多企业已在过去一年中，为金融财阀所并吞。而且最近，通过金融财阀对他们施压力，有近十个军需产业资本家的康采仑，将全部廉价出售给美国财阀，利用这些破产军需财阀的工业设备，和日本低廉的劳动市场，美国独占资本正想以日本为中心建立金元的大东亚殖民地国。

一年来，日本独占资本发展的特征，是在国家资本相对削弱与军需产业资本没落的条件下，金融资本得到美国当局的庇护和保持，而成了日本当前政治和经济的主要支配势力。在这种情况下，日本法西斯虽已被打倒，但是它的社会基础仍被保留着，因而对我中华民族威胁仍未根绝。日本金融资本的扩展，夙来就从侵略我国取得发展的。十四年来，三井、三菱、住友和安田等金融财阀，更是掠夺我东北、华北和华中而益加脑满肠肥起来。日本金融财阀的统治如不被日本人民的统治所代替，中国人民便不能高枕无忧，中国人民有权利和义务，要求日本的民主化，要求处置日本金融财阀的康采仑，用他们的资产赔偿日寇侵略所给予我们的损失。

（载九月四、五日《解放日报》）

美国反动派扶持日寇

尹　光

日本法西斯毕竟被打垮一年多了，但它没有彻底被消灭，因为美国反动派今天对日本的政策，重复了十五年前“九一八事变”时以及从那时以后十五年来美国反动派的对日政策。“九一八事变”时，美国当局采取什么态度呢？当时以国务卿史汀生为代表的美国帝国主义反动派，是对日本帝国主义采取了纵容的政策。当日本军需财阀鲇川义介，在我东北搜刮人力和资源，建立钢铁康采仑时，美国反动的独占资本家即和日本财阀合作。举世周知的，福特公司与霍德森公司，供给了鲇川的满洲重工业公司的现代化的冶金技术，使它成为“日本钢铁工业之王”。而日本飞机工业的鼻祖中岛财阀，全部康采仑的技术体系，是在美国梅隆财阀与福特财阀的扶助下，建立起来的。在一九三二年六月至一九三七年六月，日本对外军需贸易中，美国竟占了百分之四十五。就在美国财阀的帮助下，日本法西斯才打下了现代化的军需工业的基础。

也才有恃无恐，敢于发动“七七事变”，大规模侵略我国。

而在“七七事变”后，美国帝国主义反动派的行动，与美国广大人民的援华运动背道而驰，并不顾国会中许多有正义感之议员的抗议，更不顾当时政府中不少民主分子的反对，而利用日本在侵华战争中，进行战争工业编组的时机，与日本财阀大做军火生意。据日本工商省一九四〇年四月一日公布，美国一九三七年以来对日贸易，占日本对外全部贸易的比率如下：一九三七年占百分之三十三点五；一九三八年占三十四点三；一九三九年占三十四点三；一九四〇年前三个月占百分之三十八点七。这样一直到珍珠港事变前夕，据美国记者透露的材料，美国反动财阀对日的帮助，有增无减。如三菱重工业公司的造船技术，是美国财阀帮他改良的。美国洛克菲勒财阀不但供给日本豆油，并且帮助了三井及住友建立现代技术的新兴石油工业。而日本的制铝工业，是到了一九四一年春季，因为美国梅隆财阀的援助，才具有现代化的技术规模。一直到一九四一年九月底，日本钢铁工业中所需的废铁，还有百分之七十依靠美国财阀供给。美国这些反动派，无疑是要对珍珠港事变中牺牲的美国士兵负责的。

太平洋战争爆发后，美国人民大众与罗斯福为首的执政集团，即和我们中国人民并肩抗战了。但是，美国独占资本中，一部分最反动的，与日本有国际卡特尔联系的财阀，竟然还和日本财阀藕断丝连。当时即在美国华盛顿，通过阿根廷这类“中立国”，美国摩根财阀与三井三菱仍暗中维持微妙关系。据说至一九四三年春，日本还能用潜水艇，由“中立国”买到美国制造的工作母机。嗣后，太平洋战争激烈展开，美国兵士在塞班和大硫球流血牺牲时，美国反动派却不愿日本彻底失败，他们在阿根廷，在里斯本擅和日本财阀暗中计议阴谋妥协。至后波茨顿文告发布，以国务院特别助理杜曼为代表的反动派，则同时宣称：美国希望战后日本由财阀统治。依照波茨顿文告，美国有履行条约的义务，有责肃清反动的军阀与财阀法西斯势力，使日本政治、经济和社会各方面实行民主改革。但是美国务院在去年九月由反动分子格鲁与杜曼协助下，签订了与波茨顿宣言相违背的美国对日政策。所以麦克阿瑟一年来，便赤裸裸的扶助日本反动派，压制日本民主势力。

到今天，一个应负战争罪犯责任的天皇，被美国允许合法存在了。“九一八”事变祸首的关东军势力，在朝鲜南部的美军占领区，还容其残余埋伏下来。而关东军的爪牙，著名的韩奸金满立则与金九、李承晚合伙，成立临时政府。一切军国主义稳健派的巨头，如币原、吉田、犬养健、伊泽多喜男等等，曾为美帝国主义视同珍宝，而竭力撑他们的腰。

特别值得指出，美日独占资本从今年五月又开始国际卡特尔活动以来，日本财阀的工业生产已着着恢复。八月十二日吉田内阁声明，金融财阀三井、三菱、住友和安田等等康采仑的复员，已经完成。并说日本开始所谓“五年经济再建计划”。而这计划之一，即以五岛庆太、长崎惣之助向美国等借入外资，兴办交通事业。而三井三菱等，则计划在国内与海外，与美国财阀合股举办各种开拓事业。以美资本为主导，用美国技术配日本劳力，觅求金元帝国的市场。同时，日本财阀还力图跟随金元势力，染指中国。

显然易见，在麦克阿瑟管制一年后的今天，日本法西斯的残余势力，由于美帝国主义扶持，而日见猖獗了。

（载十月四日《东北日报》）

日本新议会以来的政情

尹　光

历时三月余的日本新议会，已于十月十七日闭幕。这届议会是从币原所包办的大选产生出来的。但是由于民主势力的崛起，这届议会中竟有六十一名民主战士，特别是日共领袖冈野进、德田球一等当选议员，使成立半世纪的日本议会，第一次听到从议会讲坛上，发出来的人民代表的呼声。正因为民主势力获得了议会斗争的阵地，所以这届议会中各派势力的角逐，更形错综复杂。

当议会在五月十六日揭幕时，日本各大都市的民主运动蔚如怒涛。民主派在议会内外斗争，相互呼应前后辉映。如皇城禁地的群众示威，与民主派议员拒绝向日皇敬礼同时并起。而当示威群众包围议堂时，正是民主派议会之时。至于反动派内部，在当时却因争权夺利而互相水火，协同民主党与社会党右派，因在吉田内阁中未能分尝一脔，便于议会中事事与吉田为难。而自由党与进步党却因正副议长之争引起轩然大波。因而一场民主派与反动派的斗争，以及反对派内部钩心斗角，遂于议会开幕之日即行展开。而吉田内阁的危机，一度显露端倪。

恰当此时，麦克阿瑟出面挽救了吉田内阁，容许议会休会一月。他又一面采取恫吓的手段，禁止日本工人罢工，并令联总供给日本以一定数量的粮食和衣着，以小惠缓和日本人民对吉田内阁的愤懑。此外，还被迫令吉田向民主势力“让步”，罢黜进步党中五名战犯议员，日共议席由五名增至六名。

在议会休会期间，吉田即请进步党的犬养健和自由党的芦田均设法圆场，以消解反动派内部的倾轧。以自由、进步两党在内阁中平分秋色为条件，使两党言归于好共同协助吉田。而协同民主党魁首山本实彦，也因三井财阀出面斡旋，与吉田握手言欢。但社会党右派因进步党被罢黜数名议员后，已使该党在议会中跃居第二党的地位，便坚持非分得几名大臣做做不可，甚至企图窥伺时机，取吉田而代之。

因此，议会于六月二十日复会后，社会党右派即又剧烈攻击吉田与自由、进步两党。于六月二十一日，议会中演成“全武行”的双方殴打几达一小时。因反动派争权夺利内讧不已，使议会至七月中旬还未正式讨论宪法。民主派便握紧时机，在议会外组织群众性的反宪草运动，以配合议会中来日反宪草的斗争。吉田深恐议会因反动派内部对垒，而旷日持久，有碍反动宪草的顺利通过，便请求社会党右派看风转舵，以免两败俱伤，有利于民主势力。于是社会党右派也就将进攻吉田的气焰收敛了起来。

讵料一波甫平，一波又起，日本资产阶级内部又发生了新的分裂。因为七月后美国独占资本在日本更趋活跃，一部分与日本金融财阀较少联系的美国财阀，便在日本资产阶级中卵翼自己的买办势力。如岛田惣之助、饭田新七、岩井雄二郎、武田长兵卫等等成了日本新兴的买办阶级的首脑。又因为他们在日本社会经济生活中崭露头角，也就要求政治上的分润了。所以他们收买议会中无党派的议员成立了“民主党”，与美国当政派支持下的日本旧金融财阀，大有分庭对抗势力。这就引起反动派内部的新矛盾。

至九月后，日本民主势力因经过七、八两月的深入动员，城市工人的罢工与农民斗争开始结合，使民主运动以新的姿态向前迈进。十万海员罢工之后，跟踪而来的为“十月攻势”，与农村中抗租抗捐的“骚动”。今后罢工与示威，又云集影从汇为巨流而震动全国。反动派慑于民主势力的一日千里，被迫要求消泯自己内部的颉颃。因此，自由与进步两党便进行合并，作为反动派结成新统一阵线的基石。此外，吉田还迫不得已采取了表面“民主”的若干改良的步骤。如接受人民的经济要求部分，提高工资，“没收”三井、三菱、住友和安田四大金融财阀的少数股票，并在农村中进行局部改善租佃关系。

在议会中，因为民主派议员的抗争，以吉田内阁为首的反动派被迫不得不对新宪草作了细微的改进，如增添了人民有废除战争，不参加战争的个人权利，和人民有权要求赔偿非法被捕时的损失等条款。并规定曾任陆海空军将校者终身不得出任大臣，和首相必须由议员出任，尤其被迫通过了民主派议员提出的地方官吏民选的法案等等，以向日本人民让步。今天日本反动派虽有美国反动派为靠山，但却不能不采取表面“民主”的某些改良，这足以征见日本人民力量的增长，和对反动派压力的日渐加重。

（十二月五日《东北日报》转载十月份《解放日报》）

日共全代大会通过斗争纲领

据路透社东京讯：本月六日至九日举行之日本共产党全国代表大会，对于产业复兴、劳工运动及农民运动等问题决定方针大要如下：

（一）为从事复兴产业重建经济，必须建立民主政权。

（二）产业生产物之收买配给及金融与资财之供给，

悉归人民管理，全面解散财阀统治，将其生产机关及煤、电、肥料等主要产业移归国营。

（三）推翻反动政权，实现劳动战线之统一。

（四）确认民主革命中农业革命之重要性，举全党之力以达成土地国有与共同经营化，实现党的土地纲领，打破征粮制度，倾覆地主及官僚之农村支配权。

东京讯：据厉生奋宣布，截至去年十一月底止，日本共有一万六千一百七十一个工会，共有会员四百十九万六千五百八十九人，与十月份相较，工会增加一千一百七十一个，会员增加十万六千人。在一九四五年八月日寇投降时，日本工会仅有九百七十个，会员仅四十五万另八十九人，十五个月来，突增了十倍以上。（新华社延安二十六日电）

（载一月二十九日《东北日报》）

大选前的日本政局

明　远

根据最近东京电讯与莫斯科日语广播，说明在民主力量空前发展面前，日本保守反动阵营是如何惊慌狼狈，玩弄各种阴谋诡计，以便操纵大选。

为了防备“二·一”总罢工的惨重打击与应付四月大选，反动的吉田内阁前后曾三度企图与社会党右派合作，以便组织自由、进步、社会三党的“联合内阁”，但这一计划每次均告失败。

“二·一”总罢工被弹压后，以领导这一总罢工的全日本政府机关职工会中央斗争委员会为中心，曾计划成立全国劳动组合会议，以便统一劳动战线。此时社会党右派的松冈驹吉以阻挠劳动战线的统一为目的，企图成立全国劳动组合恳谈会，未能成功。三月十日，全国劳动组合联络协议会终告成立。

另外社会党右派的平野力三，亦曾在日本农民组合大会上排击日共，结果却被开除驱逐出去，又企图成立“日本农民组合刷新同盟”，继续其分裂活动。但是支持平野的在一百二十万“日农”会员中，仅仅不过七万人而已。

由于勤劳大众统一战线的成立以及社会党右派的阴谋迭告失败，使保守反动阵营惊惶不安，于是随着大选日期的迫近，便开始玩弄各种阴谋。

是去年由部分自由党与进步党分子策动的新党运动，最近已有急速的发展。以退出自由党的芦田均与进步党的犬养健等为中心，加上部分国民协同党分子，准备于三月底成立“日本民主党”，以进步党总裁币原喜重郎为总裁，以便应付大选。币原乃是三菱财阀的女婿，犬养健则是过去汪记伪政府的顾问，由此不难推测这一“新党”是什么样的东西。

此外，保守派分子又于三月中旬成立了国民协同党。这一政党乃是由少数中小地主为背景的协同党与以小资产阶级、小市民为基础的国民党合并而成的，现在共推荐了七十八名议员。其主张是所谓“协同主义”与“互助互爱”，企图在此种美妙辞句的掩盖下，强使勤劳大众与吉田内阁妥协，而吉田内阁正是把人民大众打入饥饿与失业深渊的。

还有就是佐野学、风间丈吉及其他一些无政府主义者，在三月八日成立了“劳农前卫党”，保守阵营则在背后予以积极的援助。佐野学乃是日本共产党的叛徒，曾为华北日本特务机关的一员干将，进行反对我军的活动；在“八·一五”以后，又声言支持日本封建军国主义机构之台柱的天皇。在此大选前夕，日本反动派竟使这些叛变分子及无政府主义者组成傀儡政党，它的意图无非是在于扰乱民主阵营特别是对抗日本共产党，这难道不是很显然的吗？

尤有进者，自由、进步两党在此议会会期即将结束的三月下旬，突然企图将选举制度修改，使之有利于己，改为中选举区单记制[1]。因为缩小选举区采取单记制，对于据有旧基础的自由党与进步党是有利的，而对于新进政党是不利的。因之，对于自由党与进步党的这一阴谋，社会、共产、国协诸党目前正在议会中与之展开猛烈的斗争，加以反对。

保守阵营的上述这些策动，无非是说明了他们在来日大选中完全丧失了自信。实际上自去年四月十日大

[1] 按日本现行选举法系采取中选举区二名连记制即一县分成两三个区投票时写两人，但自由党与进步党企图修改为单记制即一票仅写一人名字，以便对自方有利。

选以来，在此一年中日本的通货已由一百五十亿日元膨胀至一千一百亿日元。生产停滞，百业凋零，物价更是一股劲地暴涨无已。而日本的勤劳大众在此一年间，奋起反抗反动政府的统治与镇压，已展开全面的斗争：如去年五月的“粮食示威”、十月以后全国罢工浪潮的高涨、十二月两度举行的倒阁大会（参加群众均超过五十万人）、二百七十万全日本政府机关雇员的总罢工计划，以及目前遍及全国的农民拒绝出荷运动等等。这些斗争的结果，就一定不能不反映在选举上。

看到此一严重形势而惶恐不安的麦克阿瑟总部，遂于三月二十五日发表声明，表明其对“民主选举”的态度。在这一声明中，竟明目张胆地公开地表明干涉大选和反对日本共产党。

保守阵营这些一连串的阴谋诡计与麦克阿瑟公开表示加以支持的态度，都证明了日美反动派对于日本民主力量的发展是如何的惴惴不安与狼狈不堪。除此以外，难道还能得出另外的结论吗？

（载四月五日《东北日报》）

论美国远东外交政策的“新方向”

马尔柯夫著

美国报纸预测美国远东外交政策的“新方向”不久将正式宣布。但华盛顿现在所追求的远东外交政策——即以片面行动与强权政治来代替国际合作——从各方面来看都已经标志着这种外交政策就是报纸上所报导的“新方向”了。可以说美国在远东所获得的经验——特别是在中国，因为美国在中国过去与现在都在帮助反人民内战中的反动阵营——形成了一九四七年三月十二日杜鲁门总统声明援助希腊与土耳其计划的基础。一九四七年一月二十九日美国宣布不再扮演中国共产党与国民党商谈之间的调人，而且终止它与“三人小组”和北平执行部的关系。当然，美国放弃扮演调人的角色并不意味着她有意停止帮助国民党。相反的，国民党所获得的美国援助比任何时期都多。要美国调人还在中国，华盛顿至少不得不认为自己还是被一九四五年莫斯科协定关于协助在中国建立和平与终止内战这些诺言所束缚住的。而放弃调停呢，美国更可以金钱和物资让国民党放手去扩大内战。这一点也正是国民党所了解的。美国一旦宣布自中国“撤退”之后，她便可以对中国的任何情况以及此种情况对世界和平所作的威胁卸脱责任了。同时，绝非放弃她在中国利益，反而却把中国愈来愈置于她自己的支配之下。

麦克阿瑟将军在东京所发表的声明便是这种“新方向”的具体表现，至少关于日本问题的是如此。他宣称对日和约与在该国建立非军事管制的时机已经成熟。我们从麦克阿瑟的声明中看出：第一，日本已经民主化了；第二，大量赔偿不能加诸在日本身上；第三，唯一解决日本经济危机的方法便是恢复她的对外贸易。就是英国保守派的《旁观者》报评论麦克阿瑟的声明时，也表示深深怀疑日本的政治转变。

在日本赔偿问题上，美国已采取了片面行动的方针。美国未与远东委员会商讨，便决定哪一国应该获得多少初期赔款，什么比例，并且从什么方面得到赔偿。远东委员会美国代表麦考艾说：“在初期赔偿计划中美国未获得任何东西。”但尽人皆知，美国已经自日本拿去了大量的金、铂、银、宝石，其他贵重东西以及价值数百万的艺术品。她还拿走了数十万吨的橡皮、铅和其他战略物资，千百万包丝以及许多技术实验室和工厂的设备。另一方面，某些美国方面人士企图阻碍向日本要求充分赔款，以便保持她（指日本）工业上的战争潜在力。尽人皆知，自日本投降之后，工业家们便想尽一切办法隐瞒有关彼等工厂生产能力的数字。美国与日本报纸曾报导过有些设备被卸除藏匿以便使联合国赔偿机关摸不清头脑的例子。以同一目的，日本的宣传便夸张美国轰炸对日本工业的破坏。然而，就是从日本人所发表的不足够的数字中，也可指明日本的战后工业潜在力还是十分庞大的，这一事实曾一再为美国报纸所证实。

根据日本共同社讯：日本市场在杜鲁门总统三月十二日演说的刺激之下立即变得活跃起来。而在麦克阿瑟的声明发表之后，三菱与三井两公司的股票便在东京证券交易所开始忙碌的卖出买进了。工业界看到了“日趋上升的情势”。而一直到那天以前，在每一个公开谈话中强调日本工业“逆境”的吉田，突然感到乐观了，并且宣称“工业的复兴在解决赔款后一年之内是可能的”。麦克阿瑟断言唯一保证供给日本粮食的方法便是恢复她的对外贸易一事，也温暖了东京日本操纵家的心。科学证明只要日本彻底实行土地改革便可完全不依靠粮食的进口，但日本统治集团却忽视这一事实，他们企图使世人相信：如果没有粮食进口，日本人民便会饿死了。美国商人也要求允许日本参与世界贸易。他们要获得日本市场的独占。目前日本对外贸易已经到达了可观的比例。但它的性质清清楚楚是单方面的，因为它几乎完全只是与美国进行的。美国人要日本帮助美国，把亚洲市场的竞争者首先是英国排挤出去。在经济的压力之下，英国只好同意不在日本出售印度棉花。美国不断增加输入美棉至日本的结果，很可能使廉价的日本棉织物在外国市场上顺利的与英国出品竞争。在美国独占资本家的利益指导下，美国对日经济计划将替日本开辟经济活动的地盘，允许日本帝国主义东山再起。

在日本恢复侵略势力，在中国加强封建分子对人民的独裁统治的美国政策，便是 ×× 建立美国统治世界的直接 ×××。这政策首先反对人民大众的切身利益所要求的巩固民主与持久和平。

综观以上所述，可以明白看出美国远东政策目前所采取的方向——不管它被称作新的或旧的——便是对和平事业与奠定远东安全基础的威胁。

（周砚译自《新时代杂志》，载四月十九日《东北日报》）

吉田内阁为独占资本家服务

明　远

反动的吉田内阁一贯地采取通货膨胀政策。石桥藏相自就任以来，对于日本经济的远景曾抱“乐观”，执行着反动的经济政策。但是最近的事实，证明吉田和石桥的“乐观”看法完全与事实相反，并且说明吉田内阁如此的经济政策，仅仅有利于独占金融资本家与大地主，而对于广大的日本劳苦大众却是难以忍受的。

不仅如此，就是极力扶持吉田内阁的麦克阿瑟，甚至也在三月十七日说：“目前日本经济状况比战时任何时期都要糟糕。”在二十二日致函吉田政府时，并且讲到“粮食问题的严重，日本政府应负其责”。溯自去年三月“金融紧急措施”公布后，日钞发行额曾一时压缩至一百五十万万日元，但在一年后的今年三月底，却已膨胀到一千一百五十七万万二千六百万日元之巨额；而在生产方面，根据日本政府设立的“稳定通货对策本部”的调查，则自去年四月到今年二月间，日本的生产力已较一九三七年侵华战争开始时下降百分之三十三。因此在日本国内，不断下跌的通货充斥泛滥，物价比去年三月普遍上涨一倍以上。可是广大的劳苦大众甚至于提高工资的经济要求都被横加禁止，他们的生活条件正在飞快地日趋恶化。

然而在另一方面，独占金融资本家和大地主却在通货膨胀中投机取巧，进行黑市交易，大发其财。日本共同社三月七日的电讯曾指出：进行黑市交易的完全是大金融资本家。例如三菱会社的董事藤原，他所进行的黑市投机的范围是非常广泛的，为此他就指挥着自己的爪牙，把日本政府的经费用之于黑市交易。此外，三月二十日的《朝日新闻》也载称：东京某仓库已发现相当于一万万日元的隐匿物资和粮食。同时根据社会党的机关报——《民报》的报导：社会党议员稻村顺三在三月二十七日的众院大会上，也曾揭露了这样的事实，即在日本银行的金库内，还隐匿着尚未呈报政府的宝石值价二百万万日元。

这样，利用黑市交易而大发横财的独占资本家们，正在为所欲为地操纵着日本政府的政策，石桥藏相则代表他们的利益强行通货膨胀政策，却又辩护说要恢复“自主主义”的经济。石桥在三月下旬的议会上，更明白地讲道：“因为某种不得已的原因，对于在战时获得巨利的军需会社，还是要继续给以补偿金的。”

石桥在最近的竞选中，竟给自由党拿了一万万日元作为竞选的基金；他的这种活动无非是在背后利用着藏相的地位，一心一意地为独占金融资本家打算。

根据共同社的报导，据司法省统计，在去年六七月间因做黑市交易而被检举的每月平均为一万五千人，九月份为一万七千人，十月、十一月份为二万九千人，十二月份为二万八千一百人，到今年一二月份却都已超过三万人。但是这些被检举的人全是中小黑市商人，而金融独占资本家所进行的黑市投机，不仅未受到警察的检举，而且据三月二十日的《朝日新闻》载称；不少的警察都是黑市交易的助手。

此外，日本的土豪、果树园老板、渔行老板等大地主阶级，也在利用着吉田内阁的通货膨胀政策，和城市的大资产阶级一道，建筑与经营戏院及大饭店、跳舞厅，或开设以经纪牙行为专家的商事会社，获致巨额的利润。

根据以上所述，金融独占资本家与封建残余的地主阶级，正在利用着吉田内阁的通货膨胀政策，把劳苦大众的生活打入贫困的深渊，而自己则大发横财，并且越发越大。

（载四月三十日《东北日报》）

评日本大选

库多里雅车夫作　明远译

日本的大选已经结束。日本参议院是在四月二十日，众议院是在二十五日，分别进行选举。众所周知，选举参院议员在日本历史上，此次还是头一次。过去的贵族院，是根据一八八七年所公布的旧宪法，由皇族、公侯爵以及伯子男爵的互选，及依据日皇命令敕选的大财阀议员等所构成的。贵族院曾是绝对君主制的有力支柱。

纵观此次选举的结果，最堪注目的是弃权数目的非常多。全盘地来看，有百分之四十的选民没有参加选举，特别是农民和妇女，弃权的最多。没有疑问的，这是由于日本反动派在选举前屡次加于日本民主政党与团体的暴行，妇女与农民在政治上比较的落后，以及日本的民主阵线中缺少熟练的宣传家所致。因之日本的反动派利用其经济物质的优越和目前的社会情势，得以在这个对日本民主改革有重大关系的选举战上，没有遭到决定性的惨败。

最近数月内，在日本曾发生了许多大事，如日本劳动者要求内阁总辞职的总罢工，原定于三月一日发动，但遭美占领军当局禁止，日本农民大会要求建立民主人民政府与彻底改革土地制度；以及广大群众反对日本政府的各种反动政策的游行示威。所有这些事件都说明了吉田内阁的社会基础，已经濒于崩溃，而仅仅依靠美占领军当局的撑腰，来保持其地位。

因此，日本的反动派为了打击民主政党和团体，便在大选前玩弄各种各样的花样。而美占领军当局对于吉田内阁的这种行动，更予默认与支持。于是，吉田便唆使叛徒佐野学等成立了劳农前卫党，益加鼓励反动派采取法西斯的恐怖行为。和去年众院议员的选举一样，收买选举人，伪造选举人名单等等，在全国范围内采取阴险毒辣的手段。

但是不管反动阵营如何妨害与阻挠民主分子的竞选活动，此次的大选还是反映了目前日本人民大众的情绪的变化，虽然还不充分。而这种变化，显然对于日本政府及反动阵营来说，是向着不利的方向发展。如果单单从表面上来看此次大选的结果（麦克阿瑟一贯如此），好像反动阵营在参众两院议员的选举中获得了胜利似的。就是说在参议院，反动派的代表为一百七十名，而进步分子则为六十二名，剩下来的十八名，不日就可以表明态度。同时在众议院，反动派的代表钻进去二百五十四名，进步分子选出一百四十七名，此外剩下来的六十五名代表的态度，迄今还不清楚。

但是这次选举的结果，不管参议院也好，众议院也好，自由党都遭到了失败。这个自由党正如大家所周知的，就是以反动内阁的总理大臣吉田茂为首的政党。就是说，社会党在参议院当选了四十二名，而自由党为三十八名；在众议院，在前届议会中拥有一百四十三席的自由党，此次已减至一百三十二席，但是社会党却当选了一百四十三名。这样，社会党在数目上是获得了第一党的地位。至于在参院议员中还有九十六名属于反动阵营的“无党派人士”，今后大概要和自由党合流的。而这些可以说是“潜在的自由党”的反动议员，其所以挂着“中立”和“无党无派”的假面具进行活动的原因，是由于自由党党魁即首相吉田的面貌被揭露以后，恐怕受到人民大众反对吉田的连累而失败，因此万般无奈不得不挂一个“无党无派”的假面具。在这里，虽然是间接的不充分的，但也还是反映了在群众罢工民众大会及大规模群众示威游行中所曾表现的人民情绪。而人民大众的情绪正在不断地向着反对吉田的方向发展。

前此退出自由党的芦田均和进步党议员共同组织的民主党，在此次选举中亦稍露头角。就是说在去年选举中当选了九十四名的进步党，此次改换了招牌，以民主党的名义来参加选举，结果，此次获得了一百二十三个议席。这种成功是由于民主党宣传他们要和社会党右派合作，实行改良的社会政策，以此来欺骗选民所致，因而也仍然是反映了选民的情绪。

此外，日本职工会及农民团体的代表以及八名妇女当选为参院议员，这在日本历史上还是头一次。

日本共产党在参议院中选出了五名议员，在众议院去年有六名议员，此次当选了四名。日本共产党正在为彻底实行联合国所通过的波茨顿协定的决定事项而英勇奋斗。她始终坚持日本的民主化运动，但是美占领军当局却说共产党在众院当选人数的减少，是什么日本人民反共意思的反映。麦克阿瑟在日本大选揭晓后曾说："共产党现在已经获得政治上的自由，但在这一'与日共名誉有关的战斗'中，却是完全失败了。"然而究竟这一"荣誉之战"又是怎么样进行的呢？

根据日本报纸所载，它是在如下的情况下进行的。据《朝日新闻》载称："仅在四月中旬，妨害竞选演说的事情就有十起之多，而其大部分是针对着日本共产党。仅仅在函馆（北海道），对于共产党的妨害与暴行事件就有五件，同样的暴行事件，甚至在栎枥木、铫子和冈山等地也发生了。”

这就是说，在美占领军当局及日本反动政府如此横暴的暴行事件下，完全漠视了爱好和平坚决主张建设新日本的大多数日本人民的切实要求与呼声，而不加以任何考虑。

（本文为莫斯科五日广播，发表于《消息报》，载五月十三日《东北日报》）

论美国对日政策

《新时代》杂志　明远　译

麦克阿瑟最近曾发表声明，呼吁尽速与日本缔结和约，理由是日本国内的“民主化”已经“实现”了。这一声明发表后，美占领军当局在日本的政策，再度引起世人的注意。关于对日管制，虽然在东京有对日委员会，在华盛顿有远东委员会，但在事实上，管制日本的各种措施，却都是仅凭麦克阿瑟的独断专行而决定。虽然不少反动的美国报章杂志，赞美着麦克阿瑟的对日政策，但仍有一部分如实地报导了真相。在这些报导里面，并提供了新的材料。一九四六年十月号的美亚杂志，已经做了如下的结论："民主主义在日本不过是白昼说梦罢了。"

很多的事实都证明了该文作者认识的正确。现在的日本，确是谈不上真正民主的。作者路易斯曾详尽地叙述了美国政府所实行的一般对日政策的诸原则，指出"在麦克阿瑟的保护下，日本的反动派正在积极活动，企图重新加强它那摇摇欲坠的地位"。《美亚杂志》曾尖锐地抨击麦克阿瑟的对日政策，写道：

> 日本投降后，确已给予民主主义化的可能性，民主势力也决心抓紧这一良机，但是民主势力在战后的澎湃壮大，却成了麦克阿瑟的眼中钉。最初麦克阿瑟是给予了民主主义发展的可能，但不久就转为支持反动势力抛弃了履行

波茨顿协议的初衷。虽然对日委员会曾出面劝告使日本的大选延期，但是麦克阿瑟却急于在一九四六年四月进行大选，结果民主势力在对竞选工作毫无准备的情况下，大选便已举行。显然麦克阿瑟是企图经过这个大选，把政治的领导权掌握在反动派的手里。

尽管自由党、进步党之类的反动政党在议会中占据多数议席，但在选举后，广大人民尤其是大城市里的居民，却反对不维护自己利益的政党，举行了数十万人的大示威和“粮食示威”，游行于东京街头，高呼着建立人民政府的响亮口号。当时，币原虽然在名义上是国务大臣，但却仍然握着首相的权柄。由于币原的策动，把下届内阁的交椅让给三井财阀的代言人亦即自由党总裁吉田茂。《美亚杂志》写道：“麦克阿瑟于五月二十日发表声明，借口‘扰乱治安’，而禁止群众示威。因而新的内阁，绝不是根据民意而产生的，只是一些反动落后的官僚政客掌权罢了。”而吉田的任务之一，就是如何迅速地使在麦克阿瑟指导下制成的宪法草案获得通过。因此，对日委员会所提出的使日本人民有机会加以选择的草案，竟在日本国民审查之前，同时在讨论所有法案之前，就立即提交公认为“保守议会”的国会，匆匆通过。《美亚杂志》写道：“在这里也可以很明显地看出美国的政策，即美国深恐日本民主力量的壮大，从而企图使将来的政权不落于日本的民主势力手中。”

日本的国内政治情况既然如此，那么对于日本的经济，也绝没有任何可观的政策。该杂志写道：“财阀集团”的解散是根据麦克阿瑟的指令而延期了。此外，担任解散工作的委员会的诸委员，都是首相指定的。并且还有自发地“自行解散”的情形。而财阀们对把自己的财产变成国家财产的要求所采取的顺从态度，也是颇堪玩味的。

不仅如此，尽管改革土地制度是建设民主日本的不可或缺的条件，但是麦克阿瑟却对此采取拖延的办法。一九四六年农相提出的土地改革法，在本质上并不是根本解决土地问题。无论在最近的将来或者是辽远的将来，以土地分给农民的事，都完全是无希望的。根据这一法案，由政府收买地主的土地，而以高价卖给农民。且对于农民的最低土地保有面积也毫无规定，佃农与雇农还是依旧存在着。

至于说到劳工运动，也已如我们所指出的，麦克阿瑟绝不希望基于民主原则的职工会向前发展。日本的劳动者正在和麦克阿瑟总部这种蛮横无理的态度作坚决的斗争。而日本的职工会已经以飞快的速度发展了。《美亚杂志》写道："在美军占领后数个月，为了要求调整工资、保障劳动者的生活，以及保障生产的继续，职工会曾经过会员来管理生产，以对抗资本家的怠工。"关于美国对劳工法的态度，《美亚杂志》更这样写道："麦克阿瑟经常干涉职工会的工作，而当职工会的活动使吉田的行动陷于窘境或影响到财阀的利益时，麦克阿瑟的干涉就益加露骨。如对"二·一"总罢工的横加禁止，就是一个最显著的例子，这已是尽人皆知的事情。"

对日委员会是怎样讨论劳工政策的呢？在会上麦克阿瑟总部的代表经常发表这样的演说，说什么"共产主义的危险"威胁着日本等等。但是，一如《美亚杂志》所说："把劳动者的权利和所谓'共产主义危险'混为一谈，并以此为借口，其目的无非在于打击日本的民主战线罢了。”从而断定“麦克阿瑟对劳工运动的政策，正向不许民主战线的统一的方向前进”。

《美亚杂志》的作者早就指出：假如给日本以民主发展的自由的话，日本是可以实行民主改革的。但是麦克阿瑟总部却在与此背道而驰。麦克阿瑟正在遵循其本国反动集团的意图，以便保障美国对日本的控制。

麦克阿瑟总部的情报部长爱里奥特·钱奇上校，在一九四六年八月十三日的声明中就早已说过：“我们认为不必要长期地把大部队留驻日本，但需要以相当长的时间内做‘贤明的劝告’：劝告日本国民在占领军撤走以后，不要打倒现政府。”为了扶植挂着自由主义招牌的日本反动派，麦克阿瑟总部已自认需要做“贤明的劝告”，这种态度显然只是证明了不愿致力于建设民主的日本。

以上这些非常鲜明的事实，都证明了《美亚杂志》的作者路易斯的论点的正确，同时也说明了美帝国主义正在不断加强其努力，即企图在日本的政治、经济以及军事各方面，确保自己的权利。而在帝国主义与防共的方针下，不断向日本劳动者争取权利的斗争施行反攻的日本统治阶级代表们，更在会议闭会前夕，厚颜无耻地强行通过反民主的选举法，以阻挠日本民主势力的发展。不消说，如此的美国对日政策对于远东的和平与安全，是孕育着严重的危险的。

（载五月三十日《东北日报》）

日本新宪法的真相

斯密诺夫著　明远译

日本的新宪法是于去年十一月三日公布的，今年五月三日起开始施行。日本反动的报章杂志都在拼命地吹嘘：这个新宪法完全是民主主义的，是根据外国最进步的宪法精神而制成的。但是日本的民主人士却并不这样想。

与曾经有力的抚育了军国主义的一八八九年的明治宪法一样，这一次的新宪法，在第一条里面就提出了天皇问题。在第一条里面，阐明天皇是作为国家与国民团结的象征而存在的，第六条规定天皇有任命总理大臣之权，第七条则规定天皇代表全体国民，有批准宪法、法律、条约、解散众议院、举行大选，任免大臣、大使及其他官吏，接见外国大公使等重要权力。

这样，天皇依然是掌握着国家的最高权力，而在内阁的辅弼之下，执行上述这些事项。根据这个新宪法，当修改宪法，采用新法律的时候，内阁如不同意，天皇就不予公布，因此宪法的修改案与新的法律，也就不发生效力。

因此，事实上内阁并不对人民负责，反而对天皇负责。因为大臣的任免与更换，都须经天皇的批准。日本反动的报章杂志和反动的政治家们都拼命地宣传，说天皇的意旨完全受内阁的支配，但是很显然的，只要天皇可以批准任免大臣及其他重要事项的话，内阁是无法限制天皇的行为的。不仅如此，就连众议院也是受着天皇的支配，因为天皇是保有着召集与解散议会，举行大选等权力的。

日本的民主舆论曾要求取消反民主主义的贵族院，

但是根据新宪法，参议院代替了贵族院，换上了一个新招牌，贵族院的作用却依然存在。而在事实上，参议院更成了反动的堡垒。关于这一点，吉田首相在选举参院议员之前就曾经表示："参议院的任务，旨在补救与纠正众议院的过当行为。吉田首相的这种话语，无非是表示了不愿反映人民大众热望彻底民主改革的要求，而要保存少数地主的土地所有（即封建的残余制度）与财阀集团，至关于人民管理重要财政产业部门的权利，则更未作任何的规定。

因此，这个所谓新宪法，便受到日本民主舆论的猛烈抨击，说它是"反动派用了看来新鲜的名词和欺骗手段，一手包办伪造的假民主宪法，以便在立宪政治的伪装下加强封建堡垒"，而人民并未得参加制作新宪法草案的工作。

这里，我们应该再一次地想到远东委员会去年十一月十一日关于宪法问题的决议。该决议关于日本的宪法，曾有如下的声明：

为了使日本人民能在宪法生效后，根据实

际施行的经验再审查新宪法，并且为了使远东委员会能够确定这一宪法是否适合于波茨顿宣言的条件，及其他必须遵从的文件，委员会决定在该宪法生效后一年乃至二年之间，日本议会必须对其实施情形重行审议。

远东委员会亦应在此期间对此新宪法加以审议，远东委员会当判定新宪法是否代表日本人民的自由意志时，可要求实行国民投票或某种其他适当的方法，以表现日本人民对此宪法的意见。

（载六月十三日《东北日报》）

日本内阁的危机

库多里雅车夫著　明远译

有两个重要因素对于日本的危机有着决定的作用。第一是国内的政治经济情势。因为公开维护大财阀大地主利益的吉田内阁的政策，引起了国内的普遍不满；同时社会党在竞选时受着民主战线发展的影响，向群众作了如下的“诺言”，说“社会党负责组阁时，将采取各种施策以改善经济情势，特别是要对获得巨额财富的人课以重税，以抑制通货膨胀”。于是在前届选举中在众议院仅获九十七席的社会党，此次便获得了一百四十四个议席。所以如此，实在是多亏了上述“诺言”的结果。民主运动的发展，使统治阶级惊慌不安，开始忧惧那一贯和民主党及自由党勾结的社会党右翼领导分子，今后是否会和其他民主党派及团体合作。

同样，麦克阿瑟总部对于民主势力的发展亦感不安。因此美占领军当局，便直接出面援救吉田及其幕后的大财阀大地主。美占领军当局的这种行动，是日本内阁危机的第二个重要因素。而从它的意义上来说，倒毋宁说是第一位的。美占领军当局镇压为要求吉田内阁总辞职而组织二一总罢工的人民大众，反对社会舆论，表示希望吉田内阁继续存在下去。它不顾人民大众对吉田内阁的不信任，却仍然把日本的大选交给吉田内阁办理，这只是再次地说明了美占领军当局对日本民主势力的发展如何的惊慌不安。吉田及其幕后的自由党，公开逢迎美国独占资本家的意旨，使美国独占资本家的对日政策更加横行无忌。美国前副国务卿亚泽逊在克利夫兰的演说中曾说："作为美国在远东的'基地'，必须促进日本的再建。"而美前驻苏大使哈里曼，也在洛杉矶发表过同样性质的演说。美国通商使节团一行已于最近抵达日本，他们的任务就是要把整个财阀的企业以至于私人企业，都要置于美国独占资本家的支配下，以便独占地操纵日本的贸易。美国与日本的报纸都在报导着：美国在今后三年内将陆续不断地贷给日本以十万万美元的借款。并指出这一切的施策，将于对日和约缔结以前着手进行。我们应当注意，这些措置的进行是不受日本的非军国主义化及民主化的影响的。

根据美占领军当局的经验，最适于实行这种政策的走狗，当然就是自由党了。他们看中了自由党，这是有着很深的根源的。原来自由党就是战前的政友会，而且政友会的前身（明治时代）也叫做自由党。该党与三井财阀有着密切的联系，在战前，垄断着日本国内商业的约三分之一，和美国银行也有着很深的关系。而且还支配国内生丝业的百分之六十。其输往美国市场的生丝，占日本生丝业的百分之八十。

由于美占领军当局的鼓励——吉田对于土地制度的改革采取消极怠工的办法，这只要想到美国资本家与吉田及其幕后的自由党之间所存在的生丝问题，就可以充分了解的。日本的输出商和美国的输入商，都认为生丝的价格越贱越好，为此，就必须使日本农村中二百万个养蚕的农民困苦不堪。日本反动派为了想尽力保存旧制度，不惜丧失了日本国家的独立，以乞援于美国。而这也正是美国独占资本家所最希望不过的。

但是美占领军当局的走狗自由党，也不能全然漠视国家的“民主化”，因之便企图使社会党领导分子遵从自己的意旨，使其实行与自由党相近的政策。因此，便以片山哲与西尾末广为主要对象，竭力实现其阴谋。这样，自由党是通过社会党右翼分子来进行活动的。而根据以往历次谈判的经验（注：从去年底到今年初，吉田内阁对于笼络社会党的工作，前后曾进行过三次），自由党为了解决社会党左派问题，便掀起了反共运动。自由党干部前任内相的植原悦三郎曾揭露此事之真相。他在五月二十日的美占领军当局的机关报《星旗报》上刊载一文称："目前的日本正在走向绝路。为了解决这一问题，必须和美国合作。而美国政府现在正与共产主义战斗。因此自由党今天是不能参加受共产主义影响的内阁的。"代表自由党的吉田，更公开地要求不准左翼社会党人入阁，虽然已遭片山哲的拒绝，可是这样一来，对于吉田来说更是正中下怀，大放厥词说："在社会党未解决左派问题以前，自由党是不能参加新内阁的。"这简直是等于要求社会党开除左派。自由党的奸计未逞，便只好宣布："不得不处于在野党的地位"。于是四党联合组阁一事便烟消云散，从此不提，接着便考虑到三党联合组阁问题。恰在此时当磋商三党组阁之际，民主党提出了下列条件，即（一）反对极左或极右；（二）严守国家机密；（三）凡是足以引起社会不安的言论行动，一切都要谨慎从事。于是，便产生了由社会党七人，民主党七人，国民协同党二人，无党派一人构成的片山内阁。

正如日本的各报纸所指出，这次的内阁民主党的色彩是非常浓厚的，它将给予社会党以巨大的压力。自由党的势力虽然仅仅限于众议院的一百二十七个议席，但是因为它实际上受到财阀、大地主及麦克阿瑟总部的支持，因之还是拥有很大的势力的。

因此我们说，不管今后日本的情势怎样发展，很明显的是：日本的内阁危机是决定于美国的对日政策；而美占领军当局所干的一套，很少是为了日本的民主化，也绝不是为了远东的安全。

（原文载《消息报》六月五日莫斯科广播，载六月三十日《东北日报》）

朝鲜民主化的症结

尹　光

去年日寇投降时，被压抑半世纪的朝鲜，一旦枷锁纷碎，举国莫不雀跃庆幸自由解放。但一年以来，朝鲜竟而成为两片截然不同的天地。

在朝鲜北纬三十八度以北地区，因朝鲜人民与苏联红军通力合作，政局已经开朗。日寇韩奸的残余，已荡然无存。尤其二月间实施土地改革，有九十六万三千余贫佃雇农获得耕地，社会经济由此欣欣向荣。本月三日进行民主普选，选举人民委员会，以为苏联占领军的谘议机构。所以今日鲜北，已为未来独立民主繁盛的新朝鲜人民共和国，竖立了经济、政治的阶石。

另一片鲜南地区的情形则完全相反。暗杀政治愈益猖獗，民主惨遭挞伐，五千余爱国志士又身系囹圄，其中许多已枉死牢狱。而亲日韩奸则逍遥法外，仍为非作歹。政治如此反动，经济则因封建剥削的有增无减，遽趋凋敝。因而鲜南人民的抗击虐政的运动遍地蜂起。农村的抗租抗捐运动跟踪城市的罢工示威而来；目前更爆发了武装起义。在庆尚南道与忠清南道的民变军声势日益扩大，数度与进犯的美军韩警激战。这种情形是怎样产生的?

当去年美军尚未开入鲜南时，朝鲜在国外的民主势力已经回国，并与国内民主势力在鲜南汇合组成统一战线，解除了日寇与韩奸的统治，并成立临时政府，维持秩序，使局面焕然一新。在霍奇率领美军开抵鲜南后，民主派领袖刘凤山与白山古二氏，及携带各民主党派联名的牒文亲见霍奇，请求他接受鲜南临时政府与人民的援助。讵知霍奇先则敷衍疑惧，继又借口美军力薄，不能迅速解除日寇武装，与“维持秩序”，竟恢复当时已为临时政府解散了的日寇原班人马。并从美国带去了流亡政客李承晚，和由重庆唤回了政治流氓金九，将他们塞进临时政府，这些政客则又拉进亲日派巨憝金满立及其爪牙，窃取政柄，进行出卖朝鲜民族利权的勾当。

嗣后，美政府因国内外舆论指责，于莫斯科三外长会议中，被迫与苏英取得协议。在美国务卿贝纳斯签字的决议上宣称：三国同意设立一临时朝鲜民主政府，以重建朝鲜成为独立国家，为协助组成此政府，鲜南美军司令部与鲜北苏军司令部设立共同委员会，与民主党派及社会组织谘商，而制成之方案须送交中、苏、英美四国政府考虑，但最后决定，乃由参加共同委员会之苏美双方裁决。当临时朝鲜民主政府成立后，共同委员会协同其制定各种方案时，亦遵照上述手续程序。至于四国在朝鲜为期五年的托管制，应成立协定。

但是，决议的墨濡未干，鲜南美军占领区竟发出反对决议的叫嚣。至后，苏美共同委员会虽告成立，但美方代表，却在会上，力图推翻莫斯科三外长协议，坚主金九为首的反动派为临时朝鲜民主政府的主体，和主张共同委员会向“所有党派”包括亲日势力政党咨商。所以苏美双方意见南辕北辙，卒使会议若断若续，数月来毫无进步。至五月六日美方表示退出该会，所谓共同委员会遂告夭折。鲜北红军总司令齐斯卡可夫，直到十月间仍几度函恳霍奇履行莫斯科协议，恢复苏美占领军间的谈判，以重建共同委员会，俾统一的临时朝鲜民主政府早日成立；但因霍奇坚持老调，苏方的努力复告失败。霍奇更在十月间扬言：明春三月鲜南将组织“韩国自治政府”，俟该政府成立后，即将美方军政府撤销，另组织美国顾问团以“协助”鲜南“自治”。在本月初，已“选举”立法会议，绝大多数议席为各反动党派所瓜分，现正起草宪法，筹备“自治政府”的开张。

美国这种倒行逆施的政策，乃企图将鲜南变成菲律宾型的新式殖民地。尤其因为朝鲜在战略地位上是进攻亚洲大陆的跳板，美国反动派更想在鲜南筑起兵站基地。这种妨害鲜南人民解放的政策，无疑必引起鲜南人民的更大的反抗。

（载十二月十四日《东北日报》）

霍奇将军的文告

本月廿三日美国国务院公布了朝鲜美军司令霍奇中将的公告。这一文告代表了美帝国主义军阀统治的典型，其对另一民族之极端虚伪、狡诈与播弄，只有不久前马歇尔的离华声明差堪与之相比。

朝鲜果真如霍奇将军所说，是赖美国的“生命、流血与力量”，才“挣脱日本的统治”的么？美国果真“保证朝鲜的独立”，并“力图促其实现”么？谁都知道，当霍奇将军率领美军在朝鲜登陆之时，朝鲜的爱国民主势力早已联合起来，推翻日寇韩奸的统治，成立临时政府，建立起朝鲜历史上第一次民族与民主的秩序。但当霍奇一到，就立即恢复日寇在韩的统治机构，扶植反动派李承晚、金九等的势力。前年十二月莫斯科三外长会议决定四强对朝鲜实行托管，帮助建立民主临时政府，使朝鲜走上独立民主之路。这一决议得到朝鲜全国人民的拥护。但朝鲜美军当局的实际行动却处处予以反对，他们在苏美共同委员会中一贯企图推翻莫斯科决议，坚主以金九为首的反动派作为朝鲜临时政府的主体，并主张共同委员会应向各反动政党谘商。最近则花样翻新，一手支持李承晚活动反对托治，而自己则装出赞同莫斯科决议的样子，以逃避国际舆论的责难。与蒋介石召开伪国大同时，美帝国主义者也在朝鲜导演"选举"伪立法会议，起草伪宪，组织"韩国自治政府"；同时剥夺朝鲜人民的一切民主权利，爱国民主人士五千余人被逮捕与虐杀，民主进步书报大批被查封；四人以上不得警察准许不能集会；三人以上不得军政府同意不能结社；对罢工工人与抗税农民更血腥镇压，格杀勿论。

然而霍奇将军却夸称"美政府已再三公开保证朝鲜之独立"，保证朝鲜人民设立政府之"自由"。他一方面使出马歇尔将军同样的手法，故意斥责其一手扶植的

“愚蠢集团”之“愚蠢的政府行动”，以欺骗朝鲜人民和搪塞国际舆论；另一面则将“朝鲜临时政府之设立延缓数月”的责任推给朝鲜人民。请问究竟是谁“反对莫斯科决议，反对托管制度”？又究竟是谁延缓了朝鲜临时政府的成立？难道不正是霍奇将军自己及其在朝鲜的走狗李承晚金九辈么？难道不是在朝鲜另一个地区，即北纬三十八度以北不是美军驻在的地区，那里的日寇韩奸已被肃清，土地改革已经实行，韩奸地主的九六三点三六七公顷土地被没收，九十六万三千余贫雇农得到土地，工商业迅速恢复，人民享受民主自由，真正在“向独立之途迈进”么？

朝鲜人民是有其光荣悠久的奋斗传统的。美帝国主义者在鲜南的暴政，只能激起朝鲜人民的愤怒和抵抗。去年以来，鲜南各城市到处发生罢工罢课，农民普遍抗捐抗税。朝鲜人民的抗美民主统一战线在逐渐形成，其中包括朝鲜人民党、新朝鲜党、朝鲜共产党，和拥有数十万会员的职工会与农会，拥有百万以上会员的朝鲜青年同盟和妇女同盟。霍奇将军的文告虽竭尽其骗诈之能事，但是朝鲜人民一定不会受他的愚弄，他们将更加团结起来，以便坚决的行动，反对美帝国主义的侵略，实现莫斯科外长会议的决议，取得自己真正的独立与解放。

（载一月三十一日《解放日报》）

关于恢复对鲜联委会工作美苏外长两次换文

据塔斯社莫斯科十日电，马歇尔莫洛托夫间曾于四月及五月两度换文，商谈关于恢复苏美对朝鲜联合委员会之工作问题。此两次换文，并均曾将副本交与英、中（蒋）两国政府。

四月八日，马歇尔首先致函莫洛托夫，表示美国政府愿意恢复已经中断近一年的对鲜联合委员会的工作，迅谋建立朝鲜临时民主政府。马氏并建议：在今年夏季指定一个共同同意的日期重开联合委员会。马氏重申美国对朝鲜的政策是：

1. 协同朝鲜人民于最短期内，建立一个不受外国干涉的自治的统一的朝鲜。

2. 保证这样建立起来的国民政府，是一个足以代表朝鲜人民自由表达其意志的政府。

3. 帮助朝鲜人建设健全的经济，作为他们国家独立、民主的基础。

四月十九日，莫洛托夫复函马歇尔说：一九四五年十二月苏、美、英三外长莫斯科会议，在确定三强对朝鲜政策问题上，已达到协议。对于以苏政府建议为基础的这一协议，美国在放弃其最近几年将不建立朝鲜国民政府的初步意见后，也曾表示同意。莫斯科协议认为建立朝鲜临时民主政府是头等重要的任务，因为这个政府能采取一切必要的措施，发展朝鲜的工业、运输业、农业及朝鲜人民的民族文化。

苏联政府提出这些建议时，曾认为朝鲜在其国民政府领导下之统一，乃是恢复其国家独立并得在民主原则上继续发展的重要前提。苏联政府现在依然坚持这个观点，并主张坚决实现莫斯科会议关于朝鲜问题的决议；相信在实行该决议的基础上，朝鲜将在民主的道路上顺利的发展，将变成一个独立的繁荣的国家，将成为联合国中享有平等权利的一员。

然而莫斯科协议关于朝鲜问题所规定的行动纲领，迄今并未实现。而以协同建立朝鲜临时民主政府为目的之苏美联合委员会的工作，亦因该委会的美代表团采取反对莫斯科协议关于朝鲜问题之决议的立场而中断了。同时南鲜美军司令对北鲜苏军司令所提关于两占领区间实行经济联系的建议不愿郑重考虑，以致对该问题的协议也成为不可能。

在一九四六年三月至五月间苏美联合委员会工作过程中，苏代表团为实现上述关于朝鲜问题的协议，首先是为保证尽速建立朝鲜临时民主政府及保证在该政府领导下的朝鲜统一曾作了一切努力。然而在这方面，苏代表团不仅遇到了困难，而且遇到了美代表团的直接反对。根据关于朝鲜问题的协议，联合委员会在制订方案时，应与朝鲜的民主党派及社会团体进行协商，苏代表团坚决主张广泛吸收这些党派与团体同委员会协商。但美代表团却拒绝南朝鲜所有这类大的民主团体参加，而主张仅吸收那些反对莫斯科协议的团体。自然，同这样的团体进行协商，是不能实现莫斯科协议的。

在美代表团提出的参与联合委员协商的南鲜党派与团体名单中，有十七个是反对莫斯科协议的，而支持莫斯科协议的民主党派，却只有三个。像这样大的政党与社会团体，如全朝鲜劳动联盟，全朝鲜农民联合会，朝鲜民族革命党，全朝鲜青年联盟及其他等等，是被美国拒绝参加协商的。美代表团的这种立场，苏代表团当然不能同意。然而苏代表团仍然作了一切努力，求取可以获致共同决议的方法，但亦未成功。因此，委员会的工作，根据美代表团的建议，便告中止。

既已造成目前的情况，显然是难以令人容忍的。因此，如你所知道的，必须重新采取摆脱此种情况的措施。

苏军司令在其致美军司令书中，即图寻求恢复联合委员会工作的依据。由于交换信件的结果，两司令均认为双方观点已大为接近。

预料双方意见很快即可趋于一致，而联合委员会亦可于最近期间恢复工作。然而美军司令对今年二月二十八日苏军司令的最后一封信，至今仍未作答，而所希望的协议亦未达到。行动的不一致，对于及时执行莫斯科协议中有关整个朝鲜问题的行动纲领，是一个严重的障碍。

至于北朝鲜，自日本投降以后，无论在民主方面，在恢复国民经济与文化方面，都获得了巨大的进步。进行了广泛的保障人民政治自由的民主改革，提高了人民的物质生活。这里我所指的首先是，普遍选举；男女平等；根据自由民主选举而组成的地方政权机关和北朝鲜人民委员会；土地改革，及由于土地改革的结果七十二万五千无地和少地的农民毫无代价地获得了一百多万海克脱的土地，而这些土地从前是属于日本殖民者及其在朝鲜的帮凶们的；八小时工作日制，劳动保护法及社会保险法；人民教育的改革，使在各学校内恢复了朝鲜文；扩大了学校网，求学人数大大增加了；以及其他等等。可是这种广泛的民主改革只在占朝鲜人口五分之二的北朝鲜进行了。

在对朝鲜政策中，严格遵守莫斯科协议的苏联政府，认为头等重要的任务乃为：

1. 在朝鲜民主政党及社会团体广泛参加的基础上，建立朝鲜临时民主政府，以便加速朝鲜政治、经济的统一，使其成为一个不受外国干涉的独立自主的国家，因而可以消灭将国家分割为两个占领区的现象。

2. 以普遍、平等、自由选举的方法，建立整个朝鲜的民主政权机关。

3. 帮助朝鲜人民建立独立民主的国家，并帮助其发展民族经济与民族文化。

根据苏联政府确定不移的意愿，尽速恢复朝鲜，使成为统一的主权独立的国家，解决由于朝鲜直到现在仍不统一以及没有自己的国民政府所造成的困难，我提议，苏美联合委员会在切实执行莫斯科会议关于朝鲜问题的协议的基础上，于今年五月二十日在京城重新恢复其工作；而于一九四七年六月至八月，委员会则应将其关于组织朝鲜临时民主政府的建议呈交两国政府审查。

五月二日，马歇尔又函复莫洛托夫谓：彼已考虑莫氏之函件，对莫氏所提“要在严格执行莫斯科会议关于朝鲜问题之协议的基础上”恢复苏美联合委员会工作的声明已予注意，并对“严格执行”一语有所解释。

五月七日，莫洛托夫再函复马歇尔称：

据我的了解，你的建议是联合委员会恢复

工作之前，应根据与朝鲜各民主党派与社会团体协商的条件达到协议。苏美驻朝鲜军司令间的书信往还就是讨论这个问题的，如我在我上次函件中所指出的，此种书信往还的结果，双方意见已大大接近。苏驻朝鲜军司令在其一九四六年十一月二十六日的函件中，提出下列建议作为恢复联合委员会工作的基础：“1. 联合委员会应与完全拥护莫斯科会议关于朝鲜问题决议的各民主党派与团体协商；2. 被邀与联合委员会协商的各党派或社会团体，不应派遣积极反对莫斯科决议者为代表来协商；3. 被邀与联合委员会协商的各党派与社会团体不应而且将不反对或煽动他人来反对关于联合委员会工作的莫斯科决议。否则经两代表团同意将拒绝此类党派和社会团体与联合委员会的进一步协商。”美驻朝鲜军司令于其一九四六年十二月二十四日的信中同意接受苏军司令的这一建议，并提出下列修正作为恢复联合委员会工作的基础：第一项建议可以这样解释：曾签署第五号公报中宣言的各党派与团体有资格被指定参加初步协商，因该项签署应被视为全力支持莫斯科决议的善意表示。第二项建议，我认为曾发表该宣言的党派或团体有权派遣这样的代表，该代表在它（译注：指党派或团体）认为是能最好地对联合委员会提出它对实行莫斯科决议的意见。然而该代表如果因为十分重大的理由，被认为敌视莫斯科决议之实行或敌视盟国之一时，联合委员会经相互同意可要求曾发表宣言的该党派或团体另派代表代替之。第三项建议，关于这一点我建议作如下规定：签署第五号公报中的宣言而被邀与联合委员会协商的个人、党派及社会团体不得煽动或怂恿示威行动，以反对联合委员会的工作或反对同盟国之一或反对实行莫斯科决议。这些签署第五号公报中的宣言的个人、党派或团体如果煽动或怂恿示威行动以反对联合委员会的工作、或反对盟国之一或反对实行莫斯科决议者，应被拒绝与联合委员会进一步协商。关于排除此类个人、党派或社会团体的决议，应由联合委员会内两代表团同意采取之。为了迅速恢复联合委员会的工作与成立朝鲜临时民主政府，我准备接受美军司令所提的上述修正。我希望：这样再不会有任何拖延召开联合委员会的理由。你在你的信中说：美国政府现正考虑恢复朝鲜经济及其文化与政治发展的建设性计划。我认为遵照莫斯科会议关于朝鲜的协议，在完成建立朝鲜临时民主政府的工作之后，联合委员会应在此政府参加下考虑美苏双方关于协助朝鲜人民的政治、经济与社会的进步，发展民主自治政府及建立朝鲜的国家独立之方案的建议，并对这些问题提出协议的建议。

（据新华社东北总分社特译稿，坚博、伊真合译，载五月三十一日《东北日报》）

三联经典文库第二辑简目

《游击战教程》　明凡 / 著

《游击战术纲要》　陶剑青 / 编著

《汪精卫卖国的理论与实践》　钱俊瑞 / 著

《抗战以来》　韬奋 / 著

《陕行纪实》　楚云 / 著

《随军散记》　沙汀 / 著

《被日寇囚系半载记》　王研石 / 著

《倭营历险记》　房沧浪等 / 著

《活跃的新西北》　田影 / 编著

《保卫华北的游击战》　刘清扬　陈北鸥等 / 著

《徐州突围》　《徐州突围》编委会 / 编

《沦亡的平津》　长江　小方等 / 著

《淞沪火线上》　胡兰畦等 / 著

《瞻回东战场》　长江　罗平等 / 著

《东线的撤退》　胡兰畦等 / 著

《抗战中的西北》　徐盈 / 著

《鲁闽风云》　徐盈等 / 著

《西线生活》　西北战地服务团集体创作

《中国解放区见闻》　［美］福尔曼著 / 朱进译

《全面抗战论》　潘汉年 / 著

《日本的间谍》　范士白自述 / 尊闻译

《日本大陆政策的真面目》　国难资料编辑社 / 编

《民众动员论》　李公朴 / 著

《中国外交史》　钱亦石 / 编著

《太平洋军事地理》　蒋震华 / 著

《世界经济地理讲话》　思慕 / 著

《列强军力论》　［德］马克斯·威纳尔著 / 宾符　仲持　梅益等译

《近代国际关系史》　张铁生 / 著

《太平洋现势手册》　沈志远　石啸冲 / 编著

《近代世界政治史》　钱亦石 / 著

《从战争到和平——一九四五年的世界政治》　乔木 / 著

《战后日本问题》　思慕 / 著

《最近一年间的国际动态（1946.7—1947.6）》　《东北日报》社 / 编

《论政党》　翟放 / 著

《法与宪法》　韩幽桐 / 编著

《中华民国宪法刍议》　罗家衡 / 著

《民主·宪法·人权——作之民》　费孝通 / 著

《宪法论初步》　潘念之 / 著

《对反民主的抗争》　韬奋 / 著

《农村改进的理论与实际》　江恒源 / 著

《上海产业与上海职工》（上下）　　朱邦兴　胡林阁　徐声 / 合编

《陶行知教育论文选辑》　　陶行知著 / 方与严编

《中国通货膨胀论》　　杨培新 / 著

《中国及其未完成的革命》　　H·普拉特著 / 蒋天佐译

《中国的建设问题与人的训练》　　卢作孚 / 著

《论中国特殊性及其他》　　艾思奇 / 著

《中国经济问题讲话》　　钱俊瑞　徐雪寒　王渔邨　姜君辰　骆耕漠 / 合著

《中国经济的道路》　　许涤新 / 著

《中国财政之病态及其批判》　　孙怀仁 / 著

《官僚资本论》　　许涤新 / 著

《五四运动之史的评价》　　陈端志 / 著

《中国通史简编》（上下）　　中国历史研究会　范文澜 / 主编

《论文学的工农兵方向——读〈在延安文艺座谈会上的讲话〉》　雪苇 / 著

《中国近代史（上编　第一分册）》　　武波 / 编著

《文学百题》　　傅东华 / 编

《中国史学之进化》　　周谷城 / 著

《论民族形式问题》　　胡风 / 著

《论批评》　　荃麟等 / 著

《中国史纲》（第一卷上下、第二卷上下）　　翦伯赞 / 著

《近代中国思想学说史》（1–4）　　侯外庐 / 著

《中国政治思想史》(上下)　吕振羽／著

《中国哲学史纲要》　向林冰／著

《中国政治史讲话》　钱亦石／著

《中国社会经济史纲》　王渔邨／著

《新财政学大纲》　千家驹／著

《太平天国革命运动论文集——金田起义百周年纪念》

华北大学历史研究室／编

《理性与自由——文化思想批评论文集》　胡绳／著

《战斗者的诗人》　黄药眠／著

《国语文法》　曹朴／著

《教育哲学》　张栗原／著

《妇女问题讲话》　杜君慧／著

《婚姻·子女·继承》　沙千里／著

《性教育新论》　布士克　雅各生合著／董秋斯译

《狱中杂感》　杜重远／著

《七人之狱》　沙千里／著

《爱迪生传》　伍况甫／译

《歌德自传》(上下)　歌德著／思慕译

《尼赫鲁自传》　[印度]尼赫鲁著／毕来译

《列宁传》　[苏]凯尔任采夫著／企程　朔望译

《罗斯福总统传》　C. Mackenzie 著／张尚之译

《托尔斯泰传》(1–3)　[英]阿尔麦·莫德著／徐迟译

《革命文豪高尔基》　［美］亚历山大·康恩著 / 韬奋编译

《鲁迅纪念特辑》　新中国文艺社 / 编

《回忆鲁迅先生》　萧红 / 著

《人民文豪鲁迅》　平心 / 著

《亡友鲁迅印象记》　许寿裳 / 著

《鲁迅思想研究》　何干之 / 著

《鲁迅研究》　夏征农 / 编

《过来的时代：鲁迅论及其他》　雪峰 / 著

《电影戏剧表演术》　洪深 / 著

《日常心理漫谈》　［美］约瑟夫·查斯特罗著 / 曾宝葹译

《心理常识漫话》　朱智贤　杨云美 / 著

《读书的方法与经验》　王任叔 / 著

《美国黑人生活纪实》　［美］加德维尔　斯坦倍克著 / 董秋斯译

《初访美国》　费孝通 / 著

《事业与成功》　［美］马尔腾著 / 汪原放译

《萍踪寄语（初集）》　韬奋 / 著

《一生的幸福前途——〈生活周刊〉信箱选集》　生活书店 / 编选

《深刻的印象》　生活周刊社 / 编

《海外的感受》　生活书店编译所 / 编

ISBN 978-7-108-04656-7
9 787108 046567 >
定价：79.00元